BLEU NUIT

Histoire d'une cinéphilie nocturne

SOUS LA DIRECTION
D'ÉRIC FALARDEAU ET DE SIMON LAPERRIÈRE

ÉDITIONS
SOMME
TOUTE

BLEU NUIT

Histoire d'une cinéphilie nocturne

a été publié sous la direction littéraire
d'Éric Falardeau et de Simon Laperrière
avec la collaboration de Renaud Plante (Somme toute)
et Alexandre Fontaine Rousseau (Panorama-cinéma)

Conception de la couverture et design graphique : Les Éclaireurs
Direction de la production : Marie Lamarre
Révision : Vincent Dupuis et Fleur Neesham
Correction : Annabelle Moreau

© 2014 Éric Falardeau, Simon Laperrière et les éditions Somme toute

ISBN papier 978-2-924283-48-6 · epub 978-2-924283-49-3 · pdf 978-2-924283-50-9

Nous remercions le Conseil des arts du Canada de l'aide accordée à notre programme de
publication et la SODEC pour son appui financier en vertu du Programme d'aide aux entreprises
du livre et de l'édition spécialisée.

Nous reconnaissons l'aide financière du gouvernement du Canada par l'entremise
du Fonds du livre du Canada (FLC) pour nos activités d'édition.

Gouvernement du Québec – Programme de crédit d'impôt pour l'édition de livres –
Gestion SODEC

Dépôt légal – 3e trimestre 2014
Bibliothèque et Archives nationales du Québec
Bibliothèque et Archives Canada

Ma vie, ma vie, ma très ancienne
Mon premier vœu mal refermé
Mon premier amour infirmé
Il a fallu que tu reviennes

Michel Houellebecq, *HMT*

D'abord un gros plan
sur tes hanches
Puis un travelling panorama
Sur ta poitrine grand format
Voilà comment mon film commence

Claude Nougaro, *Le cinéma*

À nos mères...

Table des matières

Le livre que vous allez lire
comporte des scènes de nudité
qui peuvent offenser certains lecteurs.
Il est par conséquent recommandé
à un auditoire adulte.
Nous préférons vous en avertir.

Un certain folklore

Alexandre Fontaine Rousseau

Parler de *Bleu nuit* en 2014, c'est déjà parler d'un autre temps. C'est évoquer, presque inévitablement avec nostalgie, une époque où l'on enregistrait les films diffusés à la télévision sur des VHS aujourd'hui poussiéreuses qui, comme les clubs vidéo, font partie d'un certain folklore cinéphile de plus en plus lointain. L'aura séduisante de la désuétude plane désormais sur cette ère révolue où la tablette du bas de la section «horreur» réservait toujours d'étonnantes surprises, où l'on prenait dans les faits plus de temps à choisir le film que l'on allait regarder qu'il n'en fallait pour le regarder, où l'on contemplait les pochettes déjà décolorées de *Krull* (Peter Yates, 1983) et de *Dreamscape* (Joseph Ruben, 1984) en rêvant aux œuvres qu'elles nous promettaient… et où, quand on ne pouvait pas aller au club vidéo, on regardait ce qui passait à la télé, peu importe ce que c'était. «*It was the best of times, it was the worst of times*», comme dirait l'autre.

Au même titre que TQS qui est devenu V depuis, au même titre aussi que les bonnes vielles «oreilles de lapin» qui ne captent plus rien depuis le passage au numérique, *Bleu nuit* s'inscrit dorénavant dans une drôle de mythologie locale datant de cette époque où tout le monde regardait à peu près la même chose en même temps – en partie parce qu'il n'y avait pas des centaines de postes spécialisés courtisant tous les publics cibles possibles.

> «*Nous étions des étrangers dans la nuit. Dans une quelconque nuit, il y a de cela bien bien des années, quand existait encore une multitude de choses dont je ne parviens plus à me souvenir, et même certaines dont je me souviens, mais auxquelles je ne peux plus croire; des crépuscules bleutés, par exemple, constellés ici et là de maisonnettes où des lampes s'allument*[1].»

---

1   Svetislav Basara, *Perdu dans un supermarché*, Montréal, Les Allusifs, 2008, p.9.

Bleu nuit, véritable phénomène culturel clandestin, aura illuminé les sous-sols du Québec et marqué l'inconscient collectif de nombreux adolescents avant de s'évanouir définitivement, victime du temps qui emporte tout sur son passage. C'est cette mélancolie inhérente au sujet qui m'a inspiré quand Éric Falardeau et Simon Laperrière m'ont pour la toute première fois parlé du livre que vous tenez en ce moment entre vos mains fébriles. Bien entendu, la perspective d'entendre mille et une anecdotes d'éveil sexuel et d'apprendre par le fait même qui a été marqué par quelle image de Sylvia Kristel dans quel *Emmanuelle* me paraissait des plus attrayantes. Mais, au-delà de ces pléthoriques souvenirs érotiques, c'est tout ce qui se rattachait un peu fortuitement à *Bleu nuit* qu'il me paraissait pertinent d'explorer – à commencer par cette idée d'un imaginaire commun, si étrangère à cette époque dans laquelle nous vivons où la fragmentation des contenus comme des réseaux de communication menace (ou, du moins, redéfinit) l'idée même de collectivité.

L'idée que tous ces gens aient pu voir ces mêmes films au même moment, qu'ils aient pu partager dans l'anonymat de la nuit un fantasme, comme une communion secrète, m'apparaissait en fait plus excitante que la plupart des films diffusés dans le cadre de l'émission. Utiliser *Bleu nuit* comme point de départ pour définir une communauté ? Pourquoi pas. Après tout, c'est toujours un peu ce que l'on fait quand on parle d'une cinéphilie, qu'elle soit diurne ou nocturne. Ces films généralement médiocres, peu ou pas titillants, nous les avons d'abord et surtout partagés. Que ce soit en les écoutant en groupe ou en les racontant le lundi matin dans la cour d'école, ou tout simplement en les syntonisant à la même bat-heure et à la même bat-chaîne tous ensemble. *Bleu nuit* leur a donné un sens et, réciproquement, c'est notre regard commun qui leur donnait un sens : notamment celui d'interdits à franchir.

On aurait pu croire et craindre que cette communauté soit assez hétérogène et furieusement hétéronormative, composée comme il se doit d'une belle bande d'adolescents boutonneux espérant apercevoir par un samedi soir particulièrement plate une paire de seins qui le soit moins. Mais c'est avec un certain plaisir que l'on se rend compte qu'au contraire, l'expérience *Bleu nuit* aura marqué toute sorte de gens – la magie des ondes hertziennes ayant même permis au signal québécois d'aller corrompre la jeunesse ontarienne, quand il ne venait pas troubler l'imaginaire d'une jeune fille se demandant «lequel des deux l'attirait le plus», pour paraphraser le slogan d'une campagne de sensibilisation de l'époque, ou encore attiser celui d'une autre, élevée dans un milieu religieux strict, où ce genre de «cochonneries» n'étaient pas admises. L'érotisme *softcore* comme matériau subversif? D'accord. Tant pis. Tant mieux.

Au bout du compte, cependant, c'est encore et toujours la passion cinéphile transpirant de l'ensemble qui rend à mon avis la lecture de ce recueil si divertissante. Je n'imagine personne d'autre qu'Éric et Simon pour ressortir des boules à mites des œuvres aux titres aussi évocateurs qu'*On se calme et on boit frais à Saint-Tropez* ou *Les petites culottes de la révolution*. Notre nostalgie, d'ailleurs, les en remercie. Car, grâce à leurs efforts, notre souvenir de *Bleu nuit* sera plus précis... tout en demeurant juste assez diffus, embrouillé comme une mauvaise réception à laquelle aucun des pitons de la télévision ne peut rien faire. Notre curiosité, malgré tout, sera satisfaite par les formes que l'on entrevoit par-delà le brouillard statique de notre mémoire, qu'ils ont eu la bonne idée de rafraîchir avec cette fascinante odyssée dans le subconscient érotique québécois.

—I—
SCÉNARIOS PRÉTEXTES À SCÈNES ÉROTIQUES

Émilie RÉCIT
Sandrine Galand

La vague de chaleur a pris tout le monde par surprise. On ne s'attend pas à une canicule si tôt durant le mois de juin. Émilie et Catherine ont passé l'après-midi à s'arroser avec la *hose* pour se rafraîchir. Le bruit de leurs éclaboussures se mêle au bourdonnement des filtres de piscine et des climatiseurs. Elles sont seules dehors ; aucun autre voisin n'est sorti pour jouer. C'est parfait ainsi. Elles préfèrent être toutes les deux. Les journées se remplissent alors de promesses et d'aventures à venir. Les autres ne les comprennent pas toujours. C'est ensemble qu'elles s'amusent le mieux.

Lasses de l'eau, elles enfilent des vêtements par-dessus leurs maillots mouillés et annoncent à la mère d'Émilie qu'elles partent au parc en vélo. Du moins, au moment où elles le disent, c'est ce qu'elles croient. Catherine adore traîner au parc quand le soleil darde. Le sable brûle la peau de la plante des pieds et il faut courir vite pour ne pas se blesser. En chemin, Émilie roule devant Catherine, comme d'habitude. Elle la devance d'à peine quelques centimètres, mais cette distance est cruciale.

•

Un jour, une seule fois, Catherine a dépassé son amie, comme ça. Pour rire. Pour lui montrer qu'elle en était capable. Émilie a immédiatement mis les freins. Elle s'est tenue debout, stoïque, le vélo en équilibre entre ses cuisses en attendant que Catherine s'en rende compte et revienne sur ses pas. Puis elle a regardé son amie d'un air impassible et lui a annoncé «je rentre.» Et elle est partie chez elle.

C'est comme ça. Émilie a un an de plus que Catherine. À l'école, elles ne sont pas dans la même année. Elles ne se parlent pas à la récréation. Ça ne se fait pas. Parfois, le midi, Catherine observe Émilie avec ses autres amies. Elles ne jouent à rien. Elles passent la récréation à marcher autour des terrains de ballon-chasseur en se racontant des secrets. À la récréation, Catherine joue à l'élastique ou à la corde à danser. Elle adore chanter *crème glacée limonade sucrée dis moi le nom de ton cavalier*. Elle voudrait qu'Émilie parle d'elle à ses amies. Mais elle ne regarde jamais dans sa direction.

Puis les fins de semaine arrivent; elles deviennent les meilleures amies du monde.

•

Arrivée à l'intersection, Émilie décide qu'elles n'iront pas au parc. Elle veut s'acheter du maquillage au Pharmaprix. Catherine la suit sans poser de questions. Elle n'en dira rien à sa mère. Quelque chose à l'intérieur d'elle lui conseille de taire ses journées avec Émilie. Samedi passé, alors que les parents d'Émilie s'affairaient dehors, les deux filles se sont retrouvées seules. C'était l'occasion parfaite pour explorer la chambre des maîtres, qui leur est strictement interdite. Elles ont ouvert les tiroirs de la commode, fouillé dans la penderie. Catherine a essayé les chaussures à talons hauts. Émilie a choisi un long collier de perles multicolores sur la *vanité* de sa mère.

Catherine s'est assise sur le lit pour contempler une bague qu'elle s'était passée au doigt quand Émilie l'a poussée et a grimpé à califourchon sur elle. «J'te gage que tu sais pas comment on fait les bébés.» Émilie s'est couchée de tout son long sur son amie et lui a dit des mots que celle-ci n'avait jamais entendus. Catherine avait la respiration coupée par le poids du corps d'Émilie sur le sien. Elle sentait les perles du collier contre ses côtes. Ça faisait mal. Ça a duré. On a entendu la porte patio s'ouvrir. Émilie s'est décollée d'un coup, les deux filles sont descendues au salon. Elles ont pris la collation. En rentrant chez elle, Catherine a décrit à sa mère la grosse structure de lego qu'Émilie et elle avaient érigée au soussol. Aucun détail ne manquait. Sa mère n'a pas remarqué l'anneau doré qu'elle n'avait pas eu le temps de retirer de son index.

•

Avant d'arriver au centre d'achat, il faut descendre une grande côte. Les deux filles prennent leur élan. Le vent fait bourdonner les oreilles de Catherine. Elle se répète la promesse qu'Émilie lui a faite. « On va jouer aux madames sexy. »

Arrivées, elles accotent leur vélo sur le mur de briques. Elles ont le dos trempé de sueur. Émilie les guide jusqu'au rayon des cosmétiques. Elles choisissent des fards à paupières de toutes les couleurs, des crayons à yeux rose, bleu, noir, argenté. Elles testent les textures et les tons sur leur peau. Leurs mains sont bariolées de couleurs. Catherine remarque que le caoutchouc des poignées du guidon a laissé de petites traces noires sur la peau fine entre le pouce et l'index.

•

À la maison, elles s'enferment à clé dans la salle de bains du sous-sol bien que personne n'y aille jamais. Elles ne seront pas dérangées. Émilie choisit les couleurs taupe, marron, chocolat, ocre et Catherine les rose pâle, bleu poudre et argenté. Elles maquillent leurs paupières lentement, savamment. Émilie fait des moues devant le miroir. Elle a couvert ses lèvres d'un rouge pivoine. Catherine remarque la poudre de maquillage qui se dépose sur l'émail blanc du lavabo. Elle se dit que ça ressemble à du pastel et trace des sillons dans les pigments qui s'accumulent. Émilie lui demande de dessiner une ligne de crayon sur ses paupières. Catherine s'exécute. Elle sait qu'il faudrait arrêter le trait au coin de l'œil, mais elle décide de l'étirer jusqu'à la tempe. Elle ne sait pas pourquoi. Elle égalise sur l'autre œil, recule d'un pas et hésite. Émilie à l'air d'un clown. Celle-ci se regarde dans le miroir et éclate de rire. Catherine ne la lâche pas des yeux.

Le jeu a changé. Catherine saisit le fard chocolat et l'appose grossièrement du bord des cils à la racine de ses sourcils, puis sous les yeux, suivant la ligne bombée des pommettes. Émilie étire le fard rosé sous le trait arqué que lui a fait Catherine et accentue ses sourcils au crayon argenté. Elle clame « j'suis Madame Comtesse de Tutti-Frutti » puis « toi t'es Madame de Raton Laveur. » Les mains d'Émilie sont barbouillées de maquillage. Elles rient aux larmes. Ça laisse des coulisses. Catherine a du rose jusque sous le menton. Les deux amies n'arrivent pas à s'arrêter. Bientôt, le maquillage occupe tout leur visage. Elles adorent leur jeu. Elles n'ont plus l'air de rien.

La mère d'Émilie les appelle pour souper. Les filles se démaquillent en vitesse. Des tampons de coton maculés de brun et de rose débordent de la poubelle et jonchent sur le plancher de céramique.

•

Aujourd'hui, c'est un des rares samedis *sleep-over*. Catherine a réussi à convaincre sa mère de la laisser dormir chez son amie. La chambre d'Émilie étant trop étroite pour deux matelas, les parents installent les deux filles au sous-sol sur les longs divans. Catherine et Émilie s'enfouissent sous une montagne de couvertures qui les garde à l'abri de l'air climatisé trop puissant. Devant elles, un petit téléviseur, déjà d'une autre époque, mais encore fonctionnel et le vieux système de son avec l'ancien tourne-disque de son père sur lequel elles écoutent souvent des vinyles en jouant à se déguiser. Catherine adore les longues robes à paillettes que la mère d'Émilie récupère dans les bazars d'église. Elles deviennent des atours fabuleux de princesse. Dans le coffre à déguisement, elles ont aussi trouvé un vieux porte-jarretelles. Ni l'une ni l'autre ne savent exactement comment l'appeler ni comment le porter, mais le petit morceau de dentelle a quelque chose de clandestin. Catherine le porte souvent en couronne ; Émilie le préfère en ceinture.

•

Bientôt, on n'entend plus un bruit à l'étage. Les parents sont montés se coucher à leur tour. Les filles ne dorment pas. Elles ont trop de choses à se raconter. Émilie détaille le voyage en Gaspésie qu'elle va bientôt faire avec sa famille. Catherine l'écoute. Elle aimerait lui poser des questions à propos de ses autres amies. Elle ne le fait pas.

Émilie s'interrompt.

> – *Tu sais c'est quoi, Bleu nuit ?*
> – *Ben ouais.*

Catherine ne sait pas ce que c'est. Elle n'a aucune idée, mais au ton supérieur que prend Émilie pour le lui demander, elle a le sentiment qu'elle devrait.

> – *T'as aucune idée c'est quoi, avoue.*

Émilie lui confie que les deuxièmes années en parlent beaucoup à la récréation. Que c'est une émission de télévision qui passe tard le soir et que «y'a des filles toutes nues, pis elles se font faire des affaires, Marc dit qu'elles font l'amour.» Émilie est énervée. Elle parle vite en chuchotant. Catherine ne comprend pas tout. Elle sait juste que ce que lui explique Émilie est très important.

Émilie s'extirpe des couvertures et s'assoit sur la petite table à café. Elle allume le téléviseur et se met à zapper.

> – *Le problème c'est que Marc voulait pas me dire à quel poste.*

Elle fait défiler les chaînes en boucle. Catherine reste là, blottie. Elle fixe le dos de son amie. Elle est fière. Émilie l'a choisie. Peut-être qu'après ce soir, elle aura le droit de jouer avec elle, le midi, à l'école. Ou, au moins, la saluer.

Quand vient la nuit

Éric Falardeau et Simon Laperrière

> *La nuit inscrit à la surface identique du socius*
> *des marques que le jour refuse :*
> *le sexe, le plaisir, une certaine curiosité.*
>
> Anne Cauquelin, *La ville la nuit*

> *I saw a film today, oh boy!*
>
> The Beatles, *A Day in the Life*

Souvenir d'un film. Lors d'une chaude nuit d'été, un jeune garçon découvre que sa jolie voisine, une brunette aux jambes longues, profite de la noirceur pour se dévêtir et plonger dans l'eau rafraîchissante de son immense piscine. Captivé, le voyeur observe en silence les mouvements lascifs de la nageuse. Cette dernière dévoile furtivement ses seins chaque fois qu'elle sort la tête de l'eau pour reprendre son souffle. Soudain, un sourire moqueur apparaît sur le visage de la femme nue. Sait-elle qu'on la regarde ? Le gamin ne le saura jamais puisque, troublé, il éteint en vitesse le téléviseur. Impossible de se rappeler le titre de ce long métrage, mais qu'importe, une chose demeure certaine, il a été vu à *Bleu nuit*.

Personne n'a découvert cette émission par lui-même. Un lundi matin dans la cour d'école, un compagnon de classe se vante de s'être couché plus tard qu'à l'habitude – accomplissement incroyable s'il en est un – et d'avoir vu à la télévision ce qui nous semblait si loin encore. Un film cochon, un film XXX, un film foncièrement associé à l'âge adulte. Rien de moins qu'un film 18 ans et plus. Nous savions déjà que pareil cinéma existait. Il nous était inaccessible, croyions-nous, puisque protégé par les portes battantes qui donnaient sur la section interdite de tous les clubs vidéo.

«Tu iras voir quand tu seras grand», nous disait-on. Un rite de passage promis qui viendrait avec le temps. Mais pour qui refusait d'attendre, il y avait désormais une autre possibilité. Chaque samedi soir, au réseau de Télévision Quatre Saisons, la réalité rejoignait nos fantasmes prépubères. Une fenêtre s'ouvrait sur un monde à découvrir. Ce rendez-vous se nommait *Bleu nuit*. Son titre évoquait la lumière de l'écran qui éclairait notre salon, mais surtout les promesses voluptueuses de la nuit.

Ainsi étions-nous tentés de veiller tard, de découvrir enfin l'objet de maintes conversations entre amis. Sa simple mention suscitait en nous une fascination inexplicable. Et la télévision nous invitait candidement à franchir le pas, ne serait-ce que par cette voix anonyme qui annonçait, lors des génériques de clôture de chaque émission, le programme de fin de soirée. «Après *Le grand journal* et *Sport plus*, répétait-elle, ne manquez pas *Bleu nuit*!» Dans quelques heures, si nous parvenions à rester debout, nous ne serions plus les mêmes.

Encore fallait-il passer à l'acte. Pour y arriver, tous les moyens étaient bons. D'abord, s'assurer que les parents dormaient. Ensuite, baisser le son du téléviseur au minimum avant de mettre l'appareil en marche. Finalement, syntoniser TQS et souhaiter ne pas se faire prendre. Les plus sournois d'entre nous évitaient ce risque en programmant le magnétoscope familial afin d'enregistrer le film défendu. Les moins subtils, quant à eux, se contentaient de carrément cacher la télé sous les draps. Dans tous les cas, il fallait garder la télécommande fermement en main afin d'éviter toute situation embarrassante. Vaut mieux être surpris à regarder Radio-Québec qu'*Outrage aux mœurs* de Pierre Unia (1985)!

Ces gestes juvéniles formaient un rituel s'inscrivant dans la réception même de la série. En témoignent les récits de son souvenir qui incluent toujours les conditions de visionnement, l'inscription dans un horaire ainsi que l'impression d'une transgression somme toute innocente. Voilà ce que nous avons retenu de *Bleu nuit*, l'expérience l'emportant finalement sur les films diffusés, des films dont on ne garde aujourd'hui que quelques images fugaces. Leur qualité importait peu. Ce qui comptait véritablement était d'avoir aperçu en plein milieu de la nuit cette nudité tant convoitée. Un sentiment de victoire nous envahissait dès l'apparition à l'écran de la fameuse introduction animée accompagnée de son sulfureux thème musical. Nous avions vaincu l'autorité parentale.

En revoyant aujourd'hui ce très bref générique d'ouverture, nous remarquons à quel point il synthétise cette expérience télévisuelle d'antan : un salon plongé dans une réconfortante obscurité ayant comme unique décoration cet inquiétant paysage pixelisé[1] posé contre un mur. Ce décor familier est une cellule flottant dans le vide qui représente l'isolement et la solitude du spectateur couche-tard. Nous sommes visiblement seuls à bord puisque personne n'est assis sur le divan rose situé face à cette fenêtre-écran sur laquelle apparaîtra le titre *Bleu nuit*. Nous sommes happés à l'intérieur de cette salle lorsqu'elle se révèle à nous en tournant sur elle-même. Le timbre du saxophone entremêlé à celui du synthétiseur nous a guidés vers elle ; la mélodie langoureuse anticipant la charge érotique du film à venir[2]. Les concepteurs inconnus de cette séquence étaient-ils conscients d'avoir créé, avec cette mise en abyme, le symbole d'une certaine cinéphilie[3] ?

L'introduction était cependant suivie d'une mise en garde digne de celle que lit Dante sur les portes des Enfers :

> *Le film que vous allez voir comporte des scènes érotiques qui peuvent offenser certains téléspectateurs. Il est par conséquent recommandé à un auditoire adulte[4].*

Mais au lieu de nous faire fuir vers la chasteté d'une autre chaîne, cet avertissement confirmait nos attentes. Plus que quelques instants avant de goûter enfin à l'initiation de celle que les grands appelaient affectueusement Emmanuelle. « Ainsi, le cinéma nous

---

1   L'animation ne rappelle-t-elle pas l'esthétique des jeux vidéo 8-bit sur Nintendo et Sega qui occupaient notre soirée jusqu'au moment tant attendu ? Ou encore ces jeux vidéos pervers pour ordinateur comme ce bon vieux *Leisure Suit Larry*, ce personnage mythique de *geek* puceau qui essayait sans succès de convaincre de jolies jeunes femmes de coucher avec lui ?

2   Rappelons que le film était à l'occasion présenté par une voix douce mais suave, comme si l'un des personnages de cette fiction nous résumait ses propres aventures.

3   Difficile ici de ne pas penser à *Videodrome* de *David Cronenberg*. Aucun autre film n'a su mieux transposer à l'écran l'expérience à la fois charnelle et désincarnée du téléspectateur aventureux. Il démontre, comme le rappelle Serge Grünberg, que la télévision est foncièrement du domaine de l'intimité. Voir Serge Grünberg, *David Cronenberg*, Paris, Cahiers du cinéma, Nouvelle édition augmentée, 2002, p. 118, coll. « Auteurs ».

4   Toujours lu à voix haute, cet avertissement a eu droit à plusieurs narrateurs, dont une femme adoptant un ton de maîtresse d'école méprisante qui, en plus de générer maints fous rires, annihilait d'emblée la sensualité du générique d'introduction.

fait pénétrer *magiquement* dans ces lieux interdits où l'érotisme se célèbre à huis-clos [...][5]. » Le voyage pouvait commencer.

De retour en classe, nous pouvions réclamer haut et fort notre appartenance au cercle des initiés. Voir *Bleu nuit* pour la première fois nous accordait un statut particulier au sein de notre bande. Nous n'étions plus des puceaux de l'image. La femme, du moins celle au cinéma, n'avait plus de secret. Un lien nous unissait désormais à elle. Il suffisait qu'une actrice apparaisse à l'écran pour que nous fantasmions sur son devenir *Bleu nuit*. Comme l'a écrit Naïm Kattan,

> La photo d'une star de cinéma ne mène pas au bonheur sensuel avec une femme réelle, mais à une autre photo d'une autre star, plus osée et plus provocante que la première[6].

Ainsi avons-nous tous rêvé de croiser Karen Allen (*Les aventuriers de l'arche perdue* de Steven Spielberg, 1981) ou Jennifer Connelly (*Labyrinthe* de Jim Henson, 1986) tard un samedi, au détour d'une publicité[7]. Ce n'était que le début d'une série de déceptions.

Autant nous nous vantions de notre nouvelle maturité illusoire, autant taisions-nous les nombreuses frustrations liées au programme. La fierté nous interdisait d'admettre que certains films nous ennuyaient ou n'en montraient tout simplement pas assez. C'était ça le véritable secret du samedi soir : attendre impatiemment (tant d'heures passées devant *Chasse et pêche*) dans des conditions impossibles, la diffusion d'une œuvre qui ne saurait nous satisfaire. Le jeu n'en valait pas toujours la chandelle. Trop souvent étions-nous confrontés à des longs métrages au scénario insipide et répétitif qui s'étirait inutilement. Nous n'avions aucun intérêt pour l'histoire, nous voulions voir du sexe[8]. Lorsque les

5 Gérard Lenne, *Le Sexe à l'écran*, Paris, Artefact, 1978, p. 318. En italique dans le texte original.
6 Cité dans Douglas Keesey et Paul Duncan (éd.), *Le cinéma érotique*, Köln, Taschen, 2005, p. 9.
7 Souhait accordé dans deux films qui auraient eu leur place à *Bleu nuit*, respectivement *Until September* (Richard Marquand, 1984) et *The Hot Spot* (Dennis Hopper, 1990).
8 Une envie qui a poussé certains d'entre nous à maîtriser les possibilités offertes par le magnétoscope. En plus d'enregistrer *Bleu nuit*, ces archivistes du dimanche montaient sur vidéocassettes leur propre compilation de scènes sexy puisées à gauche et à droite. Bien sûr, on se gardait bien d'identifier le contenu de ces bandes magnétiques.

scènes érotiques arrivaient enfin, elles étaient soit coupées par les publicités, soit trop brèves ou insuffisamment explicites. Et que dire de la colère suscitée par les trop nombreuses reprises, une rage identique à celle des protagonistes de *L'hiver de force*[9] lorsqu'ils découvrent que le programme de fin de soirée est un film qu'ils connaissent par cœur. Tout ça pour ça, pensions-nous – avec raison – en changeant de poste dans l'espoir de trouver mieux ailleurs.

C'est alors qu'un dialogue improbable se créait entre les chaînes disponibles. L'hétérogénéité de la programmation nocturne se dévoilait à nous lors de ces périodes d'errance propres au zapping. Bien malin celui qui aurait trouvé un sens à ce bazar audiovisuel dans lequel se croisaient simultanément documentaires sur les ovnis à Canal D, reprises de *Beasties* à YTV, *Sissy l'Impératrice* à Radio-Canada et, pour les nanarophiles, peu importe ce qui jouait au canal des infopubs. Les fragments de ces émissions s'entremêlaient, leur existence n'était plus autonome puisque nous, télévores flâneurs, étions à la fois récepteurs passifs et fils conducteurs actifs de la grille horaire. Nous étions zappeurs, cette figure autoritaire que chaque station tentait désespérément de retenir. Parfois, l'une d'elles réussissait à capter notre attention un certain temps, mais le souhait naïf de voir l'exotique peau d'ébène de Laura Gemser suffisait pour nous entraîner hors de ce labyrinthe d'images et nous ramener à TQS. Nous restions fidèles au poste, à notre premier amour, et ce, même si ses compétiteurs présentaient parfois un contenu similaire, voire même plus osé[10].

La question se pose alors, pourquoi revenir vers cette source de mécontentements? L'érotomanie n'explique pas tout. Pour nous, cette émission permettait d'explorer un territoire situé loin des frontières de l'enfance. Au-delà des films, la télévision insinuait qu'un univers fantasmé existait réellement en dehors des murs

9   Voir Réjean Ducharme, *L'hiver de force*, Paris, Gallimard, 1973.
10 Comment passer sous silence les films pornographiques diffusés à Super Écran? Pour les non-abonnés, il était possible de voir les images embrouillées de ces longs métrages en syntonisant cette chaîne payante. Il fallait cependant assumer la dimension monstrueuse de cette démarche puisque les corps exposés étaient difformes et leurs gestes incertains. Seule la bande de son n'était pas affectée et il fallait se rabattre sur elle pour imaginer ce qui était voilé. Certes, il y avait de temps à autre un grand débrouillage, une période où enfin la «télé des cinévores» était accessible à tous. On pouvait alors, pendant quelques jours, profiter pleinement d'un signal de qualité et d'une image libérée des parasites produits par le bruit blanc. Mais ces moments de courte durée ne revenaient que trop rarement.

de notre salon. Au cœur de la ville, des hommes et des femmes vivaient *Bleu nuit*. C'est du moins le rêve que les publicités tentaient de nous vendre. Les publicités pour les agences de rencontre, les langoureuses lignes érotiques, les clubs de danseuses nues et les sex-shops contribuaient fortement à la conceptualisation d'un Montréal interdit[11] libre de tout tabou, un Sodome et Gomorrhe moderne que nous visiterions à l'âge adulte. Là-bas, comme le dictaient les pubs, il suffisait d'un appel pour trouver de la compagnie féminine. Mais cette cité avait bien plus que du sexe à offrir. On y trouvait également bières et alcools forts, voitures de luxe, parfums et, pour nous qui doutions de l'avenir, des services de voyance. Serge Daney avait vu juste lorsqu'il s'est demandé :

> *Car que dit-elle [la publicité], au fond? Que nous sommes dans un univers intégralement désirable et qu'au sein de cet univers il y a, désirables entre toutes, des femmes. Ce sont des femmes que l'on veut mais lorsqu'elles sont fermées à notre désir, il reste toujours quelque chose à désirer à côté, voire dans la même image[12].*

La télévision nous permettait d'entrevoir à travers une porte à demi-close une fête à laquelle nous n'étions pas encore conviés.

À la manière de Tom Cruise dans *Eyes Wide Shut* (Stanley Kubrick, 1999), nous étions des intrus tolérés lors de ces orgies. *Watch and learn!* nous ordonnait ce prélude à l'amour. Bien plus qu'un simple prétexte masturbatoire, ces films érotiques anticipaient le sexe à venir. «Un jour, nous disions-nous, je serai à la place de cet acteur et je connaîtrai son plaisir.» C'était la promesse réconfortante de ces œuvres qui accueillaient notre inexpérience à bras ouvert. À notre insu, *Bleu nuit* était devenue une leçon privée hebdomadaire bien plus pertinente que ce que l'école nous enseignait. Bien qu'il le méprise, les propos d'Olivier Smolders sur les films X s'appliquent pourtant au cinéma érotique qui nous ensorcelait :

---

11 Sobriquet emprunté à un étonnant *mondo* du même nom réalisé en 1990 par Vincent Ciambrone

12 Serge Daney, «La publicité passe à côté», *Le salaire du zappeur*, Paris, P.O.L., 1993, p. 134.

> *Le cinéma pornographique est un modèle de pédago-*
> *gie. Répétant inlassablement la même vérité, il varie*
> *superficiellement l'apparence de la démonstration de*
> *façon à ne pas lasser les spectateurs qui, n'en croyant*
> *pas leurs yeux, demandent à chaque fois qu'on la leur*
> *refasse[13].*

Et avec des tutrices comme Brigitte Lahaie, Monique Mercure, Corinne Cléry et l'unique Sylvia Kristel, il était hors de question de faire l'école buissonnière !

Soyons francs et oublions un instant certains préjugés. À nos yeux, il n'y a pas eu de plus bel éloge de la femme que *Bleu nuit*. Elle y était belle, séduisante, mais plus important encore, toujours consciente du pouvoir de sa féminité. En guise d'exemple, revenons sur le personnage emblématique de Black Emanuelle interprété par Laura Gemser[14]. Émancipée est le qualificatif qui la décrit le mieux. Elle va toujours de l'avant et ne se soumet qu'à ses désirs. Complètement libre, elle couche sans honte avec les amants de son choix. Black Emanuelle est maîtresse de ses envies. La sexualité lui est ludique, à la manière d'un immense terrain de jeu où le plaisir est le mot d'ordre. Cela ne la condamne pourtant pas à un libertinage éternel qui, à la longue, deviendrait un acte futile dénué de sens. Car – et que l'on nous pardonne une répétition – elle ne fait l'amour qu'avec celui qu'elle aime. À travers ses voyages autour du globe, elle a compris la différence fondamentale entre offrir son corps et donner son cœur. Black Emanuelle comme modèle ? Pourquoi pas. Après tout, il ne faudrait pas oublier que le cinéma érotique ne fait pas que promouvoir la décadence. Bien au contraire, en y regardant de plus près, on découvre que, comme les grands romans, il véhicule plusieurs valeurs essentielles.

---

13 Olivier Smolders, *Éloge de la pornographie, où l'on comprend enfin pourquoi le cinéma pornographique est un genre charmant, sympathique, parfaitement délicieux : Petit viatique intime*, Crisnée, Yellow Now, 1992, p. 20, coll. « De partis pris ».

14 À ne pas confondre avec *Emmanuelle*, cette franchise inspirée du roman d'Emmanuelle Arsan qui met en vedette Sylvia Kristel. Des producteurs italiens se sont empressés de capitaliser sur le succès international de ces longs métrages en créant une série parallèle, non canonique, avec, pour éviter le viol de droits d'auteur, une héroïne au nom amputé d'un « m ».

Ce que nous retenons de Black Emanuelle, mais aussi des autres femmes croisées lors de ses rencontres d'après minuit, est une joie de vivre contagieuse. Elles sourient. Du plus beau sourire au monde. Elles sourient parce qu'elles jouissent, elles sourient parce qu'elles aiment. En fin de compte, nous reconnaissons aujourd'hui dans ces films un aspect moral – non pas moralisateur – qui auparavant nous avait échappé. Il y a un thème caché dans ces œuvres, une célébration du triomphe de l'amour sur la débauche. Contre toute attente, ces divers portraits de femmes mûres[15] offraient une image positive en nous faisant envier non pas que le sexe, mais également le bonheur du partage qui n'est possible que par le contact avec autrui. La majorité de ces films se concluaient avec des personnages épanouis par leur rencontre avec l'âme sœur puisque : « Seul le battement à l'unisson du sexe et du cœur peut créer l'extase[16]. » Jamais nous n'oserions contredire cette leçon puisque nous aussi étions naïvement tombés amoureux.

Toutes ces idées nous auront subversivement traversé l'esprit lors de ces inoubliables samedis soirs où nous étions animés par cette quête de l'érotisme qui nous gardait rivés devant l'écran du téléviseur. Outre les considérations que nous venons d'évoquer, il faut tout de même reconnaître que notre rendez-vous découlait aussi d'un désir profondément adolescent. Nous étions insatiables, toujours sous l'emprise du charme médusant de la nudité, impatients de ressentir une fois de plus la morsure enivrante de l'image filmique. Au cinéma, « Comme dans la musique, écrivait Hubert Aquin, quand les corps s'unissent à nouveau, la mémoire des étreintes qui ont précédé est anéantie par l'émotion nouvelle[17]. »

Inévitable était ce moment où ces longs métrages ne suffisaient plus, où la sexualité qui s'émanait d'eux nous poussait à aller voir (ou vivre) ailleurs. Pour saisir les enjeux de ce phénomène, il suffit de se tourner vers les écrits éclairants de Michel Foucault :

---

15   Du moins, nous apparaissaient-elles mûres lorsque nous étions enfants. Par exemple, Sylvia Kristel n'avait que 20 ans lors du tournage du premier volet de la série *Emmanuelle*. Quel étrange sentiment que d'être aujourd'hui plus vieux que l'immuable objet de nos fantasmes.

16   Anaïs Nin, *Vénus Erotica*, Paris, Éditions Stock/Le livre de poche, 1978, p. 13.

17   Hubert Aquin, *Neige noire*, Bibliothèque québécoise, Montréal, 1997, p. 256.

En créant cet élément imaginaire qu'est «le sexe», le dispositif de sexualité a suscité un de ses principes internes de fonctionnement les plus essentiels: le désir du sexe – désir de l'avoir, désir d'y accéder, de le découvrir, de le libérer, de l'articuler en discours, de le formuler en vérité. Il a constitué «le sexe» lui-même comme désirable[18].

Et c'est ce désir – cette volonté de savoir – qui nous a mené à franchir le seuil de la porte bleue, à, pour reprendre un dialogue de *Mortelle randonnée* de Claude Miller (1983), pénétrer la photo.

Quelque part dans les années 90, notre première amante tente une dernière fois de nous ramener vers elle. *Bleu nuit* surprend. Pas avec un film inédit, ce qui était rare en ces temps-là, mais avec un nouveau générique d'introduction. D'un kitsch à faire frémir Kundera, on y voit un homme réveillé par l'intrusion d'une femme sortant de son téléviseur. Leurs ébats sont brefs, le dormeur s'abandonnant à ce succube magnifique qui guide ses gestes. Après l'orgasme, elle retourne d'où elle est venue, ramassant au passage la robe blanche dont elle s'était départie. Cette séquence synthétise le fantasme collectif né de l'inoubliable songe d'une nuit québécoise qui tel Ulysse sur l'île de Circé, nous aura envoûtés pendant plus de vingt ans. D'où la nécessité d'y revenir, de rendre hommage à *Bleu nuit*, de raconter l'histoire d'une ciné-philie nocturne.

18   Michel Foucault, *L'histoire de la sexualité vol. 1, La volonté de savoir*, Paris, Gallimard, 1976, p. 207.

Parlez-nous d'amour
L'histoire de *Bleu nuit*
Éric Falardeau

> *Qui entre dans l'histoire*
> *Entre dans le noir*
> *Velours d'un boudoir*
> *Et pour le reste...*

Mylène Farmer, *Appelle mon numéro*

> *Touche-les.*

Tendres cousines (David Hamilton, 1980)

Bleu nuit n'aura pas été qu'un fantasme. Entre 1986 et 2007, Télévision Quatre Saisons a diffusé tous les samedis soirs une série de films érotiques qui a eu un impact sans précédent sur l'imaginaire d'une génération de télévores avides de sensations fortes. Véritable succès populaire, bien qu'ouvertement ignoré et méprisé, *Bleu nuit* atteignait en moyenne entre 255 000 et 350 000 téléspectateurs par semaine au tournant des années 2000 (dont 66 % étaient des hommes)[1]. Le phénomène est si important que le titre est entré dans le langage courant (l'expression «on se croyait dans *Bleu nuit*» signifiant avoir vécu une situation digne de l'un de ses films) et fait maintenant partie de la culture populaire québécoise. La série occupe un statut mythique dans l'histoire de la télévision d'ici au même titre que les *Bye Bye*, *Piment fort* et autres *Ciné-Cadeau*.[2]

Mais *Bleu nuit* n'était ni unique, ni révolutionnaire. Auparavant, les stations régionales CKMT-TV (Sherbrooke, canal 9) et CKTM (Trois-Rivières, canal 13) ont fréquemment présenté des films

---

1. Voir Pascale Martel, «Spécial Sexe», *TV Hebdo*, 13 février 1999, p. 13 et Stephen Nolen, «Will it be Leno, or porno? Quebec late show turns blue», *Globe and Mail*, 3 février 1999, p. A-15.
2. Le *Bye Bye* est une tradition au Québec. Tous les 31 décembre, la Société Radio-Canada propose une revue humoristique de l'année. *Piment fort* (1993 à 2001) était une émission quotidienne d'humour tournée en direct et diffusée à TVA. *Ciné-Cadeau* est un programme de films pour la famille présenté chaque année en décembre sur les ondes de Télé-Québec. Il est d'ailleurs étonnant de constater que *Bleu nuit* et *Ciné-Cadeau* – qui bizarrement ont marqué les mêmes générations d'adolescents – sont les émissions consacrées au cinéma ayant eu la plus longue diffusion dans la belle province. *Ciné-Cadeau* a fêté ses 32 ans en 2014.

érotiques[3]. Dans le reste du Canada, *Baby Blue Movie* diffusé sur City-TV a précédé TQS de quelques années[4]. Finalement, à l'international, plusieurs pays ont eu des émissions équivalentes et certaines sont encore en onde aujourd'hui. Pensons au Mexique, au Brésil, à l'Espagne, à la France et à la chaîne Cinemax aux États-Unis[5]. Il n'en demeure pas moins que, plusieurs années après la fin de son existence, *Bleu nuit* occupe toujours une place privilégiée dans le cœur des Québécois qui se remémorent avec nostalgie cette époque où la vue d'un bout de sein suffisait à allumer le feu de ces nombreuses nuits vécues collectivement par l'entremise de l'écran cathodique.

LA NAISSANCE DE TQS

L'histoire de *Bleu nuit* est indissociable de celle de la chaîne qui l'a diffusée : Télévision Quatre Saisons (TQS)[6]. Plus encore, la naissance de *Bleu nuit* en 1986 est en grande partie due à la personnalité iconoclaste de Guy Fournier, le premier vice-président Programmation de la chaîne.

Dès le début des années 80, il est question de créer une deuxième chaîne privée généraliste pour bonifier l'offre télévisuelle en langue française sur le territoire québécois. À l'époque, seulement trois stations francophones sont disponibles gratuitement : la Société Radio-Canada (SRC), Télé-Métropole (davantage connue sous l'appellation Canal 10 et aujourd'hui TVA) et Radio-Québec (Télé-Québec depuis 1996). Le débat fait rage. Est-ce que la demande justifie la création d'un nouveau canal ? Le ministre fédéral des Communications Francis Fox croit que oui, tandis que le gouvernement québécois est réticent et proteste. Il craint que

---

3   Il est amusant de noter que les médias régionaux étaient les seuls à mentionner *Bleu nuit*. Voir à ce sujet dans le présent ouvrage, le texte « Bleu nuit d'hier » de Marco de Blois (page 54)..

4   Alastair Sutherland, « Black sheep in the blue night », *Mirror*, 2 septembre 1999, page 8.

5   Voir à ce sujet dans le présent ouvrage, les textes « Et pendant ce temps-là, en France... » de Gilles Esposito (page 59) et « Préludes à l'amour : Aveux érotiques » d'Éric Falardeau (page 256).

6   Nommée ainsi puisque, contrairement aux autres chaînes, la grille de programmation était identique pour les quatre saisons de l'année. Comme le note Laure M. Côté dans le *TV Hebdo* du 6 au 12 septembre 1986, page 3 : « De ce côté, le nouveau réseau brise la tradition. Car si les autres réseaux veillent à concocter un nouvel horaire deux fois par année, TQS pense autrement : elle croit plutôt qu'il faut créer des habitudes pour se créer des habitués. »

l'arrivée d'une nouvelle chaîne ne polarise l'auditoire et nuise à Radio-Québec[7].

Plusieurs projets de stations généralistes sont soumis au Conseil de la radiodiffusion et des télécommunications canadiennes (CRTC[8]), mais seulement deux d'entre eux retiennent son attention : Télévision Quatre Saisons soumis par CFCF-TV (Canada's First, Canada's Finest)[9] et Télévision Saint-Laurent soumis par Cogeco inc. C'est en 1985 que le CRTC tranche et annonce sa décision : ce sera la proposition de CFCF. Plusieurs raisons l'auront convaincu de retenir ce projet. Les plus importantes sont la stabilité de la grille horaire, le recours important aux producteurs privés, les prévisions d'audimat et de revenus publicitaires plus réalistes que leurs concurrents ainsi que l'expérience et les moyens financiers des promoteurs de TQS[10].

Il est vrai que la future chaîne bénéficie d'une équipe expérimentée et d'infrastructures solides grâce à l'expertise et aux locaux de CFCF[11]. Le projet est mené par deux vétérans de l'industrie : Jean Pouliot, président et chef de l'exploitation, et Guy Fournier, vice-président Programmation. Ce dernier, auquel Pouliot «fait entièrement confiance[12]», ne lésine pas sur les déclarations-chocs et désire faire de TQS une chaîne radicalement différente de ses concurrentes, allant à l'encontre de ce qu'il considère être la «vieille garde» de Télé-Métropole et de Radio-Canada[13]. Le mandat est ambitieux, Fournier annonce «une télévision "proche de la vie des gens", faite par un personnel jeune, une télévision où les publics les plus divers trouveraient leur compte[14]». Inspiré par

7   Pour un résumé du débat, voir *Le Téléspectateur*, volume 5, numéro 1, 1984, p. 13.
8   Créé en 1968, le Conseil de la radio-télévision canadienne (CRC) devient le CRTC en 1976. Il s'agit d'un organisme gouvernemental indépendant qui réglemente et surveille l'industrie des communications au Canada.
9   CFCF est une station anglophone créée par la Canadian Marconi Company. Aujourd'hui mieux connue sous la bannière CTV, la chaîne a été mise en ondes le 20 janvier 1961.
10 Michel Séguin, «L'option du CRTC : pourquoi Quatre Saisons ?», *Le Téléspectateur*, février 1986, volume 6, numéro 4, p. 9.
11 À son ouverture, TQS partagera les mythiques locaux de CFCF situés au 405, avenue Ogilvy dans le quartier Parc-Extension.
12 Laurent Legault, «Guy Fournier : "Notre télévision sera très différente"», *Le téléspectateur*, février 1986, volume 6, numéro 4, p. 5.
13 Pour Fournier, cette «vieille garde» était composée d'hommes d'un certain âge, déconnectés de la réalité contemporaine, ce qui avait pour résultat des programmations peu audacieuses. C'est pourquoi il s'impose plusieurs règles dans la sélection des membres de son équipe : «Premièrement, des gens jeunes, des gens de trente-cinq ans et moins. Deuxièmement, je voulais avoir une majorité de femmes. [...] Troisièmement, je tenais à choisir des gens que je ne connaissais pas.» Legault, *op. cit.*, p. 5.
14 Legault, *op. cit.*, p. 4.

le modèle de la télévision américaine et celui de City-TV[15], TQS se veut d'abord et avant tout une télévision urbaine, s'adressant aux 18 à 49 ans. C'est pourquoi le tiers de son temps d'antenne et de son budget de fonctionnement est consacré aux bulletins d'actualité[16]. Le reste est réparti dans le créneau du divertissement (films, sports, variétés, etc.).

Le cinéma occupe une place importante dans le projet de programmation soumis au CRTC et une plage horaire est déjà réservée à la diffusion de longs métrages le samedi soir (de 22 h 30 à 24 h 30)[17]. D'ailleurs, Fournier, qui a préparé la première grille horaire de TQS, affirme candidement :

> Pour moi, la violence à la télévision est une chose inadmissible. Est-ce que la programmation doit s'adresser à la famille? Je pense qu'il y a des critères qui vont de soi. C'est bien évident qu'on ne peut présenter à sept heures ce qu'on présenterait à onze heures[18].

C'est dans ce contexte que TQS entre en ondes le dimanche 7 septembre 1986 à 17 h 25. Le gala de lancement en direct de la Place des Arts passera à l'histoire et une image marquera l'industrie : celle de Guy Fournier coiffé d'un chapeau à plumes de chef indien en référence au motif sur les célèbres cartons d'arrêt de la programmation pour la nuit. Le sixième diffuseur accessible gratuitement sur le territoire québécois est né. La télévision québécoise ne sera plus jamais la même[19].

---

15 Une chaîne torontoise cofondée par l'influent Moses Znaimer.
16 La volonté d'innovation était telle que le premier directeur de l'information, Réal Barnabé, a tenté de mettre en place – sans succès – le concept aujourd'hui répandu de « caméramans-reporters » : « C'était difficile, parce que les caméras n'étaient pas ce qu'elles sont aujourd'hui. Elles étaient assez lourdes. Il y avait de petites caméras numériques, mais elles n'étaient pas de haute qualité. On travaillait avec des Betacam. On était avant-gardistes, mais j'aime mieux être en avant de mon temps qu'en retard. » Voir le résumé de cette expérience dans Frédéric Boudreault, « 1986 – Mouton noir dès le départ », *Trente*, volume 30, numéro 4, avril 2006, p. 26-27.
17 Laurent Legault, *op. cit.*, p. 8.
18 Laurent Legault, *op. cit.*, p. 7.
19 Le choc se fera même sentir chez les câblodistributeurs qui devront modifier leurs listes et effectuer des changements de position des chaînes. Ainsi, à « Montréal, par exemple, les non-câblés capteront TQS au 35 (roulette UHF), tandis que les abonnés au câble le recevront au 5. À Québec, TQS apparaîtra au 2 et au 13 ; à Trois-Rivières au 16 et au 5 ; à Jonquière au 4 et au 7. À Hull et Sherbrooke, les non-câblés capteront TQS au 49 et au 30 [...]. » Voir Jean-Luc Duguay, « Les choix de Jean-Luc Duguay », *Télé-Hebdo*, 1986, p. 6A.

C'est le moins que l'on puisse dire : la programmation de TQS est éclectique et audacieuse dès le départ. Les premières années du réseau ont vu naître plusieurs émissions cultes : *Monsieur S.O.S.*, *Rock et Belles Oreilles (RBO)*, *Surprise Sur Prise*, *Caméra 86-92*, *100 limites*, *Garden Party*, *La maison Deschênes* (premier téléroman au Québec à être diffusé quotidiennement) et *Sur l'oreiller* animé par France Castel ne sont que quelques exemples de l'étonnante diversité proposée par Fournier et son équipe[20].

Beau-père (Bertrand Blier, 1981) est le premier film présenté un samedi soir à TQS (le 13 septembre 1986). Ce long métrage annonce déjà la tangente salace qui fera les beaux jours de cette case horaire. Comédie surréaliste avec un scénario lorgnant du côté de l'érotisme, il raconte les désirs sexuels d'une jeune fille de 14 ans envers son beau-père. Ce choix révèle une volonté initiale d'offrir un cinéma de répertoire pointu, mais provocateur, en phase avec le public ciblé par TQS et son image de mouton noir de la télé. Ainsi, *Bleu nuit* était à l'origine une simple émission présentant essentiellement du cinéma d'auteur (Roman Polanski, Yves Boisset, Maurice Pialat, Serge Gainsbourg). Les titres présentés de 1986 à 1989 forment un ensemble hétéroclite flirtant autant du côté de l'érotisme, de l'horreur (*La forteresse noire* de Michael Mann) et de la série B (*Dar l'invincible* de Don Coscarelli) que du côté du cinéma jugé « respectable ».

L'appellation *Bleu nuit* est présente dans les TV Hebdo dès la première diffusion le 13 septembre 1986[21]. Toutefois, les enregistrements des génériques d'ouverture de 1987 révèlent que les longs métrages coquins étaient uniquement diffusés tous les premiers samedis du mois[22]. Rapidement, la popularité des films de fesses, qui suivaient les sports et l'humour – prenons pour exemple la programmation du 14 février 1987 qui enchaîne *Le Grand*

---

20 Fournier quitte son poste au printemps 1987 : « J'ai été en chicane du début à la fin pour faire valoir ma vision », raconte celui qui misait sur un concept inspiré de City-TV à Toronto. « Je voulais une chaîne qui couvrirait le très grand Montréal tandis que Pouliot voulait un réseau à l'image de TVA [...]. » Propos recueillis par Karine Bellerive, « TQS fête ses 20 ans – Indomptable mouton noir », *Qui fait quoi*, numéro 259, octobre 2006, p. 11.

21 Selon certains, dont Alastair Sutherland, le titre original était *Ciné-Bleu*, mais nos recherches démentent cette affirmation. Voir Alastair Sutherland, *op. cit.*, p. 8.

22 Voir dans le présent ouvrage, la programmation complète des titres présentés à *Bleu nuit* (page 305).

Journal (22h), *Rock et Belles Oreilles* (22h30), *Le cahier des sports* (23h30) et *Partenaires* de Claude D'Anna (23h40, coté 3 – très bon – par Mediafilm) – s'étend à l'entièreté du mois. La sélection de films se spécialise peu à peu dans le genre érotique pour s'y consacrer exclusivement au début des années 90[23].

Le catalogue éclaté des premières années témoigne autant des conditions financières de la station naissante que d'une pratique propre à la télévision. Afin de respecter sa grille de programmation et de remplir ses cases horaires toujours vides, TQS s'est appuyée sur l'achat massif de longs métrages à faible coût. Les distributeurs ont l'habitude de vendre en lot les droits de diffusion de quelques primeurs accompagnés d'une sélection de titres mineurs, peu rentables ou médiocres, ce qui leur permet d'engranger un certain profit sur ces produits déficitaires. Le résultat en ondes: une programmation insolite et de nombreuses reprises, ce qui d'ailleurs n'est pas surprenant si l'on pense aux multiples crises ayant frappé TQS. La situation financière précaire du réseau à différentes étapes de son histoire explique également la quantité phénoménale de films et de téléfilms européens présentés (la série des *Emmanuelle* en tête). Il est tout naturel que TQS ait acquis son catalogue de films en France[24] puisque cela évitait des frais supplémentaires pour le doublage[25].

Bleu nuit offrait donc une sélection riche et variée à l'image de la grande diversité du genre érotique. Mis à part les classiques (*Emmanuelle*, *Gwendoline*, *Joy*), les téléspectateurs ont eu droit à des remontages *soft* de films pornographiques (*L'amour aux sports d'hiver*, *Raspoutine*, *Les yeux du désir*), des *thrillers* (*Instinct animal*, *Plaisirs mortels*), des adaptations littéraires (*Vénus erotica*, *Fanny Hill*), des films d'exploitation (*Le diable rose*, *L'enchaîné*, *Desideria*), des comédies (*Jambon jambon*, *Les bronzés*, *Si ma gueule vous plaît...*), des films d'action (*L'exécutrice*), des téléfilms (la série des *Emmanuelle*),

---

23 D'ailleurs, la chaîne essaie dans les années 90 d'imposer, sans succès, la formule *Bleu nuit* au cinéma d'horreur: «Le ciné-club *Nuit blanche* présente des classiques, *Rouge frisson* explore le monde glauque du fantastique et *Bleu nuit* offre sa sélection voluptueuse.» Voir le *TV Hebdo*, 24-30 août 1996, p. 10.

24 Il est toutefois étrange que l'équipe de programmation n'ait pas davantage mis à profit le catalogue québécois qui contient plusieurs films du genre comme *Valérie* (1969) de Denis Héroux et *Scandale* (1982) de George Mihalka.

25 Il ne faut pas oublier qu'à cette époque, il n'y avait pas de logiciels numériques. Le doublage était une opération coûteuse et nécessitait des équipements comme des bandes rythmo conventionnelles. Par conséquent, seuls les gros studios et laboratoires (Technicolor, SPR, etc.) pouvaient s'acquitter de la tâche.

des drames de mœurs (*Tendres cousines, Weekend avec Sara, Leçons très particulières*), du cinéma d'auteur (*Le dernier tango à Paris, Clémentine Tango*), des films à sketches (*Aveux érotiques, La maison des plaisirs*) et, à l'occasion, des curiosités tout simplement inclassables (*On se calme et on boit frais à Saint-Tropez, L'amour propre... ne le reste jamais trop longtemps*).

Les années 90 ont vu les États-Unis prendre d'assaut le marché de la vidéo érotique destinée à la location et à la télévision. Avec ses productions aux budgets modestes et son bassin d'actrices plantureuses, l'industrie américaine a fait main mise sur le genre du *softcore*, imposant les figures de style qui lui sont désormais associées à tort et à raison : tournage en studio, échelle de plans télévisuelle (gros plans et plans moyens), utilisation du zoom, éclairages diffus et feutrés misant sur le *top light*, musique répétitive, économie narrative (deux ou trois personnages dans autant de lieux), histoire prévisible, etc. L'économie de moyens servait néanmoins le propos en ramenant la narration à l'essentiel, soit la rencontre érotique. Le glissement d'une programmation majoritairement axée sur les titres européens à une production nord-américaine correspond à cette nouvelle réalité[26]. En plus des films achetés auprès de Playboy Channel et autres Axis Entertainment, il y avait les séries présentées en semaine en dehors de *Bleu nuit* comme *Palm Spring Hotel* et *Phantasmes*[27]. Le doublage a donné un cachet particulier à ces œuvres aux titres et répliques désopilantes gracieuseté de traductions inventives.

Au-delà des productions *softcore*, TQS a inondé le Québec de séries aux sujets touchant de près ou de loin à la sexualité. Cette tendance s'est d'abord exprimée par la présentation d'émissions coquines diffusées avant ou après *Bleu nuit*. Les samedis soirs proposaient un véritable pot-pourri de contenus affriolants destinés à exciter l'érotomane de salon. Cette programmation a

---

26 Un homme est en grande partie responsable de cette nouvelle vague érotique aux États-Unis : Zalman King. Le succès inattendu du téléfilm *Les escarpins rouges* (1992) puis de la série télé du même nom (1992-1997) a ébranlé le milieu et lancé une véritable révolution *softcore*.

27 Des séries comme *Phantasme* et *Aphrodisia* étaient vendues comme s'adressant aux couples : «Le matériel promotionnel de la série affiche que "les téléspectatrices seront attirées par le point de vue féminin sur la sexualité tandis que les téléspectateurs seront intéressés à savoir ce que les femmes désirent vraiment."» Stephen Nolen, *op. cit.*, p A-15. : «The show's promotional material claims, "Female viewers will be attracted to a woman's authentic point of view on sexuality while male viewers will be attracted by their desire to know what a woman truly wants."»

vite débordé les week-ends pour envahir les grilles horaires en semaine. Au menu, spectacles de variétés (Lido, Moulin Rouge, Crazy Horse, etc.), talk-shows (*Parlez-moi d'amour* en 1989 animé par Francine Grimaldi), émissions humoristiques (*Sexy Cam* et ses gags de caméra cachée), *nightlife* montréalais (*Drague-moi, Libido* animé par Claudia Cardinale et Michel Letourneur, ainsi que *Sortie gaie* animé par André Montmorency), lignes ouvertes (*Sexe et confidences*), séries télévisées (*Voyeurs, Aphrodisia, Série Rose*[28]) et docuséries produites par Anne-Marie Losique (*Sex-Shop* et *Hot Parade* sur l'univers du X). TQS s'est naturellement imposée au Québec comme le chef de file du sexe à l'écran. Si la télé payante offrait du contenu érotique (les films pornos à Super Écran ou encore au Canal Indigo), le mouton noir de la télé était le seul réseau généraliste à insister sur ce créneau. Même que la case *Bleu nuit* a été l'une des plus respectées dans sa programmation. En effet, seulement deux émissions ont perturbé sa diffusion : le *Téléthon des étoiles* et, plus tard, celui dédié aux maladies infantiles (chaque décembre), ainsi que la défunte téléréalité *Loft Story*.

Étonnamment, la chaîne a reçu très peu de plaintes par rapport à la série. Comme le notait la porte-parole Sabrina Ansellem dans un article du *Globe and Mail* : « Les seules plaintes à propos de *Bleu nuit* proviennent de gens dans l'Ouest et dans les provinces des Maritimes qui ont accès à la chaîne. Nous n'avons jamais de plaintes du Québec[29]. » Le site du CRTC fait état de trois décisions à la suite des doléances de téléspectateurs[30] dont la plus savoureuse a été rapportée par le *Journal de Montréal*. Le dossier, qui concerne également la série *Kama Sutra* diffusée les soirs de semaine, fait état d'une spectatrice qui considère que les longs métrages « véhiculent le message que toutes les femmes ont des

---

28 Anthologie française d'une vingtaine d'épisodes adaptés de classiques d'auteurs de la littérature libertine dont Guy de Maupassant, le marquis de Sade et Anton Tchekhov.
29 Stephen Nolen, *op. cit.*, p A-15 : « The only complaints for *Bleu nuit* came from people out west and in the Maritime provinces who could get the channel, Ansellem said. We never get complaints from Quebec. »
30 Dossiers du CCNR 95-96/0233 (*Été sensuel*), 03/04-0976 (*Mission de charme*), 03/04-1236 (*Hôtel Exotica* et *Le journal des désirs*).

intentions lesbiennes ou qu'elles sont toutes nymphomanes[31] ». La réponse du Conseil : « en fait, les hommes et les femmes prennent part à la plupart des activités sexuelles qui y sont montrées et [...] ni l'un ni l'autre sexe n'est abaissé par rapport à l'autre[32] ». Le seul blâme émis par le CRTC concerne le fait de ne pas avoir présenté l'avertissement « 18 ans et plus, érotisme » pendant au moins 15 secondes au début de l'émission et après chaque pause commerciale, tel que requis par les normes de diffusion[33].

« MOINS DE CUL, MOINS DE *MECS COMIQUES*, PLUS DE MESSAGES (?) SÉRIEUX À TQS[34]. »

Au tournant des années 2000, TQS décide de se repositionner en misant sur l'information. Ce changement de cap s'exprime à travers l'embauche de personnalités connues dont, Jean-Luc Mongrain. Comme le résume Louise Cousineau, monument de la critique télévisuelle, quelques années après la fin de la diffusion de l'émission :

> Ce n'est pas que le cul ne rapportait pas en fin de soirée à TQS. C'est plutôt que les patrons de la chaîne, qui ont surpris tout le monde avec leur offensive Mongrain en information, ont décidé que cinq heures d'information par semaine allaient encore faire augmenter l'auditoire. Il restera quand même un peu de cul le vendredi soir, ainsi que Sex-Shop et Bleu nuit en fin de soirée le samedi. [...] On devient plus sérieux, mais faut tout de même fantasmer un peu le week-end[35].

---

31 Voir «*Bleu nuit* respecte l'égalité des sexes», *Journal de Montréal*, 14 mars 2005 et les annexes des dossiers du CCNR 03/04-1233 et 03/04-1236 (*Hôtel Exotica* et *Le journal des désirs*). La plainte originale est en anglais : « The shows and cinemas that I mentioned above are unduly sexually explicit, perverse and quite offensive. The message that these shows and cinemas are sending out is that all women have lesbian intentions and that we are all nymphomaniacs, which I don't agree with or appreciate. Broadcasting these kinds of shows and cinemas is wrong for Télévision Quatre Saisons to do, because I think that us women deserve a lot more respect than that, and still Télévision Quatre Saisons continues to broadcast them excessively. »

32 *Ibid.*

33 Notons toutefois le blâme du CRTC pour les propos sur la bestialité tenus à *Sexe et confidences*. Voir le *Journal de Montréal*, 26 novembre 2002, «*Sexe et confidences* blâmé pour propos sur la bestialité».

34 Titre d'un article de Louise Cousineau, *La Presse*, 17 août 2011.

35 *Ibid.*

Ce repositionnement marque le début de la fin pour *Bleu nuit*[36]. La station délaissera progressivement l'émission au profit des nouvelles sensations de l'heure comme la téléréalité ou les talk-shows à la Jerry Springer (dont *Black-Out au Lion d'or* a été l'un des émules les plus pitoyables). À sa défense, il faut reconnaître que l'arrivée d'internet a drastiquement modifié les habitudes de consommation des téléspectateurs, particulièrement en ce qui concerne l'érotisme et l'accès à la pornographie. La crise vécue par le réseau en 2007, et le rachat subséquent par Remstar, ne sont pas étrangers à la mise au rancart de ce rendez-vous coquin qui aura duré plus de 20 ans. En 2007, le réseau modifie son image. « On change de logo, on change les couleurs de l'antenne, explique René Guimond[37]. C'est majeur ! Ça va transformer toutes nos façons de faire la promotion et de présenter nos émissions[38]. » C'est la fin de *Bleu nuit*.

Malgré tout, on peut dire que le vœu que Guy Fournier a formulé en 1986 s'est réalisé lorsque l'on pense à l'influence et à la portée des émissions diffusées sur la chaîne : « J'aimerais que les gens, surtout ceux du milieu, partent à rire et disent : "Ils sont fous, ils sont tombés sur la tête. Ça ne marchera pas." Ce serait le signe qu'on est bien différent et c'est ce que je souhaite faire[39]. » Il aura remporté son pari avec *Bleu nuit* qui a fait rire, qui a été ridiculisé, mais qui en fin de compte se sera imposé dans la mémoire collective du Québec.

---

36 Au début des années 2000, la programmation sexy du réseau avait tout de même survécu et augmenté malgré la présence d'un président et chef de la direction mormon, Michel Carter ! Voir Franco Nuovo, « Le mormon de la télé », *Journal de Montréal*, 8 novembre 2002, p. 6.
37 Président et chef de la direction.
38 Karine Bellerive, *op. cit.*, p. 13.
39 Laurent Legault, *op. cit.*, p. 7.

CHRONOLOGIE GÉNÉRALE

1984

CFCF dépose au CRTC le projet de Télévision Quatre Saisons, une chaîne généraliste privée francophone.

1986

7 septembre : Mise en onde de Télévision Quatre Saisons à 17h25.

13 septembre, 23 h 40 : Le premier film diffusé à *Bleu nuit* est *Beau-père* (Bertrand Blier, 1981).

6 décembre : Premier *Téléthon des étoiles* à TQS. *Bleu nuit* ne fait pas le poids. Chaque année le téléthon empêchera sa diffusion.

1987

Printemps : Guy Fournier quitte son poste de vice-président Programmation.

14 mars, 23 h 30 : Première diffusion d'un film de la série *Emmanuelle, Emmanuelle l'antivierge* (Francis Giacobetti, 1974), une saga érotique qui sera pour toujours associée à *Bleu nuit*.

7 novembre, 23 h 30 : Première diffusion du film culte *Tendres cousines* (David Hamilton, 1980).

14 novembre, 23 h 30 : Diffusion de l'un des deux seuls films québécois de l'histoire de l'émission, la sulfureuse comédie *Deux femmes en or* (Claude Fournier, 1970).

1993

Télévision Quatre Saisons adopte l'acronyme TQS.

1995

8 avril, 0 h 45 : Diffusion du deuxième film québécois (en réalité une coproduction France-Canada) de *Bleu nuit, Comment faire l'amour avec un nègre sans se fatiguer* (Jacques W. Benoît, 1989).

1997

27 février : Le CRTC approuve l'acquisition de TQS par CF Cable TV inc. et ses filiales, et autorise le transfert de contrôle de TQS à un consortium mené par Québec inc. et Cogeco.

Un ancien de TVA, Luc Doyon, est nommé vice-président Programmation, information et exploitation. Il y restera jusqu'en 2006.

1998

René Guimond est nommé président de TQS. Il restera en poste jusqu'en 2003.

TQS adopte officiellement le logo du mouton noir.

1999

Hiver : TQS diffuse désormais en semaine deux séries érotiques, soit la française *Aphrodisia* (lundi au jeudi) et l'américaine *Phantasmes* (vendredi).

2001

Printemps : Première saison de *Sex-Shop*, une série en 13 épisodes qui dévoile l'envers du décor de l'industrie pornographique. Une idée d'Anne-Marie Losique.

18 septembre : La vente de TQS par Québecor Média au consortium Bell Globemedia et Cogeco est finalisée.

2003

Automne : Première saison de la téléréalité *Loft Story*, une adaptation de l'émission néerlandaise *Big Brother*.

2007

2 juin, 23 h 00 : Le dernier film diffusé à *Bleu nuit* est *Emmanuelle : un monde de désirs* (Kevin Alber, 1994).

Automne : TQS amorce la transition vers la diffusion en HD. Le réseau procède également à une refonte majeure de son image se traduisant par un changement du logo et des couleurs de la station ainsi qu'une nouvelle programmation.

18 décembre : En proie à d'importantes difficultés financières, le réseau obtient une ordonnance de la Cour supérieure du Québec en vertu de la Loi sur les arrangements avec les créanciers des compagnies. TQS doit procéder à une réorganisation de ses activités. L'option de vendre la chaîne est envisagée.

2008

Bell Globemedia et Cogeco vendent TQS à Remstar. Début d'une restructuration massive qui verra entre autres la mise à pied des employés du secteur des nouvelles.

2009

31 août : TQS change de nom et devient V Télé.

Rencontre avec Guy Fournier
Entretien réalisé par Éric Falardeau

Guy Fournier est l'un des fondateurs du Réseau de Télévision Quatre Saisons. Même s'il n'est demeuré à son poste de vice-président Programmation que jusqu'au printemps 1987, il a su marquer l'histoire de la télévision québécoise avec sa personnalité iconoclaste et sa vision avant-gardiste du médium. Avec humour, voici un retour sur la naissance et les premières ambitions de cette station, sa programmation ainsi que la création de *Bleu nuit.*

Quelle a été votre implication dans la création de TQS ?

G.F. : Je pense que j'étais destiné à prendre la direction d'un nouveau réseau de télévision. Dans un premier temps, Power Corporation m'avait approché. C'est eux les premiers, qui ont voulu créer un deuxième réseau de télévision en langue française. J'avais accepté. Mais finalement ils ont abandonné l'idée. Plus tard, Henry Audet de Cogeco est venu me voir pour me dire qu'ils avaient l'intention de faire une demande de son côté, mais j'étais déjà en pourparlers avec Jean Pouliot pour prendre la direction du réseau pour lequel il s'apprêtait à faire une demande au CRTC.

J'ai choisi de travailler avec Jean Pouliot puisque je l'avais rencontré dans les années 50, alors qu'il travaillait chez Famous Players. J'avais également siégé au conseil de Télé-Capitale à l'époque où il en était le copropriétaire avec Claude Pratt. Nous avons fait notre demande au CRTC, et nous avons obtenu la licence. Mon intention, n'était pas de faire un réseau, mais bien une super station, comme il en existait une à Chicago depuis peu de temps

– c'est-à-dire une station relayée par satellite dans la grande région de Montréal, incluant Trois-Rivières, couvrant un rayon de cent kilomètres autour de la métropole. Mais Jean Pouliot étant de la ville de Québec, il rêvait d'un réseau qui aurait également une station sœur à Québec et qui servirait l'ensemble de la province. Comme il était largement majoritaire, c'est ce que nous avons fait.

Aviez-vous des sources d'inspiration pour la station, autant en ce qui concerne le mode de diffusion que la programmation?

G.F. : Je voulais surtout que notre offre soit totalement différente de ce que proposaient Radio-Canada et TVA. Radio-Canada existait depuis 1952 et Télé-Métropole depuis le début des années 60. La seule façon de percer le marché, était d'y aller avec une programmation qui n'avait rien à voir avec la leur. Mais nous avions un budget très limité. Pour la première année, nous avions 16 millions de dollars pour l'ensemble de la programmation et de la production. En comparaison, Télé-Québec avait un budget de près de 50 millions.

Pour économiser un peu, nous avions décidé d'avoir la même programmation du lundi au vendredi et une programmation un peu différente le weekend. C'est la fin de semaine que nous avions une meilleure chance de nous tailler une place. Radio-Canada et les autres télédiffuseurs avaient oublié ce créneau.

Quelle était votre ligne éditoriale?

G.F. : Les deux choses les plus importantes que nous avions dites au CRTC, étaient que nous ne présenterions aucun sport, sauf dans le cas de certains évènements très spéciaux et qu'il n'y aurait pas de films ou d'émissions violentes, parce que cela allait à l'encontre de mes principes. J'avais d'ailleurs fait sursauter Jean Pouliot lorsque je lui avais dit que si j'avais pu acheter *Rambo* pour une piastre, je ne l'aurais pas fait. Il m'avait dit : « Ben voyons donc si nous pouvions avoir *Rambo* pour une piastre, c'est sûr qu'on l'achèterait. » J'avais dit que non, que je n'en voulais pas. De toute façon, c'était plus une figure de style qu'autre chose, parce qu'à cette époque-là les *Rambo* étaient fort populaires. Jamais nous aurions pu les avoir pour une piastre !

À l'époque, vous disiez que TQS allait offrir un contenu jeune et urbain, axé sur les nouvelles et le cinéma, plutôt que sur le sport et la violence. Était-ce parce qu'il était plus simple d'acheter des films que de produire du contenu original?

G.F.: Initialement, nous devions dès la première année, diffuser un téléroman quotidien mais nous n'avions pas réussi à le faire, faute de moyens. Dès la deuxième année *La maison Deschênes* a pris l'antenne à 18h et a été le premier téléroman quotidien diffusé à la télévision canadienne. Radio-Canada et Fabienne Larouche le font depuis une quinzaine d'années maintenant, mais nous avons été les premiers à le faire, à TQS.

Nous avions également noté que le public des 18-35 ans était un petit peu négligé par TVA et Radio-Canada. Nous savions qu'en semaine, à 20h, il était inutile d'essayer de battre les téléromans des autres stations. Alors nous nous sommes dit que la façon la plus économique et la plus sûre de se bâtir un auditoire était de le faire en présentant des films. Nous avions acheté un lot de films assez considérable. Je crois que c'était la plus grosse dépense de la première année. Nous nous étions procuré pour quatre millions et demi de dollars de droits de films et nous en présentions tous les soirs à 20h. En général, il s'agissait d'un film américain. Pour nous, c'était une façon de diffuser du contenu dramatique à un prix acceptable.

Jean Pouliot vous faisait entièrement confiance. Est-ce que vous vouliez être irrévérencieux, ou est-ce que le projet TQS relevait d'une volonté de vous positionner différemment?

G.F.: Le réseau tel que nous l'avons créé au départ était tout à fait comme je voulais qu'il soit. TQS était un réseau jeune, provocateur mais sans violence. C'était mes idées. Mais à peine un an après la mise en ondes, Jean Pouliot et moi avons eu quelques prises de becs et je suis parti. Jean était très satisfait de mon projet sur papier, parce qu'il avait l'impression, au moment de faire la demande au CRTC, que cette conception différente d'un réseau allait nous privilégier et nous donner plus de chance d'obtenir la licence. Nos opposants, Cogeco, présentaient de leur côté un projet assez semblable à ce que faisait TVA à l'époque. Une fois la licence obtenue, Jean Pouliot et les actionnaires souhaitaient que l'on oublie notre mission de départ et que l'on fasse une télévision plus traditionnelle.

C'est ce qu'ils ont fait après mon départ. TQS est devenu un réseau beaucoup plus traditionnel qui, au bout de sept ou huit ans, avait accumulé un déficit de plus de 60 millions de dollars. Ça ne marchait pas très bien. Je pense qu'ils ont réalisé à ce moment-là qu'ils auraient mieux fait de respecter notre vision initiale. Au mois de décembre de la première année, nous avions quand même 11 % des parts de marché, ce qui était énorme. Mais Jean Pouliot et les actionnaires s'attendaient à plus. Ils pensaient que l'on aurait des parts de marché de 18 %, voire 19 %, ce qui était totalement illusoire. Je dois dire que même à 11 % j'étais étonné. Je ne pensais pas que l'on aurait un tel succès.

Comment est né *Bleu nuit*?

G.F. : Je souhaitais que la programmation soit assez osée sur le plan sexuel. Je considérais que c'était moins dommageable d'être sexuellement audacieux que de l'être sur le plan de la violence. C'est donc de cette idée qu'est née la case horaire plus « risquée » du samedi soir. En 86-87, nous étions bien loin de ce que ça allait devenir. J'ai vu 10 ou 15 ans plus tard des oeuvres présentés à *Bleu nuit* qui étaient pratiquement des films pornos. Nous, ce que nous programmions, c'était des films érotiques légers. Ils n'étaient pas tous très bons, mais il faut dire qu'avec le bassin qui existait en 80-86, ce n'était pas évident.

Où trouviez-vous ces films?

G.F. : Nous passions par les distributeurs américains, de la même façon que pour les films traditionnels. Il y avait des distributeurs de films érotiques. Mais la plupart provenaient de distributeurs réguliers. Nous avons acheté ce que l'on a pu trouver. Il y avait sûrement quelques films pornos, mais ce n'était pas cela que l'on voulait diffuser. C'était évident que si nous nous mettions à en présenter, nous nous ferions taper sur les doigts autant par le public que par le CRTC. Même avec les films érotiques que l'on présentait, nous recevions des critiques. De mon point de vue, c'était des films relativement anodins. Si nous les présentions aujourd'hui, personne ne les regarderait. Mais à cette époque-là, il y avait beaucoup de gens qui pensaient que ce n'était pas normal qu'un réseau de télévision présente des films comme ceux que l'on présentait à *Bleu nuit.*

Ces critiques vous provenaient-elles davantage du public ou du CRTC ?

G.F. : Nous avons eu quelques plaintes du public, surtout de la part de femmes. Mais jamais de mise en demeure de la part du CRTC. En 1986, nous avions fait un bon bout de chemin depuis la Révolution tranquille. Dans les années 70, il y avait eu des comédies musicales comme *Hair* (Milos Forman, 1979) où les gens étaient complètement nus. Les esprits étaient déjà assez ouverts. Si nous avions présenté ce type de films au début des années 60, nous nous serions fait tuer. Mais dans les années 80-90, c'était accepté. *Bleu nuit* a beaucoup contribué à établir l'image de marque de TQS. C'était ce que l'on souhaitait.

C'est pour la même raison que nous avons présenté *Rock et Belles Oreilles.* Nous savions que cela susciterait beaucoup de réactions. Il s'agissait de se tailler une place dans le monde télévisuel québécois. Comme lorsque nous avons décidé de mettre des images de feu de foyer après la fin des émissions. C'était un gag dans le fond. Nous savions très bien que les gens allaient rire de nous. Il s'agissait de faire un peu de provocation pour faire connaître le réseau.

Lorsque l'on regarde la sélection de films présentés les premières années de *Bleu nuit*, il y en a plusieurs, comme *La forteresse noire* (Michael Mann, 1983) et *Le parrain* (Francis Ford Coppola, 1972), qui n'étaient pas du tout érotiques.

G.F. : Au départ, nous n'arrivions pas à trouver les films que l'on voulait. La grosse difficulté était de trouver le type de film qui allait juste assez loin pour faire parler de nous, mais pas trop loin non plus pour ne pas se faire taper sur les doigts. Cela limitait la sélection. Il ne faut pas chercher de cohérence dans la programmation de la première année de *Bleu nuit.* Finalement, il y a des films qui n'étaient pas assez érotiques pour y avoir leur place, mais nous n'avions pas le choix. Il fallait présenter une programmation.

Vous avez quand même eu de grosses prises. Les premiers *Emmanuelle* par exemple. D'autres chaînes devaient s'y intéresser.

G.F. : Ni TVA ni Radio-Canada n'avaient osé les présenter. Dans le cas de certains films, les distributeurs se disaient : « Ça ne me sert à rien de présenter ça à Radio-Canada et TVA, ils vont nous dire non. » C'est la pudeur des autres réseaux qui nous a permis de mettre la main sur certains films qu'autrement, nous n'aurions jamais eu les moyens d'avoir. Il y a des films européens que nous avons eus parce que personne d'autre ne voulait les acheter, le marché nord-américain était très limité.

Par la suite, TQS a diffusé plusieurs émissions qui tournaient autour du sexe : on pense à *Fantasme*, à *Hot parade* ou à *Sexe et confidences*. Maintenant, des séries comme *19-2*, diffusées aux heures de grande écoute, contiennent énormément de scènes à caractère sexuel. Est-ce que vous croyez que *Bleu nuit* en est en partie responsable ?

G.F. : Je ne pense pas. Je crois que cette ouverture du grand public à l'érotisme aurait eu lieu de toute manière. Ce qui a véritablement eu une influence, c'est le fait que les téléromans sont devenus

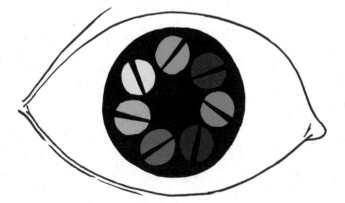

beaucoup plus explicites sur le plan sexuel. C'est ça qui a le plus contribué à l'ouverture d'esprit des gens. Honnêtement, il y a pas mal de scènes, dans les téléromans des dix dernières années, qui ne passeraient pas dans beaucoup de pays ailleurs qu'au Québec.

Étiez-vous conscient que beaucoup de jeunes regardaient *Bleu nuit* ?

G.F. : Nous étions bien conscients qu'il y avait plein de jeunes qui regardaient *Bleu nuit* en cachette. Cela ne m'a jamais causé de problème de conscience. Je ne pense pas que ça en ait causé à personne d'ailleurs. Je ne dis pas que *Bleu nuit* ait été le meilleur coup de programmation de TQS. Parce qu'il y en a eu de meilleurs que cela. Mais ça a sûrement été une des choses qui ont beaucoup contribué à faire parler de TQS.

Montréal, le 23 décembre 2013
Transcription : Claudine Viens
Édition : Alexandre Fontaine Rousseau et Renaud Plante

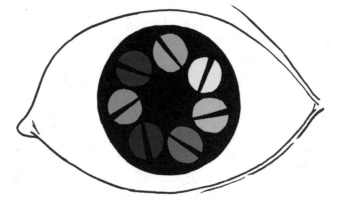

Emmanuelle et la plume de madame Louise

Rencontre avec Louise Cousineau

Entretien réalisé par Éric Falardeau et Simon Laperrière

Louise Cousineau a pratiquement inventé le métier de chroniqueur télé au Québec. De ses débuts à *La Presse* au milieu des années 70 à sa retraite en 2010, elle s'est imposée comme une figure incontournable dans le paysage médiatique québécois, reconnaissable à son esprit libre ainsi qu'à sa voix grave et granuleuse. Il était impensable de faire ce livre sans s'entretenir avec celle qui a accompagné la télévision québécoise pendant toutes ces années.

Quel a été l'impact de l'arrivée de TQS dans le paysage médiatique en 1986 ?

L.C. : Ça a vraiment été une révolution. Guy Fournier, qui était le patron de TQS à l'époque, avait beaucoup d'idées. On voyait bien que quelque chose se passait. Au party d'inauguration, il s'était même mis un panache à plumes sur la tête.

Quand TQS est arrivé, le but était d'en faire une station métropolitaine. Cela n'a pas duré très longtemps, parce qu'ils ont compris qu'il fallait aussi prendre en considération le public des régions. Ceci étant dit, leur service de nouvelles était réellement différent. Les journalistes avec un *kodak*, ça c'était révolutionnaire ! À l'époque, à Radio-Canada, ils envoyaient encore des équipes complètes sur le terrain : un cameraman, un gars de son, un gars pour porter tout cet équipement-là, un journaliste pour la radio et un autre pour la télévision… Ça n'avait aucun bon sens ! À ce niveau là, on peut dire que Guy Fournier était très moderne.

Comment la programmation de TQS se distinguait-elle de celle des autres stations, de ce qui était déjà à l'antenne à cette époque?

L.C.: Je dirais qu'elle était plus audacieuse que la moyenne. Aucune autre station n'aurait osé présenter des émissions comme *Rock et Belles Oreilles* et *Surprise sur prise!*, par exemple.

Ces émissions ont connu un bon succès, mais que disait la critique au sujet de la station?

L.C.: Je ne me souviens plus trop de ce que j'ai écrit à l'époque. Mais force est d'admettre que ce qui passait à TQS, ce n'était pas toujours très bon. Ils n'avaient pas de séries dramatiques, notamment. Mais ils ont tout de même fait quelques bons coups. *Un gars, une fille*, par exemple, a commencé à *Besoin d'amour*. C'est là que les personnages de Guy et de Sylvie sont apparus pour la première fois. En rétrospective, c'était quand même assez audacieux.

Vous rappelez-vous de l'arrivée en ondes de *Bleu nuit*?

L.C.: *Bleu nuit* a commencé quasiment en même temps que TQS. Ceux qui écoutaient *Bleu nuit*, c'était les jeunes. Il n'y avait pas internet à l'époque et, dans les clubs vidéo, ils ne pouvaient pas traverser les portes de «l'enfer». *Bleu nuit* c'était en quelque sorte un cours d'éducation sexuelle, pour eux. Mais pas tout à fait non plus, parce que dans la vie, ça ne se passe jamais comme dans les films!

***Bleu nuit* s'est tout même forgé une place dans l'imaginaire d'une génération de Québécois. Tout le monde a une anecdote au sujet de cette émission.**

L.C.: Disons que dans la salle de rédaction, il n'y avait pas de grandes conversations au sujet de *Bleu nuit*. Mais il y a bien des gens qui ont honte d'avouer qu'ils regardent certaines émissions. Un de mes collègues ne pouvait admettre à personne qu'il regardait *Les dames de coeur*. Pour plusieurs, la télévision était un plaisir coupable. Mais ça change, tout ça. J'ai toujours dit qu'au Québec, c'est la télévision qui avait forgé le «nous» collectif. Parce qu'à une certaine époque, on regardait tous la même chose.

Cette découverte du monde du sexe était aussi liée à tout un rituel. Pour une poignée de spectateurs, *Bleu nuit,* c'était aussi attendre que les parents soient couchés, fermer les lumières, allumer la télévision, baisser le son au minimum…

L.C. : Ça devait faire le bonheur des petites jeunes qui faisaient du gardiennage ! Ça va bien, quand tu sais que les parents ne reviendront pas avant une heure du matin ! Les filles devaient appeler leurs copains… pis aweille, les bébés sont couchés !

Il y a beaucoup plus de sexualité dans les séries québécoises d'aujourd'hui. Pensez-vous que *Bleu nuit* a quelque chose à voir avec cela ?

L.C. : La sexualité est partout, aujourd'hui. On a tous vu ce qu'a fait Miley Cyrus pour prouver qu'elle ne faisait plus du Disney ! C'est effrayant d'être obligé de se mettre sur la *map* avec son cul. Ça me décourage de voir ça. Toutes les années pendant lesquelles on a milité pour la libération de la femme… Est-ce vraiment ça que ça donne ? C'est l'égalité, ça ? Je ne suis pas certaine. Ça m'inquiète.

La téléréalité a changé la donne, à ce niveau-là. On y montre beaucoup de choses.

L.C. : La téléréalité me scandalise. C'est de l'exhibitionnisme. C'est la maladie du siècle : les quinze minutes de gloire. Il y a des gens qui vont tout faire pour les avoir. Il n'y a plus beaucoup de pudeur.

***Bleu nuit* a disparu au moment où *Loft Story* a gagné en popularité.**

L.C. : Oui. Parce que c'était toujours à la limite de l'érotisme, peut-être même un peu porno dans l'esprit. On voit bien que c'était une grosse partouze, cette affaire-là.

Est-ce que vous pensez qu'une émission comme *Bleu nuit* pourrait de nouveau être diffusée à la télévision?

L.C.: Ils vont finir par prendre des vidéos que les gens tournent eux-mêmes. Dans cinq ans, ça va être ça à la télévision et ça fera l'affaire de tout le monde parce que ça ne coûtera pas cher à produire. *Money! Money! Money! Greed!*

Montréal, le 10 décembre 2013
Transcription: Cathy Falardeau
Édition: Alexandre Fontaine Rousseau et Renaud Plante

Bleu nuit d'hier ESSAI

Marco de Blois

Lorsque les directeurs du présent ouvrage m'ont parlé de leur projet de livre sur l'émission *Bleu nuit,* je leur ai évoqué le souvenir des films érotiques que je voyais à la télé avant l'apparition de la célèbre émission. Mal m'en prit, car ils me demandèrent immédiatement un texte, me transformant illico en pseudo-spécialiste de la diffusion du film de fesses à la télé québécoise des années 1970.

Il faut comprendre que ce texte repose essentiellement sur la mémoire et peut donc contenir des inexactitudes. Je n'ai pas pris le temps de faire des recherches approfondies dans les guides télé de l'époque, ni dans les archives des stations de télévision concernées. Néanmoins, grâce à l'échantillonnage des diffusions effectué par Éric Falardeau à partir des microfilms de la BAnQ (Bibliothèque et Archives nationales du Québec), il est possible de confirmer qu'il y a bien eu une préhistoire à *Bleu nuit.*

L'émission de TQS apparaît en 1986. À ce moment-là, j'ai 22 ans. Je lui porte alors très peu d'intérêt. Par contre, je me rappelle nettement qu'à l'époque de mon adolescence, soit de 1976 à 1982, la télé québécoise avait pris l'habitude de diffuser des films érotiques en fin de soirée. Ces *programmes* mettaient du piquant dans la vie des jeunes étudiants de polyvalente, alors que les lecteurs VHS étaient encore inexistants dans les maisons québécoises. Ils étaient le seul moyen pour nous, adolescents, de voir un film érotique. Quand le *TV Hebdo* de la semaine suivante paraissait, nous nous précipitions pour découvrir les titres que les diffuseurs nous réservaient. Nous en parlions entre nous.

Télé-Métropole présentait à l'occasion un film «coquin». Mais, pour confirmer le vieil adage que les bouzins à la fois les plus glauques et les plus excitants se trouvent dans les régions, il ressort que c'est surtout du côté des télévisions régionales qu'ont été diffusés des films érotiques avant l'avènement de *Bleu nuit*. Et ce, principalement aux stations CKTM de Trois-Rivières et CKSH de Sherbrooke. Ces stations commencent à présenter des «films de fesses» vers 1976 et la pratique se généralise vers 1982. Les soirées consacrées aux films érotiques étaient les vendredis et les samedis. La présentation se faisait dans le cadre de la case horaire régulière du film de fin de soirée, appelée sur les deux chaînes *Ciné-soir*. En 1982, à CKSH, elle a adopté le nom *Les noctambules*. Pourtant affiliées à la prude et fédérale Radio-Canada, ces chaînes se délestaient visiblement des contraintes découlant de cette affiliation la bleue nuit venue.

Le générique de l'émission de CKSH en a sûrement marqué plusieurs, non pas pour son aspect graphique, de facture insignifiante, mais pour sa musique. C'est au son de la magnifique *Samba pa ti* de Santana que s'annonçait le film. Entendre cette composition prometteuse, pleine de salive et de pulpe, nous métamorphosait en loups de Tex Avery. La pièce de Santana sent la peau, la sueur, l'alcool; en même temps, elle invite aux plaisirs sensuels, charnels. Elle a cette charge sexuelle qui nous prédisposait au film qui allait suivre.

L'échantillonnage des diffusions s'est échelonné sur quelques semaines des années paires de 1976 à 1984. Hélas, je ne me souviens d'aucun de ces titres, qui appartiennent à la vague de *sexploitation*[1] américaine et européenne des années 60 et 70. Par exemple (j'échantillonne à mon tour): le vendredi 10 février 1978, Télé-Métropole présentait *Le viol du vampire* (Jean Rollin, 1967); à CKTM, le vendredi 12 octobre 1979, c'était *Mais ne reste donc pas pucelle* (Hubert Frank, 1969); le 11 septembre 1982, à CKSH, diffusion de *La toubib prend du galon* (Nando Cicero, 1978),

---

1   «*Sexploitation*» est un mot-valise formé de la fusion de «*sex*» et de «*exploitation*». Il désigne le plus souvent les productions commerciales à budget modeste des années 60 et 70 précédant la prolifération du triple X, qui, tout en empruntant aux conventions d'un genre en vogue (polar, comédie, épouvante, etc.), intègrent des scènes de nudité ou à caractère sexuel généralement sans réelle nécessité narrative. La *sexploitation* a existé au sein de la plupart des grandes cinématographies mondiales. Au Québec, c'est le drame psychologique *Valérie* de Denis Héroux (1969) qui signe l'acte de naissance du film de *sexploitation* québécois.

avec l'acteur à gros nez Alvaro Vitali, dont l'étonnante carrière s'est éparpillée entre films de fesses et films de Fellini. Tout au plus me souviens-je vaguement de *Jeux érotiques de deux jeunes infirmières* de José Ramón Larraz (1979), une comédie érotique avec Laura Gemser, qui sera mieux connue pour son rôle de Black Emanuelle. Ceux qui étaient branchés à CKSH le samedi 23 octobre 1982 l'ont vu.

Par contre, l'échantillonnage a laissé glisser quelques films dont je me souviens un peu mieux, entre autres *Je suis une nymphomane* (1971) et *Je suis frigide... pourquoi ?* (1972) de l'increvable Max Pécas[2]. Le premier film raconte les tourments invraisemblables d'une femme frigide qui devient nymphomane après avoir chuté – attention, c'est très sérieux, tout ça – dans une cage d'ascenseur. Comme je portais déjà attention aux génériques, j'ai retenu le nom de Max Pécas, et c'est la première fois depuis cette époque que ce souvenir me sert à quelque chose... L'insistance du cinéaste sur les scènes de lesbianisme constituait pour moi une source de contrariété, car j'étais déjà conscient que je préférais les garçons. Par contre, un autre film avait fait sur moi une forte impression : c'était une production américaine *hard*, en version probablement censurée (mais pas trop), où on pouvait voir une éjaculation en gros plan. Pour la première fois de ma vie, je vis ce que l'on appelle en pornographie un *money shot*. Malheureusement, j'ai complètement oublié le titre de ce film. Il me semble qu'il y avait un acteur, pas trop beau, qui pouvait être Harry Reems, comédien X connu pour *Gorge Profonde* (Gerard Damiano, 1972) et *Forced Entry* (Shaun Costello, 1973)[3].

Ces chaînes ne faisaient pas partie du «service de base» (comme on dit maintenant) appartenant à l'histoire ancienne de la télé analogique. Pour les capter, il fallait une bonne antenne et préférablement un «rotor». Les adolescents de familles un peu fortunées pouvaient ainsi s'adonner à la joie du voyeurisme tard le soir, voire la nuit (certains films pouvaient être présentés à 2 h), alors

---

2   Trois films de ce réalisateur français ont été diffusés à *Bleu nuit*. Voir à ce sujet dans le présent ouvrage, la critique d'*On se calme et on boit frais à Saint-Tropez* (1987) par Simon Laperrière (page 252).

3   Il a même joué un petit rôle dans *Les chiens chauds* (Claude Fournier, 1980).

que les parents faisaient dodo. Il est possible que CKSH et CKTM aient cessé de diffuser des films érotiques quand est arrivée TQS et son émission *Bleu nuit*. Pouvant être captée à grande échelle, la nouvelle chaîne généraliste, jouant sur une image à la fois populiste, audacieuse et un peu dévergondée, s'est ainsi accaparée l'érotisme en institutionnalisant une case horaire exclusivement érotique et portant un nom spécifique. Ce fut la fin d'un certain *red light* télévisuel québécois.

Et pendant ce temps-là, en France... (Les équivalents de *Bleu nuit* de l'autre côté de l'Atlantique)

Gilles Esposito

ESSAI

Longtemps cantonné à trois chaînes publiques, ce qu'on commence alors à appeler le PAF (acronyme familier signifiant paysage audiovisuel français) subit de grandes mutations au milieu des années 80. Un président en bout de course, François Mitterrand, autorise en 1984 la création de Canal +, station cryptée et payante, puis celle de deux chaînes hertziennes privées, la Cinq et TV6, qui commencent à émettre en 1986. C'est surtout la Cinq qui va faire tache, le magnat des médias et futur politicien Silvio Berlusconi y appliquant les mêmes options qu'avec les canaux qu'il possède en Italie. Aux sages programmations des trois chaînes «historiques», il oppose ainsi un déluge de fictions sans doute acquises à vil prix : de nombreuses séries américaines, mais aussi d'improbables fonds de tiroir jusqu'ici réservés à l'édition vidéo. Cette grille complètement hasardeuse, qui ressemble à s'y méprendre aux premières années de *Bleu nuit*, suscite cependant la réticence des milieux culturels, laquelle va se cristalliser autour d'un petit scandale.

La diffusion par la Cinq d'un film érotique en première partie de soirée (le fameux *Joy* de Serge Bergon, 1983[1]) engendre en effet l'ire des autorités de régulation de la télévision, qui vont forcer les chaînes à réserver les contenus déshabillés aux deuxièmes ou troisièmes parties de soirée. C'est le premier retour de bâton, qui coïncide avec les grandes manœuvres politiques de 1987. La droite française, revenue au pouvoir à la faveur des élections législatives de mars 86, rééquilibre le capital des nouvelles chaînes en faveur d'hommes d'affaires moins marqués à gauche, tout en privatisant le joyau du secteur public (TF1, de tout temps la station la plus regardée) qui tombe dans l'escarcelle de la très conservatrice

---

1   Voir à ce sujet dans le présent ouvrage, le texte «Alice au pays de la perversion» d'Éric Falardeau (page 208).

entreprise de bâtiment Bouygues. Ainsi, c'est seulement aux alentours de 23 h que les spectateurs des télévisions commerciales peuvent voir différentes émissions d'une demi-heure, souvent composées de brefs modules sexy et parodiques. Mais le grand rendez-vous de la coquinerie sur petit écran sera véritablement fondé quand M6, née sur les cendres de TV6, va lancer ce qu'on appellera bientôt proverbialement « le film érotique du dimanche soir ».

L'emblème de la case résidait dans certaines modifications apportées à l'indicatif de M6, où la musique habituelle était remplacée par de petits coups frappés, suivis des mots susurrés « hé... hé... c'est la pub » qui avaient le don de faire sursauter les adolescents craignant d'être surpris par leurs parents en plein onanisme! Mais plaisanterie mise à part, cette programmation hebdomadaire aura permis aux amateurs de série B de reprendre à zéro la grande histoire du cinéma soft des années 70-80, avec des titres dont beaucoup se retrouveront dans la grille de *Bleu nuit*: classiques « sérieux » égarés là à cause de leur sujet sulfureux (*La femme flambée* de Robert Van Ackeren [1983], portrait d'une bourgeoise devenue dominatrice SM et *La clé* de Tinto Brass, [1983]), une gauloiserie épaisse (*Le diable rose* de Pierre B. Reinhard [1987], chronique d'un bordel normand sous l'Occupation), sans compter d'innombrables productions italiennes comme *Honey, fleur de vice* (Gianfranco Angelucci, 1981), avec la fantasmatique starlette Clio Goldsmith.

D'ailleurs, comme au Québec, les films étaient souvent rediffusés de multiples fois, ce qui pouvait cependant ménager certaines surprises aux assidus. Ainsi, selon l'heure de passage, l'excellent *Chaleurs exotiques/Flying Sex* de Frank Martin/Marino Girolami (1977) comportait ou non un plan aux confins de la pornographie (une vulve plein cadre titillée par un modèle réduit d'avion) qui expliquait le traumatisme d'une héroïne ne pouvant jouir qu'en haute altitude! Et comme au Québec encore, le cinéaste recordman de ces émissions était sans doute Joe D'Amato, dont les produits destinés au marché de la vidéo (le diptyque *11 jours, 11 nuits*) alternaient avec les *Black Emanuelle* des années 70. Or, les

divers avatars du personnage imaginé par Emmanuelle Arsan en disent long, justement, sur l'évolution chronologique de la programmation. Aux *Emmanuelle* français multi diffusés, s'ajoutera en effet une série de téléfilms où une Sylvia Kristel mûrie racontait à l'ex-James Bond George Lazenby des souvenirs salaces aussitôt illustrés en *flash-back*. De la même manière, sa cousine Joy réapparaît dans différentes aventures internationales (*Joy à Moscou, Joy à Hong-Kong*, etc.), sous les traits de l'ancienne star du porno Zara Whites.

Depuis longtemps, M6 contournait les quotas en matière de longs métrages cinéma, en déclarant comme téléfilms ses bandes du dimanche soir. Mais le besoin de titres frais imposera le recours à de vraies productions télévisuelles, telles que la série *Les escarpins rouges* (1992) avec David Duchovny, diffusée au même moment où la chaîne offrait avec succès The *X-Files*! Et surtout, vont se développer des sortes de «productions-maison» souvent commandées à la même compagnie (*Shoot Again*) et signées du même énigmatique pseudo – Servais Mont, qui est en fait le nom du personnage incarné par Fabio Testi dans *L'important, c'est d'aimer* (Andrzej Zulawski, 1975). Parfois plus généreuses en nudité que leurs consœurs cinéma mais souffrant d'une esthétique de papier glacé (lumières tamisées, musique omniprésente), ces œuvrettes finiront par constituer l'essentiel de la programmation.

Exception faite d'une collection *Désirs noirs* dédiée aux thrillers moites tournés à Saint-Domingue, les histoires y font la part belle à des Parisiens de la classe moyenne s'ennuyant un peu dans leurs bureaux en *open-space*. Ils se retrouvent ainsi mêlés à des affaires de réseaux partouzards secrets, ou bien à des cas de cohabitation avec de belles personnes qui les méprisent d'abord avant de devenir de moins en moins farouches... Au moins cela permettait-il d'admirer tout un cheptel d'actrices porno de l'époque, qui s'offraient là une petite récréation ou une éphémère tentative de reconversion: Katsumi, Dany Vérissimo, Mélanie Coste (d'ailleurs excellente comédienne), Estelle Desanges, etc. Pour autant, les choses iront de mal en pis, avec des productions de plus en plus fauchées où les dialogues finiront par s'effacer au profit d'une simple *voix off*, jusqu'à l'arrêt définitif du «téléfilm du dimanche soir» en 2005, remplacé par... une causerie sur le football – le soccer, s'entend. À l'heure actuelle, les *Shoot Again* font cependant encore les choux gras des petites chaînes du bouquet numérique terrestre, chaque soir aux alentours de 3 heures du matin.

Enfin, pour ce qui serait un équivalent aux titres non directement érotiques diffusés par *Bleu nuit*, il nous faut encore parler des *Hollywood Night* diffusés par TF1 de 1993 à 1999. Là encore, il ne s'agit pas à proprement parler d'une émission, mais d'une case bien distincte dans la programmation de la chaîne. L'indicatif annonçait la couleur, avec une hideuse animation Flash montrant un décor de palmiers où résonnent des sirènes de police. *Hollywood Night* a en effet rassemblé une centaine de ces petits thrillers américains des années 90, destinés au marché de la vidéo (mais toujours déclarés ici comme téléfilms) et signés de stakhanovistes comme Andrew Stevens ou Fred Olen Ray. Certains lorgnaient vers l'action, telles ces bandes jouées par la sulfureuse héritière Anna Nicole Smith pour le compte de douteux producteurs de Las Vegas. Cependant, la dominante de la collection résidait surtout dans une actualisation des vieux films noirs type *Double Indemnity* (Billy Wilder, 1944), déplacés dans des villas aux décorations agressives de nouveau riche. Des héros largués y tombaient sous la coupe de femmes fatales siliconées, ce qui permettait à de vieilles gloires comme les abonnés Eric Roberts et Shannon Tweed de faire leur numéro sans trop se forcer.

La collection aura néanmoins pas mal frappé les esprits hexagonaux, et certains critiques peu amènes ont même évoqué le souvenir de *Hollywood Night* pour ironiser sur le récent *The Canyons* (2013), le film pourtant très beau de Paul Schrader. Mais cela fait longtemps que dans les grilles de TF1 et M6, ce genre de joyeusetés a été remplacé par des émissions de téléréalité où des demi-mondaines se prélassent au soleil. Comme avec *Bleu nuit* sans doute, on ressent ainsi une sorte de nostalgie pour ces programmations que l'on avait un peu méprisés à l'époque. Après tout, ces films et téléfilms représentent en quelque sorte l'étape ultime d'un cinéma populaire né dans les foires et les salles *grindhouse*, et qui a quasiment disparu aujourd'hui.

La fois où j'ai eu la collection de *Bleu nuit* au complet

RÉCIT

Simon Lacroix

J'ai commencé à enregistrer sur des VHS lorsque l'on a eu notre premier magnétoscope familial en 1984 ou 1985. Au début, c'était pour regarder mes *programmes* préférés. Éventuellement, je me suis mis à accumuler les cassettes pleines d'émissions comme *100 limites* et *Rock et Belles Oreilles* en me disant qu'elles seraient utiles si je voulais en revoir certaines. Après, mes goûts ont changé, surtout quand mon frère s'est mis à payer pour qu'on ait Super Écran. Ceci est arrivé à peu près au même moment où *Bleu nuit* est apparu sur les ondes de TQS. Au début, j'enregistrais les films de cette série au complet, mais éventuellement, je n'avais plus beaucoup de cassettes libres et, comme je n'étais pas très riche, je devais économiser l'espace sur celles-ci. Je ne me suis donc mis qu'à compiler les moments érotiques. J'avais deux ou trois cassettes remplies de scènes assez *soft* où l'on ne voyait pas grand-chose. Elles étaient entrecoupées d'extraits de films tout aussi *soft* enregistrés à Super Écran. Cette chaîne et TQS étaient les deux seuls endroits où un ado pouvait trouver de pareils longs métrages. Ça me satisfaisait, mais plus ça allait, plus je devenais difficile sur le choix des scènes que j'enregistrais. Toutes les semaines, je *checkais* le *TV Hebdo* pour voir ce que nous réservait *Bleu nuit*. Chaque fois que l'on annonçait le film *Bolero* (John Derek, 1984), je me disais : « Fuck !! Ça fait 600 fois qu'ils le passent. Bo Derek est bin cute, mais on la voit juste 5 secondes toute nue dans le film. Ils ne baisent pas souvent en plus… »

Tout ceci était, bien entendu, fait dans le secret le plus total. Mes cassettes *best of* contenant mes scènes préférées de *Bleu nuit* n'étaient pas identifiées et étaient toujours cachées quelque part dans ma chambre. Par contre, quand il restait quelques minutes à la fin de mes autres VHS, j'y ajoutais quelques segments osés. Une fois, des amis sont venus chez moi et je voulais leur montrer un extrait de *RBO* que je trouvais très drôle. L'émission était au début de la cassette, mais avant de la glisser dans le lecteur, je n'ai pas remarqué que le ruban était placé vers la fin, là où se trouvait une séquence érotique. En plus, la cassette était protégée contre l'enregistrement. J'avais enlevé le petit morceau de plastique, sur son côté avant gauche. À moins de le remplacer par un morceau de *tape*, on ne pouvait plus rien ajouter sur la cassette. Mais cette modification faisait aussi en sorte que quand on insérait ladite cassette dans le magnétoscope, elle se mettait à jouer automatiquement. Donc, mes amis qui s'attendaient à rire avec RBO, ont eu droit à la place à une scène torride d'*Emmanuelle*. J'ai tout de suite interrompu la lecture en prétextant que la VHS maudite était à mon frère. Tout le monde voulait que je réappuie sur *play*, mais je ne voulais rien savoir. J'avais honte de ma collection.

La plupart de ces cassettes étaient en mode EP par souci d'économie d'espace. Cette vitesse d'enregistrement permettait d'emmagasiner six heures d'images vidéo. En LP, c'était quatre heures et en SP, deux heures qui *fitaient* sur le ruban. Cette augmentation de la durée se faisait au détriment de la qualité du fait de la réduction de la largeur de bande du signal vidéo et audio (rapport signal/bruit moins performant). En SP, l'image et le son étaient de meilleure qualité et se conservaient mieux par rapport au mode d'enregistrement EP, qui était aussi appelé SLP par certaines compagnies. De plus, il semblerait que la station de télévision avait également une influence sur la conservation du contenu audiovisuel. Si une émission avait été enregistrée à partir de Musique Plus ou Much Music en 1987 en mode EP, il y a beaucoup de chances qu'aujourd'hui, l'image soit délavée, voire même complètement effacée et qu'il ne reste que le son. Vous ne me croyez pas? Ressortez une de vos vieilles VHS de l'émission *Solidrok* de 1988 et mettez-la dans votre magnétoscope. Je vous attends. Je ne suis pas pressé. Vous n'avez plus de lecteur VHS? Ce n'est pas grave. Vous comprenez le principe. Les images, peu importe leur support vidéo, s'effacent avec le temps. Surtout celles provenant des stations qui émettaient à l'époque un signal plus faible que celui de Radio-Canada par exemple[1].

J'ai toujours ces VHS. Je les ai regardées récemment pour me replonger dans l'époque et je me suis aperçu que l'image s'était beaucoup dégradée. Elles n'ont malheureusement pas été conservées dans de bonnes conditions. En fait, j'ai gardé toutes les cassettes de mon enfance. J'ai toujours aimé montrer des extraits aux gens qui passaient par chez moi. Surtout des séquences de mauvaise télé, par exemple, la lutte québécoise des années 80. Je n'avais jamais pensé, par contre, que ça me servirait un jour. Il y a plus de 10 ans, avec l'aide de mon collègue Pascal Pilote, j'ai mis sur pieds le projet *Total Crap*, des soirées de projection de montages vidéos qui présentent le pire de la télé et du cinéma. Des affaires épouvantablement mauvaises, mais super drôles. Les montages sont faits à partir d'archives vidéo qui ont été conservées sur des cassettes VHS ou Beta que l'on trouve autant dans les marchés aux puces que dans les brocantes, qu'on se fait donner ou que l'on prend dans notre collection personnelle.

Un jour chez *Total Crap*, nous avons reçu un don d'une vieille dame de Sherbrooke. Son mari venait de décéder et elle voulait se débarrasser de toutes ses bandes vidéos. Nos amis d'Artfocus, l'endroit où l'on fait généralement nos projections à Sherbrooke, nous ont dit qu'ils pouvaient nous apporter à Montréal les 500 cassettes en question. Sur le coup, nous pensions qu'ils exagéraient sur le nombre, mais finalement, les rubans sont arrivés chez moi à bord d'une Econoline pleine. En fin de compte, 800 cassettes m'ont été livrées. Cette collection venait avec un carnet écrit à la main dans lequel les films de leur ancien propriétaire étaient répertoriés en ordre alphabétique. Cet homme avait tout compilé à la main. Un travail colossal. Il passait ses journées entières devant le téléviseur et enregistrait tout ce qu'il regardait. Mais quand allait-il avoir le temps de visionner ses vidéocassettes? Il lui aurait fallu une vie supplémentaire pour profiter de ce qu'il avait conservé.

---

1   La température de la pièce où elles sont entreposées joue aussi pour beaucoup, tout comme la manière dont elles sont disposées. Une cassette doit être placée à la verticale et non à l'horizontale pour une meilleure préservation. Ça fait un peu *geek* ou obsessif compulsif tout ça, mais que voulez-vous? C'est sûr que le mieux est de les numériser en fichier informatique (Quicktime, par exemple). Ça prend moins de place. Une bibliothèque remplie de VHS peut maintenant être conservée sur un petit disque dur.

Des dons comme ça, nous n'en avons pas eu souvent. Je me souviens d'une fois où une femme de Québec nous avait donné 700 cassettes sur lesquelles il y avait des émissions de Musique Plus, des débuts de la station jusqu'à 1999. On y trouvait également toutes les apparitions de Bon Jovi et de Glass Tiger à la télé. Regarder tout cela est fascinant. À travers ces VHS, nous découvrons les habitudes télévisuelles de leur propriétaire. Même chose pour le vieil homme de Sherbrooke qui enregistrait tout ce qui avait rapport à la sexualité et aux avions. Le lien entre les deux? Aucune idée. Côté sexe, il enregistrait, entre autres, toutes les émissions diffusées avant *Bleu nuit* comme *Sur l'oreiller* avec France Castel, *Super sexy*, *Parlez-moi d'amour* avec Danielle Ouimet, mais aussi *Sexe et confidences* qui était présenté tous les après-midi de la semaine à TQS. C'est quand même grâce à lui que je me suis retrouvé en possession de presque toute la programmation de *Bleu nuit*. J'étais vraiment content! Finalement, je retrouvais tous les films que je n'avais pas pu enregistrer à l'époque. Tous les *Emmanuelle* étaient devant moi. Tous les films de Joe D'Amato diffusés à *Bleu nuit* et en version française en plus. Même *Bolero* que je me suis empressé de lancer par la fenêtre pour célébrer l'occasion.

La célébration a été de courte durée parce que, faute d'espace, je n'ai pu garder toutes ces cassettes. J'ai jeté les plus récentes. *Bleu nuit* m'intéressant moins maintenant, je me suis surtout servi de ces VHS pour retrouver des pubs de l'époque qui ont mal vieilli et qui pouvaient me servir pour *Total Crap*. En fait, c'est surtout à TQS tard en soirée, notamment durant *Bleu nuit*, que j'ai trouvé les meilleures pires pubs télé de la fin des années 80 et du début 90. Les pubs présentées à *Bleu nuit* variaient selon les régions. Ayant grandi dans la ville de Québec, je me souviens de celle du Marché aux puces Jean-Talon avec le bébé géant qui se promenait dans la ville pendant que des gens dansaient à ses pieds. Sur les cassettes du vieil homme, j'en ai trouvé une de la Boutique Sortilège-Illusion de Sherbrooke où l'on voit des modèles en spandex fluo avec des moustaches ou des cheveux crêpés pendant qu'on entend la chanson *Just an Illusion* du groupe Imagination.

Les publicités dont je me souviens le plus, par contre, sont celles qui étaient diffusées sur l'ensemble de la province. Il y avait celles des magasins de vêtements Daniel Spécialités qui ont été parodiées par RBO et beaucoup provenant de concessionnaires automobiles. Elles mettaient en vedette le propriétaire du commerce qui prouvait, à chaque fois, hors de tout doute, qu'il était un très mauvais comédien. Celle du concessionnaire Ste-Rose Lincoln Mercury était particulière parce que c'était une des seules pubs automobiles dans laquelle on ne voyait pas de voitures. On y retrouvait juste… des roses. Les publicités des lignes 1-976 revenaient le plus souvent. Des lignes téléphoniques qui chargeaient un montant par appel et un tarif à la minute. Il y avait la pub de la Super Ligne dans laquelle nous voyions des sosies de Michael Jackson, Tina Turner et Madonna. Celle de la ligne en fête 1-976-8585 passait assurément lors de chaque diffusion de *Bleu nuit*. Ces lignes nous laissaient miroiter la possibilité de combler notre solitude, de parler à du monde qui voulait rencontrer un ami, l'âme sœur ou peut-être juste de trouver un *one night*. Personne que je connais n'a osé appeler, mais nous le souhaitions tous. On se demandait qui pouvait bien le faire. Si la pub passait si souvent, c'est qu'il y avait forcément quelques poissons qui mordaient à l'appât. Étaient-ce seulement des hommes qui appelaient ? Était-ce possible de parler à la fille que l'on voyait à l'écran ? Sinon, pouvait-on au moins parler au gars qui buvait dans un ananas avec une paille, à la fille qui portait une perruque argentée ou au gars qui avait plein de téléphones accrochés à sa veste militaire, comme si à chaque fois qu'il recevait un appel, il partait au combat ? Probablement pas, parce que cette pub était aussi diffusée en Ontario, mais en anglais. Est-ce que des confettis allaient tomber du plafond au moment où quelqu'un allait nous répondre ? On ne le saura probablement jamais, à moins que quelqu'un ose composer le numéro de cette ligne qui existe peut-être encore ?

Revoir tous ces épisodes de *Bleu nuit* m'a fait réaliser à quel point les temps ont changé. À l'époque, je gardais ma passion pour moi et je n'allais sûrement pas montrer des extraits de cette émission à mes amis. Maintenant, ce n'est pas très rare qu'on présente à *Total Crap* des scènes pornographiques pas mal plus *hardcore* que ce qui a été diffusé à *Bleu nuit*. Je n'ai aucun problème à le faire, même que souvent j'ai hâte de voir la réaction du public face à celles-ci. Il y a un certain malaise à être en public et voir ce genre de choses, mais je sens également qu'il y en a plusieurs qui sont comme mes amis de l'époque. Ils ne veulent pas que j'appuie sur STOP et souhaitent que ce magnifique spectacle continue…

La chaise en osier,
ou souvenirs d'une cinéphile coquine
Manon Dumais

Bien avant que je sache comment l'on fait les bébés, j'étais déjà attirée par le cinéma érotique. Certes, je ne savais pas du tout ce que c'était, mais une chose est sûre, son imagerie titillait la curiosité de la petite fille un peu perverse que j'étais. Oui, vous avez bien lu, j'étais un peu perverse… Ou peut-être en avance sur mon âge, qu'en sais-je? De fait, avec mon unique Ken, qui pouvait bien afficher en permanence un sourire ravi, et ma dizaine de poupées Barbie, j'organisais ponctuellement des orgies.

Élevée en banlieue de Québec, à Orsainville, pour être plus précise, chaque fois que nous allions visiter les tantes de ma mère à Montréal, je demandais pourquoi la lettre «v» du cinéma Ève, institution aujourd'hui disparue de la rue Sainte-Catherine, était une paire de jambes de femme. «C'est parce qu'on y présente des films olé olé!», répondait ma mère, un peu mal à l'aise. «C'est quoi, ça, des films olé olé?», lui demandais-je. «Des films d'amour!», lançait mon père, l'œil pétillant. «Toi pis tes films d'amour!», s'exclamait ma mère sur un ton qui ne donnait pas envie de poursuivre mon interrogatoire.

Sachant que ma mère raffolait des films d'amour, je ne comprenais pas sa réaction. D'ailleurs, chaque fois que mon père l'amenait voir lesdits films d'amour, ma mère boudait en rentrant à la maison. Futée, du moins, croyant l'être, je poursuivais mon enquête en consultant le cahier cinéma du *Soleil*.

«Wow! Maman, t'as vu comme elle est belle, *Ilsa la louve des SS* (Don Edmonds, 1975)? Comme j'aimerais être comme elle et avoir des bottes comme les siennes! Elle est aussi cool que Catwoman! On peut aller voir le film?» Dois-je vous dire qu'à l'époque on ne m'avait pas encore raconté ce qu'avaient fait les

SS durant la Deuxième Guerre mondiale? «T'es trop jeune…». Étrange réponse de la part de l'auteure de mes jours qui m'avait laissé regarder *Les oiseaux* d'Hitchcock (1963) toute seule pendant qu'elle faisait la vaisselle et vaquait à ses autres tâches domestiques sous prétexte que le film l'avait traumatisée.

Grâce à la télé, j'avais un petit aperçu de ces films olé olé. Ainsi, chaque fois que la bande-annonce d'*Emmanuelle* (Just Jaeckin, 1974) passait à la télévision, c'était immanquable, je m'exclamais: «Wow! Elle est belle Sylvia Kristel! J'aimerais tellement avoir une chaise en osier comme la sienne! Je peux en avoir une?» «Si tu savais ce qu'elle fait dans sa chaise en osier, tu ne voudrais pas t'y asseoir!», avait répondu un jour ma mère, les yeux au ciel. «Ah bon? Elle fait quoi?» «Des cochonneries!»

Sans le savoir, ma mère venait de dire le mot magique: je devais absolument savoir ce qu'étaient lesdites cochonneries auxquelles s'adonnait sans doute cette *Messaline, impératrice et putain* (Bruno Corbucci, 1977) dont la bande-annonce allait un peu plus tard piquer ma curiosité. Eh oui, j'ai toujours aimé les films historiques.

Je dus toutefois attendre la prépuberté afin de découvrir le cinéma dont mon père était si friand. D'ailleurs, quand nous allions à Sainte-Foy chez mes grands-parents, mon père amenait souvent son beau-père au cinéma. «Qu'est-ce que vous êtes allés voir?», demandais-je. «Un film de fantômes! Il y en avait des draps là-dedans », répondait mon grand-père, pince-sans-rire. « J'adore les films d'horreur ! Pourquoi vous ne m'avez pas emmenée ? » « T'es trop jeune ! », lançait ma grand-mère d'un ton sévère. Décidément, ma mère était bien la fille de sa mère.

Me voilà donc prépubère, les hormones dans le tapis. Sachant maintenant que tout ce que j'ai fait faire à mes Barbies se fait pour vrai, comme j'ai pu le constater dans des magazines trouvés chez des copines, je voulais maintenant voir tout cela en action ! Ainsi donc, le samedi soir, je demandais à ma mère la permission de regarder *Saturday Night Live*. Pourquoi ? Parce qu'à la même heure, le canal 13 passait des films érotiques !

C'est à cette époque que j'ai enfin pu voir *Emmanuelle* et *Black Emanuelle* (Bitto Albertini, 1975). Un soir, j'ai même failli m'évanouir lors d'une scène de torture de *Flavia, l'écorchée vivante* (Gianfranco Mingozzi, 1974). « C'est donc ben plate, ces films-là ! C'est donc ben nul ! », pensais-je en passant du 13 à NBC afin de ne pas éveiller les soupçons de mes parents. Il est vrai que ces films qu'on m'avait si longtemps cachés avaient de maigres qualités artistiques. Rien à voir avec les films que j'allais découvrir plus tard à Radio-Québec et à Ciné-Club.

Et pourtant, je prenais toujours plaisir à regarder ces drames de mœurs très souvent affublés de la cote (6) ou (7) de Mediafilm dans le *TV Hebdo*. Quelle ne fut pas ma joie lorsque je me suis rendu compte qu'à la chaîne de Télévision Quatre Saisons, on présentait ce genre de film à *Bleu nuit* ! C'est ainsi que j'ai pu voir *Goodbye Emmanuelle* (François Leterrier, 1977). Et vous savez qui m'avait mise sur cette piste ? Nul autre que René Homier-Roy !

Eh oui, dans sa chronique du *TV Hebdo*, le vénérable critique soulignait le fait qu'un dénommé Cuny y jouait. En fait, il s'agissait du grand Alain Cuny, que je venais de voir incarner le père d'Isabelle Adjani dans *Camille Claudel* de Bruno Nuytten (1988). Que diable ce ménestrel des *Visiteurs du soir* (Marcel Carné, 1942) allait-il faire dans cette galère ?

Surtout, j'étais surprise que *Bleu nuit* propose ce type de films, puisque j'y avais déjà vu la comédie potache *Et la tendresse ?... Bordel !* (Patrick Schulman, 1978), le charmant *Pieds nus dans le parc*

(Gene Saks, 1967), l'angoissant *Locataire* (Roman Polanski, 1976).
D'accord, j'y avais aussi vu *Deux femmes en or* (Claude Fournier,
1970), dont m'avaient tant parlé mes parents, mais pour moi, voir
le pataud Paul Berval s'envoyer en l'air avec la gracieuse Louise
Turcot dans la mousse de shampooing à tapis relevait davantage
du burlesque que de l'érotisme.

Par la faute de René Homier-Roy – ou grâce à lui – je m'amusai
à découvrir les suites d'*Emmanuelle*, les films de David Hamilton,
celui qui aime appliquer de la vaseline sur la lentille, ainsi que
des comédies françaises nulles comme *Le bon roi Dagobert* (Dino
Risi, 1984). Étonnamment, j'y ai aussi vu des films de Blier et de
Pialat, de même que *L'été en pente douce* (Gérard Krawczyk, 1986)
avec Bacri et Villeret qui m'avait émue. On y passait également
des films d'horreur dont je suis depuis toujours friande. Pour le
meilleur et pour le pire, *Bleu nuit* a donc accompagné mes nuits
blanches, apaisant la curiosité de la fillette coquine que j'avais été
et stimulant la cinéphile gourmande que j'étais déjà.

L'éternel retour de l'érotisme : au-delà de l'intensité
Pierre-Alexandre Fradet

> *Mais le plus étrange dans la salle de bal,*
> *c'était la nuit,*
> *comme je m'en vais en donner la preuve par mes souvenirs.*
>
> Gaétan Soucy, *La petite fille qui aimait trop les allumettes*

Alors que, préadolescent curieux, je mettais un point d'honneur à me dissimuler dans le noir et à prêter attention à certaines scènes de *Bleu nuit*, je me suis imposé ici l'obligation de ne revoir aucune de ces scènes et de n'y réfléchir qu'à partir des souvenirs que j'en garde, souvenirs fugaces mais saillants, constitués dans une enfance plus ou moins lointaine et transformés par mon expérience d'adulte qui approche maintenant la trentaine. Ce souci d'aborder *Bleu nuit* à travers le souvenir pur se justifie avant tout par ma volonté de souligner à quel point cette émission «défendue» laisse une trace indélébile en chaque personne, qu'on l'ait regardée chaque semaine ou qu'on en ait entendu parler à maintes reprises. Bergson le dit lui-même :

> *«Le souvenir du fruit défendu est ce qu'il y a de plus ancien dans la mémoire de chacun de nous, comme dans celle de l'humanité. [...] Que n'eût pas été notre enfance si on nous avait laissés faire! Nous aurions volé de plaisirs en plaisirs. Mais voici qu'un obstacle surgissait, ni visible ni tangible : une interdiction[1].»*

Quels sont les souvenirs que je garde de ce *programme* interdit ? Et en quoi sont-ils dignes d'attention ici ? Le philosophe Stanley Cavell a bien expliqué pourquoi un souvenir de film ou d'émission télévisée est au moins aussi intéressant que le film ou l'émission lui-même : au contraire de l'œuvre en soi, le souvenir de cette œuvre révèle ce que nous avons retenu d'elle à travers le temps, il dévoile ce que notre esprit a bien voulu enregistrer et signale du même coup ce qui compte pour nous en elle. Certains souvenirs collent d'assez près aux œuvres elles-mêmes ; d'autres non. Certains souvenirs reflètent avec fidélité le contenu d'une image ;

---

1   Henri Bergson, *Les deux sources de la morale et de la religion*, Paris, PUF, 2008, p. 1.

d'autres pas du tout. Mais qu'importe, selon Cavell, car même les souvenirs inexacts méritent notre intérêt : ils nous renseignent sur les préoccupations qui sont devenues les nôtres au sein de notre expérience vécue[2].

Que mes souvenirs de *Bleu nuit* soient bel et bien fidèles à l'émission comme telle, je ne puis le confirmer ou l'infirmer ici. En revanche – et là est l'essentiel –, il m'est possible de dire que cette émission évoque chez moi une certaine *inconvenance* et paradoxalement, une certaine *bienséance*. Une inconvenance, parce que l'âge que j'avais au moment de regarder ce *programme* devait en principe m'en interdire le visionnement et que l'intensité montait en moi à chaque fois que j'y jetais un coup d'œil à la dérobée. Une bienséance, par ailleurs, parce que l'écrasante majorité de mes amis le regardaient aussi et que les images qu'on y voyait n'étaient pas si crues que cela – à mille lieues, en tout cas, de ce qu'on peut observer de nos jours sur la toile. On note d'ailleurs une singulière transition dans la manière dont *Bleu nuit* a été visionné et perçu à travers le temps. D'année en année, à mesure que le spectateur avançait en âge, sa perception se transformait et il ne voyait plus l'émission du même œil.

Aux balbutiements de l'adolescence, il s'agissait d'un *programme* interdit, proscrit, que l'on ne se risquait à visionner en groupe qu'à condition que quelqu'un fasse le guet pour prévenir toute arrivée impromptue des parents. C'était l'étape de la « découverte ». Elle correspondait au moment où l'on ignorait encore à peu près tout au sujet des émotions qu'on aurait en présence d'images érotiques, mais où l'on mourait d'envie de les connaître. Puis, le temps passant et faisant s'effondrer l'inhibition naturelle, venait l'étape de l'« habitude », qui coïncidait avec le milieu de l'adolescence. *Bleu nuit* cessait alors d'être le fruit défendu qu'il avait été pour devenir le produit coutumier d'adolescents qui n'hésitaient pas à se rincer l'œil sans craindre d'être surpris par l'autorité parentale. Enfin, avait lieu l'étape de la « plaisanterie ». Elle remplaçait la précédente au moment précis où l'émission perdait pour le spectateur sa vocation première, celle d'éveiller le désir, pour acquérir le titre de référence commune qu'il est possible d'évoquer au détour d'une conversation dans l'intention

2   Stanley Cavell, *La Projection du monde. Réflexions sur l'ontologie du cinéma*, Paris, Belin, 1999, p. 8, 10 et 17.

de faire rire. Les personnages de *Bleu nuit* cessaient alors d'être des objets de désirs et se transformaient en objets de blagues. Ils n'étaient plus des êtres de chair qui suscitent le fantasme, mais des figures mythiques dont on parle pour faire plaisamment allusion au phénomène érotique. C'est pourquoi il est bien vrai d'affirmer que les souvenirs d'une émission sont parfois plus précieux et révélateurs que l'émission elle-même. En effet, dès qu'on consulte les traces qu'a laissées en nous *Bleu nuit*, on peut mesurer le chemin parcouru socialement en l'espace de quelques années sur le plan de la monstration de l'interdit. Tandis que cette émission de pornographie légère piquait notre curiosité ou attisait volontiers nos désirs, un *programme* semblable risquerait sans doute aujourd'hui, si l'on se fie à certains, d'en endormir plus d'un, et il subsiste pour plusieurs davantage comme une plaisanterie que comme un souvenir défendu.

Autre souvenir, autre conclusion: *Bleu nuit* n'avait pas en horreur la répétition. N'est-il pas vrai en effet que ses programmateurs repassaient fréquemment en boucle une série d'émissions et que le spectateur constatait souvent avec une pointe d'amertume, après avoir mis en marche son téléviseur à l'heure sacrée, qu'il aurait une fois de plus affaire à des images *réchauffées*? Qu'un grand nombre de blagues ait circulé à propos des « redites » de *Bleu nuit* n'est pas dépourvu d'intérêt: cela révèle à quel point ses auditeurs y étaient accrochés. Le concept même de « reprise » suppose une fidélité de l'auditoire. Pour être en mesure de dire d'un fait qu'il se répète, il faut d'abord qu'il se soit produit à un moment et qu'on l'ait observé. Sans avoir vu une première, une seconde et une troisième fois telle ou telle émission, il serait impossible de conclure qu'on est en présence d'une reprise. S'il est devenu courant avec le temps de rire des reprises de *Bleu nuit*, c'est donc que ses auditeurs y étaient attachés et qu'ils prenaient plaisir, semaine après semaine, à syntoniser la chaîne leur permettant de voir et de revoir les séquences érotiques proposées.

Mais, parce que le *programme* convoquait et fidélisait une clientèle friande d'images répétitives, n'était-il conçu que pour ceux qui ne savent pas démordre de leurs habitudes? S'agissait-il d'un *programme* « conservateur » que regardaient des nostalgiques incapables de s'ouvrir à une expérience nouvelle? Répondre par l'affirmative reviendrait à passer sous silence deux faits d'importance.

D'une part, *Bleu nuit* est bel et bien parvenu à éveiller le désir et à bouleverser la libido d'un grand nombre d'individus, et, par conséquent, on se tromperait en croyant que l'émission n'a bousculé ni transformé personne. D'autre part, et plus fondamentalement, *Bleu nuit* fournit la preuve que l'intensité érotique *soft* peut être recherchée et appréciée à répétition, qu'elle fait preuve d'une certaine insolence et ébranle une tendance répandue à notre époque. Il n'est plus difficile à présent de dénicher des images improbables de toutes sortes : films d'autodestruction, de *torture porn*, de fétichisme dont l'objet privilégié peut correspondre à tout et n'importe quoi (artefacts, cadavres, monstres, etc.)[3]. À diffuser à tout vent ce genre d'images, on dégage sans cesse de nouvelles options à la sexualité dite « conventionnelle », si bien qu'on offre au spectateur de plus en plus d'objets d'étonnement. Mais lorsque l'étonnement devient une habitude parmi d'autres, ce phénomène perd son sens profond : l'individu étonné s'engage dans la répétition, il n'est plus étonné d'être étonné et, pour lui, s'efface peu à peu la frontière entre l'acceptable et le déviant. Shakespeare avait déjà pressenti que toute passion est susceptible de s'éteindre à l'exception peut-être du véritable amour, durable et pérenne[4]. Or, aujourd'hui plus que jamais, le foisonnement d'images qu'on rencontre à peu près partout s'érige en éteignoir du désir durable ; il censure toute permanence, toute stabilité, toute fixité, pour nous inciter à un renouvellement incessant.

Toujours *soft* et décente, assez prude par essence, la série *Bleu nuit* a ceci de particulier qu'elle nous permet de redécouvrir un nouveau sens de l'expérimentation. Là où on associe d'ordinaire celle-ci à l'imprévisibilité, à la singularité et à la nouveauté, la pudeur légendaire de *Bleu nuit*, son amour de la reprise et la fidélité de son auditoire démontrent bien qu'il est possible de stimuler vigoureusement le désir sans verser dans la monstration pure ni inciter à un renouvellement effréné des modes d'expérience sexuelle. Ceux qui regardaient à répétition *Bleu nuit* ne s'adonnaient pas à une expérimentation, ils se livraient à une

3 Sur le sujet, voir Julie Demers et Pierre-Alexandre Fradet, « La face pudique du cinéma de l'extrême. Premier versant : du "tout voir" au "tout saisir" », *Pop-en-stock*, publié le 8 février 2012, en ligne : http://popenstock.ca/dossier/article/la-face-pudique-du-cinema-de-lextreme-premier-versant-du-tout-voir-au-tout-saisir; Ainsi que le second versant : quatre procédés pudiques du cinéma de l'extrême », en ligne : http://popenstock.ca/dossier/article/la-face-pudique-du-cinema-de-lextreme-second-versant-quatre-procedes-pudiques-du.
4 William Shakespeare, « Sonnets », dans S. Wells et G. Taylor (éd.), *William Shakespeare. The Complete Works*, Oxford, Clarendon Press, 2005, p. 793.

ré-expérimentation. Ils ne voyaient pas pour la première fois telle ou telle image, mais la revoyaient pour une énième fois, en cherchant à savoir concrètement ce que ce revisionnement était susceptible de créer en eux. Ils n'étaient donc pas en présence d'un objet foncièrement étranger, insaisissable, obscur, mais d'une représentation somme toute familière et pudique, dont on oublie qu'elle préserve une part d'énigme lorsqu'on la regarde dans de nouveaux contextes et qu'elle révèle ce qu'il y a de profitable à ne pas vivre dans l'éphémère – moteur d'insatisfaction constante.

Cet oubli du caractère énigmatique des objets familiers s'explique assez largement par le critère qui préside aux pratiques artistiques modernes : l'intensité. «Qu'est-ce qui peut être beau ou laid, demande Tristan Garcia? Un corps, un visage, une partie du corps, un animal, un végétal, un minéral, un paysage, le ciel, un geste, une œuvre d'art, un objet artisanal, etc. N'importe quelle chose est susceptible d'être belle ou laide : il ne s'agit plus pour elle de correspondre à un canon du soi, mais d'être soi *intensément*[5].» N'en déplaise aux créateurs qui se targuent d'innover en recherchant l'intensité, c'est le propre de toute la modernité et de l'époque contemporaine de s'atteler à cette quête. Les moyens empruntés diffèrent d'un artiste à un autre et importent peu : pourvu qu'une œuvre témoigne d'un brin de nouveauté et augmente la tension intérieure du spectateur, ce dernier inclinera à dire qu'il a affaire à un «digne représentant de l'art». Ce primat de la nouveauté et de l'intensité s'oppose évidemment aux croyances répandues dans l'Antiquité, où la reproduction et l'imitation valaient leur pesant d'or. À l'éternel retour du Même proposé par les Grecs, notre époque oppose donc l'éternel retour de l'Autre et de la Différence, idée qu'on observe chez des philosophes comme Bergson et Deleuze[6], pour ne mentionner que ceux-ci.

5   Tristan Garcia, *Forme et objet. Un traité des choses*, Paris, PUF, 2011, p. 377.
6   Voir notamment Henri Bergson, *L'évolution créatrice*, Paris, PUF, 2007 et Gilles Deleuze, *Différence et répétition*, Paris, PUF, 2005.

Mais des résistances se font jour, palpables naguère dans *Bleu nuit*. Tandis que beaucoup d'auteurs insistent encore de nos jours sur l'éternel retour de l'Autre au point où ce thème paraît rebattu, cette émission mettait en cause le caractère implacable de ce retour. Par ses multiples reprises et son attachement à l'érotisme *soft*, elle délaissait le diktat moderne du constant renouvellement. Non pas qu'elle s'abîmât dans un conservatisme pur et dur et exaltait le Même au détriment de l'Autre. Les phénomènes érotiques que *Bleu nuit* donnait à voir étaient déjà l'expression d'une rencontre avec l'altérité – la lingerie, le corps, l'esprit de l'être aimé, que l'on désire volontiers sans jamais chercher à les contrôler ou à les réduire à ce qu'ils ne sont pas[7]. Mais le *programme* nous apprenait en même temps à ne plus admettre comme une évidence l'éternel retour de l'Autre et les éthiques qui en découlent. Il défiait ainsi un lieu commun de la modernité et prolongeait un geste amorcé par certains philosophes : Soeren Kierkegaard, dont le concept de « reprise » est bien connu[8] ; Friedrich Nietzsche, qui a développé le concept d'éternel retour du Même en dépit de sa fascination pour la création renouvelée[9] ; et Quentin Meillassoux, philosophe français qui a voulu démontrer la contingence de tout principe, de toute constante, de toute loi, autant « la loi éternelle du devenir[10] » que l'éternel retour du Même. Ainsi, la série *Bleu nuit* témoignait donc d'un intérêt tout particulier : elle nous invitait à nous demander quelle part de répétition il est légitime de réintroduire dans nos vies, sans occulter pour autant cette dose d'altérité précieuse qu'on rencontre dans le contact charnel.

7   Pour un prolongement d'analyse, voir Emmanuel Lévinas, *Totalité et infini*, Paris, Le Livre de Poche, 1990 et Jean-Luc Marion, *Le phénomène érotique*, Paris, Librairie générale française, 2004.
8   Voir en particulier Soeren Kierkegaard, *Les miettes philosophiques*, trad. par P. Petit, Paris, Seuil, 1967 et Nelly Viallaneix, « Kierkegaard, poète de l'existence : la loi de "reprise" », dans *Kierkegaard ou le Don Juan chrétien*, Éditions du Rocher, 1989. Précisons que la reprise kierkegaardienne s'articule elle-même à un certain type de nouveauté.
9   Voir par exemple Friedrich Nietzsche, *Par-delà le bien et le mal*, trad. par H. Albert (révisée par J. Lacoste), dans *Œuvres*, Paris, Robert Laffont, 1993, p. 619.
10 Quentin Meillassoux, *Après la finitude. Essai sur la nécessité de la contingence*, Paris, Seuil, 2006, p. 100.

Tel est du moins l'enseignement que j'en retiens. Ou plutôt : telle est la conclusion que je tire lorsque je laisse se coaliser ensemble mon bagage philosophique et les souvenirs que je garde de *Bleu nuit*. Faute d'avoir laissé parler ces souvenirs ici même, peut-être ne serais-je pas arrivé à cette conclusion. Envisagée en dehors de tout horizon d'attente, de toute mémoire et de toute subjectivité, l'émission n'est peut-être pas des plus stimulantes d'un point de vue philosophique. Lorsque, en revanche, je consulte l'impression intime qu'elle a laissée sur moi et les questionnements qui en découlent aujourd'hui, je découvre un objet fascinant, agréable, délicieux, et dont les conséquences me semblent si importantes qu'elles déroutent jusqu'aux concepts (modernes, trop modernes) d'intensité et de nouveauté.

Brèves réflexions d'une téléspectatrice coupable

ESSAI

Marie-Josée Lamontagne

Il doit bien être 23 h, peut-être même minuit, lorsqu'en catimini j'ouvre le téléviseur et commence à zapper d'un poste à l'autre. Mes parents couchés, je baisse le son de peur d'être surprise ; par chance nous sommes un soir de fin de semaine et il n'y a pas d'école le lendemain matin. Canal Famille a déjà dit « bonne nuit » à ses téléspectateurs depuis plusieurs heures maintenant. Le Canal D, quant à lui, repasse quelques documentaires... rien de très stimulant pour une adolescente. Je fais un rapide visionnement des derniers vidéoclips de l'heure sur Musique Plus : ce sont les mêmes que la veille qui repassent en boucle. Tranquillement, je sens la fatigue qui me gagne, l'intérêt se dissipe peu à peu. Télécommande en main, j'effectue un dernier tour des postes disponibles sur le câble, une trentaine à l'époque. Puis mon doigt s'arrête ; l'atmosphère prend soudain une autre teinte. Un sentiment étrange de transgression, d'interdit, me submerge ; c'est à la fois effrayant et excitant. Les images sont léchées et la musique mielleuse, mais qu'importe, car l'œil devient tout à coup voyeur et l'oreille indiscrète. Toute mon attention se synchronise aux fréquences de Télévision Quatre Saisons : *Bleu nuit* est sur les ondes.

À une époque où « les internets » n'ont pas encore envahi les foyers[1], il y a peu de sources auxquelles peut s'abreuver le regard curieux. La seule idée de traverser les portes battantes des clubs vidéo nous fait rougir jusqu'aux oreilles. Certains épient leur voisine secrètement, d'autres se réunissent dans la fameuse « cabane dans l'arbre ». À l'école, quelques garçons feuillettent des *Playboy* dans le fond de la cour. Restent les films regardés en famille qui sont, lorsque trop osés, souvent censurés en direct par la main

---

1   Eh oui, je suis de cette génération qui utilisait le fax pour envoyer des documents et qui trouvait cela tout simplement incroyable !

parentale. Le geste est rarement expliqué, sinon par un rapide
«Tu ne dois pas voir ça!»; commandement n'appelant pas à
la discussion.

C'est ainsi que je foule ce soir-là un territoire nouveau. Le premier pas se fait sans tambour ni trompette, mais plutôt furtivement dans le bleu de la nuit, le tout enveloppé d'un obscur sentiment de culpabilité. Je baisse le son encore un peu, le pouce en
garde-fou sur le bouton *mute*, prête à couper entièrement en cas
d'éclat trop bruyant. Les images sont d'abord intrigantes et parfois même perturbantes Puis, la surprise commence à s'estomper,
la représentation étant quand même assez simpliste et presque
redondante. La fascination perdure, mais elle semble avoir
perdu en puissance; une partie du secret a été révélée. Du moins
crois-je avoir eu un coup d'œil privilégié sur le monde adulte. La
transgression de l'interdit a perdu de son éclat; reste une vague
impression d'en savoir plus sans réellement savoir. Le lendemain
à l'école, je me demande si mes camarades de classe savent, eux
aussi. Le nom seul de *Bleu nuit* est connu de tous, mais le pronon-
cer déclenche automatiquement les ricanements et sourires en
coin. Impossible d'en parler ouvertement sans se faire pointer du
doigt; la chose semble taboue. L'expérience reste donc pour l'instant intériorisée, posant certaines balises dans mon imaginaire.
Par chance, l'imagerie pornographique était assez sobre, presque
romancée; le rêve est encore possible. Et ce qui n'a pas été vu, les
nombreux cours d'éducation sexuelle reçus à l'école s'évertuent à
l'exposer: le pénis entre dans le vagin, le spermatozoïde féconde
l'ovule. La découverte de la sexualité s'est institutionnalisée dans
une démarche didactique tentant maladroitement d'ériger un
pont entre l'enfance, l'adolescence et le monde adulte. C'est ainsi
que lorsque mes parents se décident à me faire LE grand discours,
la sexualité n'est déjà plus pour moi du domaine du fantastique
depuis un bon moment. Mais l'éducation n'a qu'une atteinte limitée, purement dirigée vers l'aspect mécanique de l'acte: premier
pas vers une compréhension de l'acte sexuel, certes plus pertinent qu'utiliser la métaphore du sexe des abeilles et des fleurs,
mais le malaise demeure. Comment trouver normal tout à coup
de parler de quelque chose qui était caché il n'y a pas si longtemps? Sentiment d'embarras ô combien exacerbé à la pensée
que nos propres parents ont fait l'acte caché, que nous en sommes
le produit.

L'inconfort n'a pas toujours été là pourtant; il s'est insinué peu à peu, à coup de restrictions inexpliquées. C'est la main qui vient cacher les scènes de nudité par exemple, intimant d'emblée une distance avec le sujet. La chose cachée acquiert aussitôt une puissance mystérieuse, créant à la fois un sentiment d'appréhension et un irrépressible désir de savoir. La graine est plantée. Lorsque le geste va jusqu'à recouvrir les oreilles, le tabou est clair et bien ancré. De là, il n'y a qu'un pas à l'incarnation de la maxime picturale des trois singes de la sagesse; car dans un contexte où on ne peut ni voir ni entendre quelque chose, il est fréquent qu'on ne puisse aussi en parler, sinon au prix d'un grand embarras. Bientôt, la main n'est plus nécessaire et on détourne le regard par réflexe. L'interdiction qui paraissait à la base naturelle semble avoir subi une transformation perverse. Alors que certains ricanent à la vue d'une mère donnant la tétée à son nourrisson, d'autres pointent du doigt les plages de nudistes. Plus tard, les étudiants s'esclafferont à la vue des *Baigneuses* de Renoir dans leur cours d'histoire de l'art ou devant le *David* de Michelangelo. Le malaise s'avère maintenant beaucoup plus grand que le simple fait d'avoir regardé de la pornographie; la nudité s'érotise, quel que soit le contexte de représentation, jusqu'à en devenir taboue.

Mais peut-on vraiment parler de tabou? Pour reprendre les termes de Freud, ce mot d'origine polynésienne signifierait «d'une part: sacré, consacré; de l'autre: inquiétant, dangereux, interdit, impur[2].» Il s'agit en termes clairs d'interdictions ayant pour but de protéger l'Homme ou son clan de dangers mortels tels que la maladie, la mort, l'impossibilité d'avoir une descendance, d'être foudroyé par l'éclair, etc. Le tabou est une interdiction non écrite, qui va de soi: l'inceste, la pédophilie, le cannibalisme et le meurtre en sont des exemples connus. Malgré son aspect sacré, le tabou n'est pas religieux; ses racines sont beaucoup plus profondes, sans possibilité d'en connaître les origines. C'est au gré du mouvement des générations qu'il finit par s'objectiver en code moral et légal, ratissant souvent beaucoup plus large que le tabou originel. Ainsi, comme l'ont fait Adam et Ève dans la fable chrétienne, nous cachons maintenant la nudité, en aucun cas prohibée dans les peuplades primitives, imposant la chose comme étant taboue alors qu'il n'y a là sûrement qu'un malaise d'ordre moral. La révolution peut-être trop tranquille des années 60 n'aura pas suffi à enrayer la honte originelle. Aussi aurions-nous gardé de notre héritage judéo-chrétien certains réflexes que nous reproduirons à notre tour avec nos enfants, sans trop comprendre pourquoi.

Si la nudité est souvent marquée au fer rouge, la violence quant à elle est rarement cachée dans notre société. Le meurtre fait légion à la télévision et au cinéma sans que cela soit nécessairement source d'inconfort. J'ai pour ma part eu un oncle qui enregistrait sur VHS tous les films d'horreur qui passaient à la télévision. C'est ainsi que j'ai pu voir étant jeune des films tels que *Démons* (Lamberto Bava, 1985), *Massacre à la tronçonneuse* (Tobe Hooper, 1974) et *La forteresse noire* (Michael Mann, 1983). Truçidage, viol et torture: la violence faite au corps semble plus acceptée, comme faisant partie de la vie. Il est fascinant en effet de constater le rôle souvent fondateur de la violence dans plusieurs récits d'origine. Mythologiquement, elle est nécessaire pour séparer l'ordre du chaos: dans la *Théogonie*[3] d'Hésiode, Cronos émascule son père Ouranos, séparant ainsi le ciel de la terre et libérant ses frères et ses sœurs. Puis Zeus sera lui-même amené à défier son père, mettant fin aux infanticides perpétrés par Cronos. Chez Freud, le meurtre du père est à l'origine de toute organisation sociale; acte

2 Sigmund Freud, *Totem et tabou*, Gallimard, Paris, 1993, p. 102.
3 Hésiode, *Théogonie: la naissance des dieux*, Éditions Rivages, Paris, 1993.

violent fondateur engendrant un sentiment de culpabilité dans les générations suivantes et s'imprégnant ainsi dans ce qu'il appelle la «psyché de masse[4]». Plus concrètement, la violence se trouve à l'origine même de notre existence: la naissance. D'abord coupables d'avoir fait souffrir notre génitrice, nous émergeons nous-mêmes dans les cris et les larmes alors qu'on coupe le cordon ombilical pour forcer la vie dans une autre dimension. Première violence faite au corps, qualifiée même de «traumatisme» par le psychanalyste Otto Rank[5], la naissance serait selon ce dernier la source de toute angoisse infantile. Les premiers balbutiements de notre vie se passent ensuite en dépendance totale avec l'enveloppe charnelle – avec tout ce qu'elle implique d'appétits, de manques, de besoins et de caprices – limitant notre volonté toute-puissante et nous dirigeant inévitablement dans l'expérience humaine. C'est ainsi que la souffrance et les sacrifices deviennent peu à peu partie prenante des «négociations» de la vie quotidienne. D'aucuns verront dans le fardeau du corps l'expiation d'une culpabilité originelle, le chemin de croix nécessaire au salut de l'Homme. «Soyez féconds, multipliez, emplissez la terre[6].», mais seulement voici: votre descendance sera créée dans la douleur. L'extase, elle, est réservée pour l'au-delà.

Inévitable, la souffrance est ainsi admise et acceptée comme condition ontologique, parfois même encensée; «No pain, no gain» scandait Jane Fonda au début des années 80 dans ses vidéos d'aérobie, encourageant ses disciples à endurer la souffrance des muscles endoloris pour se dépasser. L'adage remonte à loin. En 1757, Benjamin Franklin écrivait dans son essai *The Way to Wealth*, véritable ode au travail et à la frugalité: «Le travail n'a pas besoin de souhaits. Celui qui vit d'espérance court le risque de mourir de faim. Il n'y a pas de profit sans peine[7]…». Dans une société qui valorise le travail acharné et le sacrifice, l'hédonisme est trop souvent coupable. Pas étonnant alors que la pornographie ait mauvaise presse… Car qu'est-ce que la pornographie sinon une industrie entièrement consacrée à susciter le plaisir? Musique sensuelle, décors exotiques, trame narrative souvent accessoire, gros

4   Sigmund Freud, *op. cit.*, p. 313.
5   Otto Rank, *Le traumatisme de la naissance*, Éditions Payot & Rivages, Paris, 2002.
6   *La Bible de Jérusalem*, «La Genèse, 9:1», édition Desclée de Brouwer, p. 27.
7   Benjamin Franklin, *The Master Key System & The Way to Wealth: The collected wisdom of Charles F. Haanel and Benjamin Franklin*, Limitless Press LLC, Jupiter (FL), 2009, p. 143.

plans découpant les corps : tout est mis en œuvre pour provoquer certaines sensations chez le spectateur. Par sa « mise en image ou en texte des détails obscènes liés à une relation sexuelle[8] », la pornographie serait selon Patrick Banon, auteur de *Tabous et interdits*, un retour au culte païen, voire une représentation souvent caricaturale des rites orgiaques. Le corps procréatif fait place au corps récréatif, utilisé entièrement et exclusivement pour l'affect, vision certes différente mais tout aussi biaisée des rapports charnels. Personne n'est dupe bien sûr : la pornographie n'a pas été créée pour donner une image juste de la sexualité. Cependant, le discernement n'est pas toujours effectif et même l'œil averti peut se laisser prendre au jeu. Il est alors confortable d'oublier la personne derrière le corps ; le regard porté sur l'image pornographique devient trop facilement cannibale, pour paraphraser Banon, déshumanisant les êtres réduits à de simples morceaux de chairs. Sous cet angle, l'interdiction aux enfants de regarder de la pornographie n'est assurément pas sans fondement Cependant, la transgression de l'interdit ne semble plus très inquiétante de nos jours ; le tabou a perdu de sa force magique. Dans un contexte où tout est accessible au bout de notre clavier, difficile d'interdire quoi que ce soit au regard. Comment accepter en effet qu'il y ait des choses hors de notre portée ou que « tout doit se faire en son temps » ?

Considérant tout ce qui est maintenant disponible sur internet, *Bleu nuit* fera certainement office de roman savon au regard contemporain. Je souris aujourd'hui en repensant au sentiment de malaise ressenti en visionnant cette émission. La première gêne passée, je garde un souvenir tendre et nostalgique de ce qui est qualifié de *softcore porn* et que nous appelions simplement *porn* lors de notre adolescence. C'était l'époque où nous pouvions voir sans tout voir, où le voyeurisme était possible sans que la découverte soit totale et irréversible. Tout comme Benoît qui, dans l'embrasure de la porte, épiait une cliente se déshabiller dans le magasin de son oncle Antoine. Ou encore Léolo qui espionnait sa voisine à travers le trou de la serrure Pour beaucoup d'entre nous, c'était en partie le rite de passage, symbole d'une génération dont les premiers contacts ont souvent passé par la télévision avant d'être confrontés à la réalité.

8   Patrick Banon, *Tabous et interdits*, Arles, Actes Sud Junior, 2007, p. 59.

Dieu, es-tu là? C'est moi, M-L.

Marie-Laure Tittley

RÉCIT

Samedi soir. Ma mère est en ville pour le week-end. Ne sachant trop quoi faire pour passer le temps, je lui propose d'écouter un film.

« OK, mais quelque chose de moral, s'il te plait. »

« Moral », plutôt vague comme concept. Mais sortant de la bouche de ma mère, je sais exactement ce que ça signifie : zéro nudité et encore moins de sexe.

J'avais prévu le coup. Je démarre le tout dernier Disney, téléchargé pour l'occasion.

« Moral » « Immoral »

Je suis une fille immorale. Du moins, selon les critères de ma mère. J'ai une vie sexuelle épanouie. J'aime donner du plaisir. J'aime en recevoir. Bref, j'aime le sexe.

Ma mère n'est pas inconsciente. On n'en parle pas, mais elle sait très bien que mes relations amoureuses n'ont jamais été chastes. Ça ne ternit pas l'image qu'elle a de moi. Ce n'est pas moi qu'elle trouve sale, c'est l'acte. Et elle a ses raisons.

Enfant, toutefois, il m'était bien entendu impossible de contextualiser la répugnance acerbe de ma mère vis-à-vis du sexe. Or, une peur profonde (et du coup, une curiosité marquée) à l'endroit de la sexualité est née en moi à un jeune âge. Comme le sujet n'était abordé à la maison que pour nous rappeler ses dangers et vices inhérents, et que tout livre, film, série télé et musique jugés digne de l'étiquette « immoral » était systématiquement banni de la demeure familiale (les classiques dépravés qu'étaient *Dawson's*

Creek, la série de livres *Sweet Valley High*, et l'album *Crazy Sexy Cool* de TLC y sont tous passés), mes craintes et mes questionnements relatifs au sexe ont pris une ampleur considérable au fil des ans, n'ayant pour égal que mon ignorance sur le sujet.

L'apogée de la « prohibition culturo-sexuelle » de ma mère coïncida avec le début de ma consommation de littérature érotique. J'avais 14 ans, le paroxysme de l'adolescente mal dans sa peau, tout droit sortie d'un roman de Judy Blume. Or, il n'est pas étonnant que la bibliothèque, mon refuge de prédilection et l'unique endroit où je me sentais entièrement à l'abri du regard et du jugement des autres, ait accueilli la première phase de mon éveil sexuel. Je me souviens encore vivement de ma découverte des bandes dessinées pour adultes, situées en retrait au 2e étage de la bibliothèque municipale de Gatineau. Le cœur battant la chamade, je parcourais furtivement (d'un air faussement désintéressé) les couvertures osées, les empilais hâtivement sens dessus dessous dans un effort de bien les camoufler, pour ensuite aller me terrer avec empressement au plus creux de la section « Jeunesse », loin des regards réprobateurs. Je me sentais sale, et la peur de la damnation éternelle pesait fort sur ma conscience. Mais l'excitation l'emportait sans conteste.

La suite de mes explorations clandestines m'a menée à découvrir les romans Harlequin (que je parcourais impatiemment à la recherche des rares extraits lascifs dignes d'intérêt), pour ensuite promptement les abandonner au profit de recueils de nouvelles érotiques. Néanmoins, malgré les heures passées à explorer les bas-fonds de la bibliothèque, il ne m'est jamais venue l'envie d'étendre ma quête de matériel pornographique au-delà des quatre murs de ce havre de sécurité. Pour apaiser ma culpabilité judéo-chrétienne (et la voix accusatrice de ma mère qui résonnait sans relâche dans ma tête), je m'étais convaincue que les paroles et les illustrations que recelaient ces ouvrages, et qui réveillaient en moi tant de pulsions libidineuses, n'étaient pas condamnables au même titre que les VHS dissimulés derrière le rideau tout au fond du Vidéo Super Choix. Les gens qui ressortaient de cette zone impure les yeux rivés au plancher étaient les vrais pervers, pas moi. Moi je ne faisais que lire. Et lire ne pouvait pas être SI péché que ça.

Mon introduction à *Bleu nuit* fut entièrement accidentelle, et ne survint que trois ans plus tard. C'était un samedi soir; je lisais, confortablement installée dans mon lit, un léger bruit de fond émanant de mon téléviseur. Mon poste était syntonisé sur TQS, l'une des six chaînes que je captais tant bien que mal dans ma chambre grâce à mon antenne à oreilles de lapin. Soudainement, un faible gémissement féminin parvint à mes oreilles, suivi rapidement d'un second, plus empressé. Je levai alors les yeux vers la source de ces lamentations, avide d'aller à la rencontre de cet univers hédoniste qui jaillissait de mon petit écran de 12 pouces, dans toute sa splendeur audiovisuelle. Quoique je ne garde aucun souvenir précis de ce premier film, il m'est impossible d'oublier ces vagues déferlantes de sensations inédites à la vue des corps épris d'extase. Tangibles. Cette «bleu nuit» initiatique fut forcément empreinte de condamnation divine, mais je trouvai un certain réconfort dans le fait que je ne l'avais pas délibérément recherchée; elle s'était livrée à moi. C'est donc avec peu de réticence que je me livrai en retour.

À cette étape-ci de mon récit, je juge pertinent de préciser que je n'avais encore, à cette époque, aucune expérience sexuelle à mon actif. N'ayant même pas encore embrassé un garçon (situation qui ne surviendrait pour la première fois que quatre ans plus tard, à l'âge de 21 ans), les années subséquentes seraient déterminantes dans ma libération de l'endoctrinement quasi sectaire de ma mère et la reconstruction de ma vision distordue de la sexualité.

Autant que ça puisse sembler absurde d'affirmer que *Bleu nuit* a tenu lieu pour moi de cours d'éducation sexuelle, il reste que cette série a joué un rôle crucial dans mon acceptation de la légitimité du plaisir féminin, notamment le mien. Ayant grandi avec la croyance que la part «plaisir» de l'acte sexuel était proprement masculine (l'homme étant l'esclave de ses ardeurs, provoquées par les femmes, mais pourtant absentes chez ces dernières), la première étape de ma rééducation fut de me défaire de cette honte profonde que j'éprouvais par rapport à mes envies.

Prenant exemple sur les personnages féminins bouillonnants de désir mis en scène dans mes titres de prédilection (à cet égard, je garde un souvenir particulièrement mémorable de la série

Emmanuelle in Space, mettant en vedette la sulfureuse Krista Allen), je me suis appropriée mon corps dans toute son intimité, et par la même occasion, mes fantasmes. J'avais 18 ans lorsque j'ai eu mon premier orgasme, en revisitant une séquence que j'avais trouvée particulièrement chaude. Car tel était le caractère ritualiste de mon écoute de *Bleu nuit*: manette à la main, j'enregistrais systématiquement sur VHS chaque scène de sexe, pour ensuite rapidement la réécouter lors de la pause publicitaire, question de décider si cette dernière méritait d'être conservée pour un usage ultérieur. Or, si l'extrait échouait au test du titillement au second visionnement, je rembobinais, et je reprenais mon enregistrement à la suite du dernier segment m'ayant suffisamment aguichée. C'est ainsi qu'au fil des mois, je me bâtis une collection respectable de «mix tapes», parfaitement adaptée à mes fantasmes et préférences sexuelles (préalablement avoués, tout comme fraîchement assumés).

Notamment, c'est par le biais de titres salaces tels que *Fantasmes au travail* (Charles Randazzo, 1999) que je développai une envie de découvrir les joies de l'énigmatique *sex toy*. Étant toutefois encore bien trop embarrassée pour mettre les pieds dans une boutique érotique, j'ai dû faire preuve d'un peu d'imagination. Aussi, ma pagette vert lime, qui émettait des vibrations soutenues lorsque mise sous tension, servie de substitut. Expérience qui s'avéra pour le moins frustrante, en raison des interruptions inévitables entre les brefs intervalles de pulsations. Je me suis donc tournée vers la brosse à dents électrique, qui exigeait une certaine finesse dans sa manipulation, mais dont l'efficacité ne pouvait certes être remise en cause.

Aussi naïves qu'elles puissent paraître, ces expériences exploratoires inspirées par *Bleu nuit* ont définitivement consolidé mon rejet de certaines croyances et valeurs m'ayant été inculquées. Ces yeux accusateurs venant des cieux, s'ils s'y trouvaient malgré tout, n'avaient qu'à détourner le regard.

Mine de rien, cette émancipation a joué un rôle majeur dans mon passage à la vie adulte, préparant par la même occasion le terrain pour ma première relation amoureuse. Même en couple, mon intérêt pour le *softcore* subsista; c'était d'autant plus trippant de partager ça à deux. Ce ne fut toutefois pas très long avant que *Bleu nuit* s'éclipse des ondes, marquant la fin d'une ère dans ma petite vie à moi, et certainement dans celles de plusieurs autres.

Mais resteront toujours ces bons vieux « mix tapes », vestiges d'une époque à la teinte bleutée.

— II —
LES FANTÔMES
DE BLEU NUIT

«Où es-tu, Sylvia Kristel?»
Ariel Esteban Cayer

Emmanuelle – the only living creature
capable of making me forget Sylvia.
If only it was possible to forget Sylvia.

Emmanuelle 4 (Francis Leroi, 1984)

De la broussaille se dessine le long d'un chemin de fer délabré. Une locomotive transperce le paysage à toute vitesse. Moyen de transport par excellence vers un ailleurs où l'aventure existe toujours, il y a une certaine poésie propulsive au mouvement du train qui m'apparaît, avant même de connaître Alfred Hitchcock, Fritz Lang, Wong Kar-wai ou Tony Scott, propre au *cinéma*. Puis on m'emmène à l'intérieur du wagon, à la découverte d'une femme aux prises avec une autre sorte de mouvement. Les bassins bougent au rythme des pistons et les murs ruissellent de sueur. La caméra sillonne les étroits couloirs du train, révélant une multitude de scènes similaires ne s'apparentant à aucun cinéma que j'ai pu connaître auparavant. La locomotive est maintenant suspendue dans le vide et, de l'autre côté de l'écran, je suis paralysé, prêt à faire le saut, n'osant pas changer de poste. À mi-chemin de l'émission, peut-être : j'ai manqué le titre, mais une seule possibilité se dessine dans mon esprit.

Emmanuelle. Bleu nuit.

La femme. Le mythique répertoire de films. L'Eldorado télévisuel.

Nous sommes en 2006. Ou peut-être en 2007. J'ai 13 ou 14 ans, mes cousins en ont 12 et 16 approximativement. Les heures précédentes ont été passées à siphonner le coffret de la série originale d'*Ultraman* de tout son contenu. Elles vont alimenter nos fantasmes préadolescents pour les mois à venir. En ce qui me concerne, c'est toute une fondation d'images sur lesquelles bâtir une cinéphilie qui vient d'entrer dans ma cervelle. Si tantôt, les *kaiju* en caoutchouc s'ébattaient avec une élégante maladresse sur les maquettes en carton des studios d'Eiji Tsuburaya, ils sont maintenant éclipsés par des batifolages d'un autre genre : une vision inespérée d'érotisme halluciné, exotique et suintant, surtout légitimement esthétique – à des années-lumière de la pornographie hantant les bas-fonds de l'internet, que j'avais déjà explorés en cachette lorsque mes parents n'étaient pas à la maison.

On imagine les geignements plus qu'on ne les entend. Le frisson initial laisse place à un autre pressentiment dans le creux de mon ventre, une impression que les soirées de la sorte sont *importantes* et n'auront probablement plus rien de particulier, plus rien de magique, à l'âge adulte.

Car l'écoute candide est progressivement devenue sérieuse. La cinéphilie est devenue scolaire, puis elle s'est transformée en boulot et les images ont commencé à s'empiler de manière concrète pour meubler mon cerveau. Dans mon esprit, le mystère demeure cependant entier: quel est ce film que j'ai vu ce soir-là? Sans même un titre pour me guider, il ne me reste en tête qu'un empilage de fesses luisantes, un puissant relent de charbon faisant rouler les moteurs et ces prises de vue du bout du monde auxquelles m'accrocher. Reste aussi la certitude d'avoir aspiré ces images en silence, et le souvenir d'un sous-sol baigné du cyan aqueux d'un téléviseur qui aurait dû être éteint depuis déjà longtemps. Le souvenir d'un malaise naissant, comme un gigotement dans mon estomac. Celui de la table jonchée de sacs de croustilles éventrés et de fonds de bouteilles de *root beer* tiède.

L'ÉCLAT DU TÉLÉVISEUR

Puis, j'ai le souvenir vague d'être rentré chez moi et d'avoir senti cette mixture expérimentale provoquer une poussée de fièvre saccharine. De m'être fait couler un rarissime bain sous l'œil désapprobateur de mon père. Puis d'avoir bêtement vomi un torrent de pommes de terre modifiées, de poudre chimique épicée et de glucose-fructose sous pression dans la baignoire, en repensant à elle. Emmanuelle. Il faudra plusieurs années pour que mon esprit soit traversé par un autre véhicule, par une première piste. Je l'ai retrouvée dans un avion. C'était désormais une dame âgée me racontant des histoires : celles d'une vie remplie d'aventures, de sexe aux quatre coins du globe. Des gens baisent dans l'allée, et oh...! Je t'ai trouvée, Sylvia, et, aussi vite es-tu arrivée dans ma vie, te voilà repartie dans les couloirs insondables de ma mémoire.

•

J'ai ce nom, au moins, en guise d'indice. Résoudre l'énigme Kristel, c'est se confronter à plusieurs choses. D'une part, découvrir un monde encore plus vaste que ce que laissait présager cet extrait invitant et nébuleux : des romans, une série de films incroyablement inégaux, des téléfilms pour la plupart négligeables et finalement un paquet de niaiseries alléchantes (autant de notes mentales d'aller explorer les sœurs illégitimes que sont les réalisations de Jess Franco, Joe D'Amato ou Bruno Mattei). Bref, c'est la pagaille, mais n'est-ce pas ça aussi la cinéphilie ?

Je décide donc d'y aller avec la méthodologie la plus logique et la plus saine possible : (ré)écouter les films de la série originale dans l'ordre pour retrouver cette image qui m'obsède.

Emmanuelle, sorti en 1974, signé Just Jaeckin (et quel nom de plume!), moins convaincant aujourd'hui qu'à l'âge où le titre était entouré de mystères et de promesses, retiens néanmoins un certain aura de découverte, qui est également son fil conducteur. On y rencontre une jeune Kristel, âgée de 19 ans sans pour autant les faire, jouant ici le personnage titre qui, à son tour, nous offre un monde à découvrir. Voyageant aux côtés de son mari diplomate, qui l'invite à explorer sa sexualité avec ses divers amis également expatriés, Emmanuelle s'initie à l'érotisme avec un grand E, et Jaeckin alterne entre les conversations pompeuses et les scènes de sexe convenues – du *softcore* nouveau genre pour l'époque, prétendant stimuler les méninges un minimum.

Sorti en Amérique du Nord accompagné du slogan fort prometteur : «X was never like this», le «like this» d'*Emmanuelle* fait évidemment référence à tout ce je-ne-sais-quoi européen, tout cet enrobage de film d'art faisant la réputation de la série entière (et, il faut le dire, de bien des films de la programmation de *Bleu nuit* – d'où leurs charmes variables). C'est cependant les tabous et autres curiosités culturelles que Jaeckin s'amuse à explorer au passage qui marquent l'imaginaire : qu'on se rappelle la scène où l'amie d'Emmanuelle se masturbe devant une photo de Paul Newman ou encore celle où une danseuse exotique fume une cigarette avec son vagin. Cette image qui m'obsède ne s'y trouve cependant pas et, bien que le traitement du sexe y soit osé (et insensible en ce qui a trait au viol, à la manière des *pinku*, également en essor au milieu des années 70), il n'est pas aussi agité que dans mon souvenir.

Le choc est donc de redécouvrir *Emmanuelle l'antivierge (alias Emmanuelle 2*, 1975), un film somme toute habilement réalisé par Francis Giacobetti. Pas de train dans celui-là, non plus, bien que l'Asie, je la retrouve ici enveloppant tout à nouveau. Un film principalement tourné à Hong Kong qui, à la manière du Bangkok de Jaeckin, me renvoie étrangement à *Tintin et le Lotus bleu* : comme si le divertissement à l'européenne passait nécessairement par le *globetrotting* néocolonial, la culture de l'Autre et une fétichisation de l'Orient qui fait grincer des dents. On sent cette mise en scène sincèrement intriguée par ce qu'elle filme, quoique maladroitement prisonnière de clichés tels que l'opium et la médecine ancestrale.

Encore une fois, Emmanuelle retrouve son mari et passe un temps considérable à vivre de nouvelles expériences dans les bras d'autres. Un triangle amoureux se forme, les alliances se transforment, mais la trame narrative est ultimement complètement inconséquente : je remarque Kristel grandir dans le rôle et, au fil d'une performance un peu vide, devenir cependant la déesse

symbolique que j'ai aperçue cette nuit-là – chargée d'un érotisme glacial et mystérieux, munie de yeux de jade transperçant et d'un sourire invitant où naissent les fantasmes. Les scènes de sexe se suivent, prudes mais surtout belles, toutes en courbes et en plans fixes, faisant un judicieux usage des angles de la splendide architecture des lieux. (Il faudra attendre le départ de Kristel et la contribution de Walerian Borowczyk à la série pour du contenu plus *hard*.)

Et puis avec *Goodbye, Emannuelle (alias Emmanuelle 3* de François Leterrier, 1977), l'effet est presque inverse : vient la triste réalisation que l'impact de Kristel relève moins de ses talents d'actrice que du personnage qu'elle incarne. La formule se répète et le film ne s'avère rien de plus, ni de moins, qu'un mélodrame parsemé de parties de jambe en l'air. Je perds Kristel de vue, et m'imagine difficilement y retrouver ce que je cherche. Car encore une fois, j'observe le paysage plus qu'autre chose, la boue et les rochers des Seychelles, et me demande si je n'ai pas rêvé cette escapade torride en locomotive. Si le film me surprend en fin de route lorsqu'Emmanuelle quitte son mari, c'est plutôt la voir quitter sa propre série qui me brise le cœur : sans éclat, sans grâce, comme si déjà trop vieille, trop épuisée, à 25 ans, pour en assurer la pérennité.

Voir Emmanuelle quitter ainsi son véhicule, c'est se souvenir que Kristel nous quittait récemment, en 2012, d'un cancer de la gorge qu'on aurait tous pu prédire – Emmanuelle carburant essentiellement à la nicotine. C'est aussi retracer une carrière tumultueuse et la voir ailleurs : chez Chabrol, par exemple (*Alice ou la dernière fugue*, 1977), ou aux États-Unis (*The Concorde… Airport '79* de David Lowell Rich, 1979), ou de retour dans la mire de Just Jaeckin (*L'amant de Lady Chatterley*, 1981) – autant de rôles oubliables qui la ramenèrent rapidement vers la série qui lui donna une carrière. Et puis être épris d'une grande tristesse, car au final, le sexe si primordial à ces films s'estompe, pour ne laisser, en mémoire, qu'une étrange impression d'avoir voyagé le monde de manière privilégié, d'avoir découvert la jungle foisonnante et les rues bondées de Hong Kong en bonne compagnie. Il ne reste plus que toutes ces contrées exotiques où ces explorateurs du désir font des ravages ; un paysage qui devient indissociable des films érotiques de fin de soirée et auxquels Emmanuelle nous a introduits. Dans cette réflexion, la série prend une étrange dimension et Kristel m'informe, malgré elle, sur les mécanismes de ma mémoire, sur la façon dont mon œil capte l'image et en retient l'essentiel : les couleurs, les textures, les paysages. Dans *The New York Times*, John Corry écrivait au sujet d'*Emmanuelle 3* : « [t]he scenery wins every time[1] », et je comprends maintenant ce qu'il voulait dire.

Ma théorie se confirme d'ailleurs lorsque je me plonge dans *Emmanuelle 4* (Francis Leroi, 1984), un étrange hybride de *softcore* et de science-fiction où Kristel nous revient, à 32 ans, mais ayant pris un coup de vieux, jouant cette fois « Sylvia », son alter ego. On la place sur une table, on la découpe et on lui donne, littéralement, un nouveau corps, pour la transformer, telle la Promethée d'Alan Moore, en une Emmanuelle toute neuve. Le flambeau est passé à une autre actrice. En parallèle, le paysage continue de gagner du terrain : Kristel est reléguée aux oubliettes, devenant une créature des limbes qui ira se balader de corps en corps puis devenant narratrice de téléfilms. Ma vision initiale semble plus loin que jamais, mais des scènes de sexe plus osées, plus rythmées et excitantes m'indiquent que je me rapproche. Qui ai-je vu dans ce train ?

J'allais perdre espoir, avant de me tourner vers une série de téléfilms aux noms aussi divers qu'imagés : *Le secret, Le parfum, La magie, L'Amour d'Emmanuelle* (Francis Leroi, 1993)… Finalement, retrouver le film en question près de sept ans plus tard s'avère une expérience sans fanfare, bien loin du frisson escompté. C'est ne plus reconnaître l'objet de convoitise à travers les pixels compacts d'un *upload* YouTube à la va-vite. Trouver un *torrent*, car les clubs vidéo ont pratiquement disparu, et la télévision, je ne l'écoute plus. Finalement, réécouter *L'Amour d'Emmanuelle* s'avère la découverte de toute une trame narrative oubliée : un sordide développement à la série dans lequel Emmanuelle n'est plus qu'esprit, extension d'Éros pouvant transposer son âme dans le corps de ses amies en besoin de *coaching* sexuel. Moi qui vous parlais d'orientalisme insensible, je constate que mon regard d'enfant a confondu l'Inde et l'Asie de l'Est.

---

1   John Corry, « Film: 'Emmanuelle' in the Seychelles », *The New York Times*, 6 décembre 1981. En ligne : http://www.nytimes.com/1981/12/06/movies/film-emmanuelle-in-the-seychelles. html

Le tout s'avère banal ; une séquence bien loin de celles d'*Emmanuelle 2*, par exemple, dont l'ingéniosité repose moins sur la mise en scène que sur un montage entrecoupant coït et l'appareillage rythmique de tout l'engin à vapeur – coup de bassin, piston, fesses crispées et éjaculation trouvant leur équivalant symbolique dans une pelletée de charbon balancée au fond d'un brasier. La rythmique des rails s'ajoute aux gémissements et, si l'attention toute particulière que le réalisateur Francis Leroi accorde aux courbes et aux rondeurs me plaît, c'est tout ce qu'il y a à dire. Confinée à un avion n'allant nulle part, Kristel n'est plus que la narratrice des segments incongrus du film. Marcela Walerstein la remplace, loin d'être convaincante (ou d'avoir le même poids sur l'imaginaire). Tout est brunâtre et j'en arrive à la conclusion qu'à défaut d'avoir imaginé le tout, je n'aurais jamais dû déterrer ces images.

Le couteau n'a pas fini de tourner dans la plaie : je réalise plus tard que je suis un imposteur. La soirée à l'origine de ce souvenir remonte à décembre 2007, soit près de six mois après la fin de la diffusion officielle de *Bleu nuit*. Reste cependant le fait que des images comme ça ne s'inventent pas. Ce qui s'invente encore moins, c'est la certitude qu'avaient trois jeunes adolescents, ce soir là, d'être tombés sur la mythique programmation de fin de soirée. Assis dans la baignoire, vomissant mes *chips* et ma *root beer* en pensant à ce train filant de plus en plus creux dans la jungle bleutée d'un pays asiatique quelconque, j'étais convaincu que ce ne serait que partie remise. J'étais certain d'avoir regardé *Emmanuelle*, quelle qu'en soit l'incarnation, et j'étais convaincu que celle-ci ne pouvait venir dans aucun autre contenant, sous aucune autre étiquette que celle d'un *Bleu nuit* que j'espérais déjà revoir – me disant à plus tard, même s'il adonne que c'était plutôt à jamais.

Joe D'Amato et le *softcore mondo* des années 70 ESSAI

Mario DeGiglio-Bellemare

Né à Rome en 1936, Joe D'Amato (de son vrai nom Aristide Massacessi) a réalisé près de 200 films dans une variété de genres et de sous-genres allant de l'horreur au *giallo* en passant par le western, le péplum, le drame historique, le documentaire et la comédie. S'il est surtout connu pour ses films d'horreur, *Blue Holocaust* (1979) et *Anthropophagus* (1980), devenus cultes chez les amateurs du genre, l'essentiel de sa filmographie est de nature pornographique, aussi bien *soft* que *hard*.

Le premier film de D'Amato s'intitule *More Sexy Canterbury Tales* (1972). Il s'agit d'un *decamerotici*, c'est-à-dire d'une comédie érotique surfant sur le succès du *Décaméron* (Pier Paolo Pasolini, 1971)[1]. Le sexe est un sujet en vogue lorsque débute la carrière de D'Amato : 1972 est l'année où le long métrage *Gorge profonde* de l'Américain Gerard Damiano et l'iconoclaste *Dernier tango à Paris* de Bernardo Bertolucci vont repousser les limites de ce qui est toléré à l'écran sur le plan sexuel. Ce sera l'une des préoccupations qui traversera son œuvre jusqu'à sa mort en 1999.

Bien que la pornographie *soft* ait perdu la faveur du public au milieu des années 70 avec l'avènement du *hardcore*[2], D'Amato continuera de faire des films pour le marché du *softcore* durant les années 80. *Onze jours, onze nuits* (1987), tourné à New York, connaîtra même un certain succès à une époque où le *softcore* est essentiellement perçu comme une dégénérescence de la pornographie *hardcore*. D'Amato fera le passage au *hard* dans les années 90, réalisant des films pornographiques inspirés d'une grande variété de personnages et de figures célèbres tels que Mozart,

---

1   Le film sera le plus gros succès étranger aux États-Unis de l'année 1971.
2   Jean Rollin, qui à l'instar de D'Amato réalisait des films d'horreur ainsi que de la pornographie *soft* et *hard*, écrira dans ses mémoires : « Une nouvelle ère commence. Les salles qui passaient des films de série B, et donc les miens, se transforment en salles X. » Voir : Jean Rollin, *MoteurCoupez! Mémoires d'un cinéaste singulier*, Paris, Edite, 2008, p. 145..

EMANUELLE'S BACK
TO TAKE YOU PLACES
YOU'VE NEVER BEEN BEFORE!

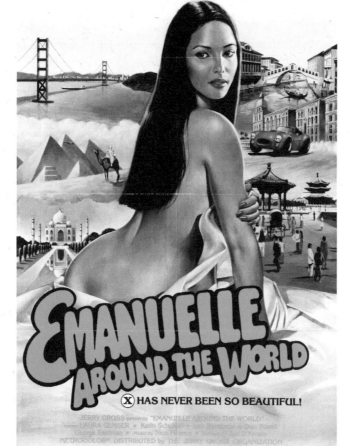

EMANUELLE
AROUND THE WORLD

(X) HAS NEVER BEEN SO BEAUTIFUL!

JERRY GROSS presents "EMANUELLE AROUND THE WORLD"
starring LAURA GEMSER • Karin Schubert • Ivan Rassimov • Don Powell
George Eastman • Music by Nico Fidenco • directed by Joe D'Amato
METROCOLOR® DISTRIBUTED by THE JERRY GROSS ORGANIZATION
© MCMLXXX THE JERRY GROSS ORGANIZATION

Carmen, Robin des Bois, Rocky, Hercules, Othello, Néron et Rudolph Valentino. D'après le dictionnaire *Le cinéma X*, malgré les mutations technologiques en cours dans les années 90, D'Amato rejettera «le format vidéo en tournant presque systématiquement en 35 mm[3]». Il tournera une série de films mettant en vedette l'acteur italien Rocco Siffredi dont *Le marquis de Sade* (1994), un hommage au saint patron de D'Amato, l'homme que les surréalistes surnommèrent le divin marquis.

D'Amato fait partie d'une nouvelle génération de cinéastes[4] de série B italiens œuvrant dans une multitude de genres à la fois, inspirée notamment par l'œuvre de Mario Bava. Combinant érotisme et horreur, *Le masque du démon* (1960) de Bava, qui exploite la présence éminemment sexuelle de l'actrice Barbara Steele, va à lui seul révolutionner le cinéma de genre italien. Mieux connu pour ses films d'horreur, Bava va cependant s'essayer à la plupart des genres dans lesquels œuvrera D'Amato. Contrairement à celui-ci, Bava ne s'aventurera jamais à tourner un film pornographique, mais ses films sont marqués par une sensibilité érotique très tangible. À l'instar de Bava, D'Amato sera directeur de la photographie sur la plupart des films qu'il signera, conférant à ceux-ci (et plus particulièrement à ceux qu'il tournera dans les années 70) un style brut, proche du documentaire. Au bout du compte, ce qui rend le cinéma de D'Amato si fascinant est ce mélange de genres, de sexe et de *gore*.

Capitalisant sur le succès de *Zombie* (George A. Romero, 1978), coproduit par le maître du cinéma d'horreur italien Dario Argento, D'Amato réalisera en 1980, *La nuit fantastique des morts*

---

3 Jacques Zimmer. *Le Cinéma X* (édition 2012), La Musardine, Paris, 2012, p. 464.
4 À titre d'exemple, on pourrait citer Bruno Mattei, Umberto Lenzi et Ruggero Deodato. Mattei, qui réalisera *Virus Cannibale* (1980) et *Les rats de Manhattan* (1983), a fait ses premiers pas dans le monde du cinéma en signant des scénarios pour D'Amato. Lenzi est surtout connu pour ses films *L'avion de l'apocalypse* (1980) et *Cannibal Ferox* (1981), mais il a aussi réalisé le tout premier film de cannibales, *Au pays de l'exorcisme* (1972), donnant naissance à un sous-genre majeur du cinéma italien des années 70. D'Amato réalisera plusieurs films du genre, dont *Viol sous les tropiques* (1977). Ruggero Deodato a pour sa part transcendé le genre en question avec le controversé *Cannibal Holocaust* (1980). L'ouvrage *Eaten Alive! Italian Cannibal and Zombie Films* de Jay Slater propose un survol intéressant du sous-genre.

vivants[5] dans lequel un riche promoteur immobilier (Mark Shannon) débarque sur une île des Caraïbes pour bâtir un hôtel de luxe, mais se fait finalement dévorer par des zombies. Alternant entre scènes de sexe *hardcore* et attaques de morts-vivants, le film met surtout de l'avant sa vedette Laura Gemser – bien connue des cinéphiles qui l'avaient découverte dans certains *softcore* réalisés par D'Amato durant les années 70 et, plus spécifiquement, dans la série des *Black Emanuelle* qui cherchait à profiter de l'immense succès de l'autre *Emmanuelle* (1974) mettant en vedette Sylvia Kristel.

LA LIBÉRATION SEXUELLE ET LE REGARD DANS LE *SOFTCORE*

Dans la plus pure tradition d'Emmanuelle qui voyage vers l'Orient « exotique » en quête d'une quelconque libération sexuelle, Black Emanuelle[6] parcourt elle aussi le monde, à la différence qu'elle est déjà libérée et recherche plutôt le bonheur que lui procure son pouvoir sexuel. Les *Black Emanuelle* font l'apologie du féminisme (le mot est même mentionné dans quelques films de la série)[7] tout en filmant le corps de Gemser selon le point de vue classique d'un voyeurisme répondant à un désir hétérosexuel masculin. Si le discours féministe de ces films demeure limité, tournant essentiellement autour des questions de liberté, de choix et de respect de soi, la présence de ces thèmes mènera à une féminisation assez paradoxale du genre. Dans une étude majeure sur le *thriller* érotique, Linda Ruth Williams écrit que, dans le cinéma *softcore*, « le prix d'une érection » est fréquemment « d'avoir à endurer une diatribe sur la négligence par l'homme moyen de la sexualité de la femme[8] ». S'inscrivant en ce sens dans la lignée du roman gothique, de la littérature romantique et du *soap opera*, la fémi-

5   Le titre renvoie à *La nuit des mort-vivants (Night of the Living Dead,* 1968) de George A. Romero. En Italie, *Dawn of the Dead* sera intitulé *Zombi.* C'est d'ailleurs pour cette raison que le *Zombie* (1979) de Lucio Fulci s'intitule *Zombi 2* en Italie. En effet, il y était présenté comme une suite au *Zombi* de Romero. *La nuit fantastique des morts vivants* s'apparente au film de Fulci beaucoup plus qu'à celui de Romero, en grande partie parce qu'il se déroule dans les Caraïbes. Cependant, D'Amato a tourné de nombreux films en Amérique latine et dans les Caraïbes, mais jamais que Fulci ne tourne *Zombi.* On peut donc penser que la décision de Fulci de tourner son film dans les Caraïbes ait été inspirée par des films de D'Amato tels que *Viol sous les tropiques,* tourné en Amazonie, et *Et mourir... de plaisir* (1978), filmé à Santo Domingo. Notons que D'Amato sera le producteur du dernier film de Fulci, *Door to Silence* (1991).
6   Ne voulant pas être poursuivis par les producteurs d'*Emmanuelle,* le film de 1974 mettant en vedette Sylvia Kristel, les Italiens ont retiré un « m » du nom « Emmanuelle ».
7   Dans *Black Emanuelle autour du monde* (1977), Emanuelle dit de son amie Caro Norman (Karin Schubert) qu'elle est une féministe intransigeante.
8   Linda Ruth William, *The Erotic Thriller in Contemporary Cinema,* Edinburgh University Press, Edimbourg, 2005, p.352.

nisation du *softcore* met de l'avant le mépris généralisé de tout ce qui est féminin. Mais, contrairement à ces genres, le *softcore* est essentiellement créé pour exciter des mâles (et des couples) hétérosexuels[9]. Une division sexuée férocement sexiste est à l'œuvre dans la distinction entre *softcore* et *hardcore*, dans la mesure où le *softcore* est associé à une « absence » – en l'occurrence l'absence d'un pénis en érection qui place, de manière péjorative, le *softcore* sous le signe du féminin. On dit du cinéma *hardcore* qu'il constitue « la vraie affaire », parce qu'il montre l'érection, alors que le *softcore* est perçu comme une vulgaire simulation. Cette division de toute évidence néfaste entre le *hardcore* et le *softcore* doit être défiée dans toute étude sérieuse de la pornographie.

Si certains films *soft* réalisés par D'Amato contiennent des scènes *hard* (qui étaient généralement coupées au moment d'exporter le film), Laura Gemser n'a jamais participé à une scène *hardcore* autrement qu'en tant que voyeuse. Le voyeurisme est un motif central du cinéma de D'Amato, tout comme du *softcore* et du cinéma d'horreur dans son ensemble. Il est intéressant de noter que, la plupart du temps, ce sont des femmes qui le pratiquent. Dans *Black Emanuelle en Orient* (1976), le premier *Emanuelle* réalisé par D'Amato, mais le second mettant en scène Gemser[10], l'actrice joue une photoreporter particulièrement insistante, dont le regard agressif est traditionnellement attribué à des protagonistes masculins. Voilà qui met en évidence un élément typique du *softcore* des années 70, à savoir que si le corps féminin et plus spécifiquement les seins sont mis à la disposition du regard masculin, le contrôle du regard est détenu, sur le plan narratif, par la femme. Comme souvent chez D'Amato, *Black Emanuelle en Orient* ne débute pas par une série de plans d'ensemble servant à établir le cadre de l'action, mais au contraire avec des plans déstabilisants d'Emanuelle qui met en place son matériel dans l'éclairage rouge d'une chambre noire. Un homme l'interrompt alors qu'elle tente de développer des photos, dans l'espoir de provoquer une interaction de nature sexuelle. Inversant ce cliché qui veut que l'homme, professionnel, soit dérangé dans son travail par sa copine qui s'ennuie, le film suggère d'emblée qu'Emanuelle place sa car-

---

9   Je ne sous-entends pas que des lesbiennes ne peuvent pas apprécier ces films, mais que ces films n'ont pas été conçus ou mis en marché en fonction d'une réception lesbienne.
10   Le premier, intitulé *Black Emanuelle* (1975), est réalisé par Bitto Albertini. Laura Gemser tient le rôle-titre en partie parce qu'elle a tenu le rôle d'une masseuse dans la suite « officielle » d'*Emmanuelle* réalisée en 1975 par Francis Giacobetti.

rière avant les hommes, même si elle prend parfois le temps de se faire plaisir. Qui plus est, le fait que la scène se déroule dans une chambre noire où c'est elle qui travaille place très concrètement le concept du « regard » entre ses mains.

Une courte scène, un peu plus tard dans le film, nous présente un exemple classique du voyeurisme dans le *softcore*. Tandis qu'Emanuelle se déshabille dans sa chambre, elle entend son ami Robert (Gabriele Tinti[11]) faire l'amour. Ne portant plus sa blouse, Emanuelle se déplace vers la pièce d'où provient ce son et épie le couple par l'embrasure d'une porte. Cette scène de voyeurisme éhonté est précédée d'une autre où Emanuelle prend des photos d'un combat, particulièrement violent, au cours duquel une belette féroce tue un puissant cobra. L'insertion de ce spectacle « choquant » confirme l'influence du documentaire *mondo* sur le cinéma de D'Amato. Mais, sur le plan thématique, elle sert surtout à souligner que le regard d'Emanuelle est agressif et déterminé, une qualité typiquement masculine dans le cinéma hollywoodien classique. C'est aussi le regard d'une femme qui est fréquemment excitée quand elle prend la position de voyeuse.

Les films de D'Amato que le public québécois a pu voir en écoutant *Bleu nuit* sont des productions des années 70 et 80. L'émission est lancée en 1986, avant ce que David Andrews qualifie d'âge d'or du *softcore* aux États-Unis. Comme le fait remarquer Andrews, dans les années 80 le *softcore* était « pratiquement inexistant en tant que genre cinématographique américain », tandis qu'il avait droit à un second souffle à la télévision québécoise[12]. Le déclin des anciens réseaux associés au cinéma d'exploitation, les cinémas *grindhouse* et les cinémas érotiques, de même que les pressions exercées sur l'industrie pornographique par l'administration républicaine de Ronald Reagan, eurent pour effet de faire disparaître le *softcore* du territoire des États-Unis jusqu'au début des années 90. Durant cette décennie, des programmations de fin de soirée sur la télévision câblée mettront de l'avant des émissions influentes telles que *Les escarpins rouges* (Zalman King, 1992-1999). Andrews écrit que « l'enthousiasme neuf avec lequel HBO et Showtime finançaient du *softcore* chic – de même qu'un relâchement de l'attitude

---

11 Gabriele Tinti fut le mari de Laura Gemser.
12 David Andrews, *Soft in the Middle: The Contemporary Softcore Feature in Its Context*. OH: The Ohio State University Press, Columbus, 2006, p.4.

antipornographique de la culture dans son ensemble – ont mené au renouvellement du *softcore*[13] ». Aux antipodes du lustre propre à ce *softcore* corporatif, les films que tourne D'Amato dans les années 70 et 80 ont plus à voir avec le documentaire et, plus spécifiquement, le *mondo*.

LE *MONDO*

Le premier, de même que le plus important, des films *mondo* est *Mondo Cane* (1962) de Gualtiero Jacopetti, Paolo Cavara et Franco Prosperi – dont le titre renvoie à une expression toscane qui signifie « une vie de chien ». Le terme *mondo* fait référence à une série de films réalisés suite au succès de *Mondo Cane*, des films qui à l'instar de celui-ci vont transposer les tactiques du cinéma d'exploitation à la pratique du documentaire. Toutes les méthodes préconisées dans le *mondo* vont à l'encontre des règles développées par le cinéma direct et le cinéma-vérité dans les années 50 et 60. En effet, on y retrouve une caméra assumant une position de voyeur, un montage « choc », une narration en *voix-off* de nature quasi divine de même qu'une représentation aux forts relents de sensationnalisme de « l'Autre primitif » à travers le monde. Si le *mondo* pose un regard colonialiste sur les cultures qui ne sont pas occidentales, celui-ci est accompagné – du moins c'est le cas dans *Mondo Cane* – d'une critique en règle de l'Occident. Parmi les effets que D'Amato emprunte au *mondo* et qu'il utilise fréquemment dans la série *Black Emanuelle*, notons le zoom rapide, l'arrêt sur image, le montage-choc et, bien évidemment, la caméra voyeuse.

La structure et le tournage des films de D'Amato sont inspirés du cinéma *mondo*. Ses personnages se retrouvent fréquemment dans des aéroports, des trains, des métros, des funiculaires, des voitures, des Jeeps. Ils sont souvent filmés devant des éléments architecturaux que l'on peut qualifier d'iconiques. *Black Emanuelle autour du monde* (1977) débute avec un gros plan de pieds, avant de nous révéler deux amants en plein ébat, ce qui d'emblée place le spectateur dans l'immédiateté et l'intimité du monde sensoriel. Des mains bougent sur des corps couverts d'ombres. Aucun plan d'ensemble ne permet de situer l'action. Les individus qui sont en

13 *ibid*, p. 4.

plein coït nous sont inconnus, même si les fans de la série n'auront aucun mal à reconnaître Gemser qui tourne ici son troisième *Emanuelle* avec D'Amato. Finalement, Emanuelle et un camionneur (interprété par la vedette du «porno chic» *hardcore* Paul Thomas) retournent vers la cabine avant du véhicule. Nous apprenons par le biais d'une conversation qu'Emanuelle vient d'amorcer un nouveau voyage avec sa brosse à dents comme unique bagage et le sexe comme seule monnaie d'échange. L'action se déroule dans les années 70, période d'exploration sexuelle, et elle prend ici la forme du sexe tantrique. Emanuelle va guider le public vers de multiples lieux sensuels et, dans le même élan, infirmer les théories du fameux gourou indien Shanti (George Eastman) qui affirme avoir atteint «l'orgasme ultime».

Au cours de la même séquence, D'Amato saute d'un plan de la conversation entre Emanuelle et le camionneur à un plan subjectif qui montre le pont Golden Gate, situant subitement l'action dans un décor précis tout en créant une impression de liberté et de mouvement. Le générique d'ouverture débute tandis que la caméra effectue un long zoom avant vers le véhicule qui traverse le pont. Tandis qu'ils se dirigent vers le Sheraton de San Francisco, Emanuelle dit au chauffeur qu'elle est à la recherche du bonheur, qu'à ses yeux, le bonheur et la route sont synonymes l'un de l'autre. Le film la transportera en Inde, à Hong Kong, Macau et Téhéran avant de la ramener aux États-Unis. Le film se termine en effet à New York, Emanuelle traversant le port en bateau alors que l'on aperçoit en arrière-plan la Statue de la Liberté et les tours jumelles du World Trade Center[14]. Comme dans le *mondo*, le spectateur est convié à voyager vers des lieux «éloignés», sauf que c'est la photoreporter Emanuelle et non une narration en *voix off* qui lui sert de guide. Il est à la fois voyeur d'elle et voyeur avec elle.

Dans *Les amours exotiques d'Emanuelle* (1978)[15], présenté à *Bleu nuit*, D'Amato nous plonge en plein Kenya, où le désormais célèbre personnage met à jour un réseau international d'esclavage sexuel. Le film, comme plusieurs autres que réalise D'Amato dans les années 70, se déplace sans effort d'un lieu à l'autre, employant

---

14 On notera que cette séquence annonce le tout début du *Zombie* de Lucio Fulci, au cours duquel un bateau infesté par les zombies dérive dans le havre de New York.

15 Le film s'intitule *Emanuelle and the White Slaves* en anglais et *La via della prostituzione* en italien.

un montage-choc pour désorienter son public et faire progresser la narration. Dans ce film, Emanuelle va à Nairobi, New York et San Diego. La liberté étant l'un des principaux thèmes de la série, le film débute avec un plan d'oiseaux qui volent au-dessus de la mer. D'Amato enchaîne avec un plan d'une camionnette verte qui traverse la savane : des images de rhinocéros, de girafes et d'éléphants sont insérées aux côtés de plans, tournés à l'épaule, d'Autochtones du Kenya. Emanuelle prend des photos du paysage tandis que son acolyte féministe, la blonde Susan Towers (Ely Galleani), conduit le véhicule. Un raccord rapide nous transporte vers la cité moderne de Nairobi. Dans cette séquence, la combinaison d'un montage-choc et de nombreux plans subjectifs, deux éléments-clés de l'esthétique *mondo*, incite le spectateur à vivre le film de manière synesthésique, D'Amato le préparant ainsi au spectacle sensoriel que constitue l'érotisme *softcore*.

Il n'est pourtant pas étonnant que D'Amato reçoive peu d'attention critique de la part du milieu académique. Dans une culture phallocentrique, le *softcore* est perçu comme une forme moins «authentique» de pornographie, et ces films sont victimes de ce préjugé. Aux yeux de plusieurs, l'audace de la pornographie *hardcore* est plus séduisante que le charme kitsch de l'érotisme *softcore*. Néanmoins, l'esthétique *mondo* des films de D'Amato les rend difficiles à décrire. Ces films méritent d'ailleurs que l'on s'y intéresse plus sérieusement : l'influence du *mondo* sur ceux-ci, la manière dont D'Amato s'approprie ce style confèrent à son œuvre un cachet unique.

Traduction : Alexandre Fontaine Rousseau

Laura Gemser : Emanuelle pour toujours !

David Didelot

C'est la plus belle, c'est la plus sensuelle de toutes ! Une actrice ? Non, plus que cela : un symbole, une icône... Celle d'une glorieuse époque (les années 70), celui d'un genre en plein âge d'or (l'érotisme *all'Italiana*), celui d'un cinéma bis classieux, élégant, libre, exotique et généreux. Laura Gemser, c'est l'une de ces comédiennes emblématiques d'un cinéma populaire de qualité, à l'image des Laura Antonelli, Annie Belle et autres Femi Benussi... C'est encore l'indélébile souvenir de courbes absolument parfaites, magnifiées par les réalisateurs du genre ou les photographes de charme qu'elle a pu croiser : telle est l'image que les amateurs gardent de la superbe Laura... Et si notre éternelle Black Emanuelle affola la gent masculine (et féminine !) au milieu des années 70, il faut aussi reconnaître qu'elle fut une vraie comédienne, talentueuse, douée, et parfaitement capable de jouer autre chose que les jeunes femmes promises à tous les vices et à toutes les expériences érotiques : non qu'elle ait à rougir de sa très honorable filmographie, mais gageons qu'elle aurait peut-être pu dépasser les frontières du pur produit bis ou érotique...

Né en 1950 sur l'île de Java, en Indonésie, Laurette Marcia Gemser (son vrai patronyme) débute au cinéma dans le méconnu *Amour libre* (Pier Ludovico Pavoni, 1974). On est alors dans le milieu des années 70. Un titre prophétique quand on pense à la suite de sa carrière, car d'« amour libre », il en sera fortement question : presque un credo pour son légendaire personnage de Black Emanuelle ! C'est ensuite Francis Giacobetti qui recrute Laura pour un petit rôle dans la suite du méga succès français, *Emmanuelle* (1974 et avec deux « m » s'il-vous-plaît !) : *Emmanuelle l'antivierge* (1975). L'actrice y interprète donc le personnage (très secondaire) d'une masseuse, lui permettant tout de même de rencontrer son alter ego français, la belle Sylvia Kristel... En un mot, Emanuelle et Emmanuelle sur le même plateau de tournage : pas mal !

Toujours en 1975, Bitto Albertini – honorable routier du cinéma populaire italien – va définitivement lancer la carrière de Laura Gemser, en lui offrant le rôle de Mae Jordan dans le très logiquement nommé... *Black Emanuelle*. Le premier de la série donc – sis en Afrique –, mais pas le dernier ! Un film et un rôle qui marqueront à jamais la carrière de cette jeune actrice au physique impeccable : la célèbre reporter Emanuelle, bien plus amusante (et affolante !) que notre Emmanuelle nationale... Black Emanuelle, dans les années 70, c'est un peu Tintin au pays de la gaudriole et de l'interdit, un personnage qui colle parfaitement au contexte libertaire du moment. On suivra donc notre globe-trotteuse du sexe dans *Black Emanuelle en Orient* (1976), *Vicieuse et manuelle* (oui oui !, 1976), *Black Emanuelle en Amérique* (1977), *Black Emanuelle autour du monde* (1977), *Emanuelle chez les cannibales* (1977), *Emanuelle et les filles de Madame Claude* (1978), et j'en passe... Les titres s'enchaînent, et à chaque fois, érotisme échevelé au programme (*soft* ou *hard* selon les versions, mais sans que Laura ne participe jamais aux séquences pornos), bizarreries exotiques, cruautés parfois *gore*, féminisme agressif aussi, tant l'image des hommes se trouve souvent entamée dans la saga... Une série totalement «bis» et complètement libre, symbole de toute une époque.

Une série indissociable d'un autre nom, celui du regretté Joe D'Amato. C'est lui qui mit en boîte les meilleures aventures de notre héroïne : comprendre les plus folles, les plus radicales et les plus dérangeantes parfois (qu'on pense à *Black Emanuelle en Amérique* par exemple…).

Les deux font donc la paire à partir du milieu des années 70, et ce, jusqu'au début des années 90 : une fidélité qui force le respect… Ensemble, ils empileront ainsi les films, au nombre desquels le très bon *Voluptueuse Laura* (avec Jack Palance et Gabriele Tinti, feu son époux dans le civil, 1976), le très piquant *La nuit fantastique des morts-vivants* (1980) et en 1982, l'excellent *Caligula – la véritable histoire*, péplum érotico-sanglant du meilleur bois. L'un des plus beaux rôles de Laura d'ailleurs, à rebours de la jeune femme libérée qu'elle avait l'habitude de camper…

Mais Laura Gemser, c'est aussi d'autres polissonneries dans les années 80, toujours signées Joe D'Amato : souvent des productions Filmirage, moins épicées tout de même que la série des *Black Emanuelle*… Qu'on songe par exemple à la tétralogie « d'époque » (dans le cadre de l'Italie fasciste) avec *La retape* (1985), *La femme pervertie* (1985) ou *La fille aux bas nylon* (1986) au milieu des années 80… Des films érotiques plutôt bien troussés dans l'ensemble, plus « léchés » qu'à leur habitude, plus soignés, mais peut-être plus « classiques » aussi. Laura Gemser, c'est encore des films de « Femmes en prison » bien méchants (genre crapuleux s'il en est), sous la houlette du réalisateur Bruno Mattei *Pénitencier de femmes* en 1982 et *Révolte au pénitencier des filles* en 1983, deux films dans lesquels elle interprète la journaliste… Emanuelle !), ou des *mondo* sexy (la série des *Notti porno nel mondo* à la fin des années 70, emballée par la paire D'Amato/Mattei), où Laura nous joue l'hôtesse de charme prénommée… Emanuelle ! Emanuelle… une véritable marque de fabrique à cette époque, un nom vendeur aussi !

Signalons enfin quelques autres rôles pour son éternel complice Joe D'Amato : la belle et lascive sorcière Indun dans *Ator l'invincible* (1982), la télépathe Lilith dans le réjouissant et très fauché *Le gladiateur du futur* (1983, dissimulée derrière le pseudo de Moira Chen pour l'occasion), ou l'espèce de Walkyrie Grimehilde dans *L'épée du Saint-Graal* (alias *Ator 3*, 1990). À la fin des années 80 et au début des années 90, Laura Gemser se contentera le plus souvent de quelques apparitions – non créditées au générique parfois – dans les films de son compère D'Amato (*Blue Angel Café* en 1989, *Deep Blood* en 1990 et *La femme d'affaire* en 1989), la belle Javanaise préférant alors jouer les costumières sur les films de son ami Joe.

Après la mort de son mari Gabriele Tinti en 1991, Laura se retirera définitivement du monde du spectacle... Qu'importe, elle aura traversé le cinéma bis et érotique de la plus éclatante des manières, se confondant aujourd'hui avec son personnage fétiche et avec l'œuvre de Joe D'Amato. L'une des figures les plus envoûtantes et les plus marquantes de l'érotisme italien.

Foufounes à l'italienne:
Le cinéma de Tinto Brass

Alexandre Fontaine Rousseau

Le nom de Tinto Brass sera à tout jamais associé au sous-genre du film de foufounes italien. Obsédé par les postérieurs joufflus, le cinéaste demeure cependant mieux connu du grand public pour l'ambitieux *Caligula* (1979) – décadente super production érotique financée par le magnat de la pornographie Bob Guccione, fondateur de la revue *Penthouse*. Altéré de fond en comble par Guccione, qui désirait pimenter ce spectacle grandiloquent de scènes plus *hard*, le film sera désavoué par le réalisateur... ce qui n'empêchera pas au produit final de cartonner au *box-office*, à un point tel qu'il demeure à ce jour le plus grand succès en sol américain de l'histoire du cinéma italien.

Après *Caligula*, Tinto Brass réalisera les deux films qui le feront intronisé au panthéon des cinéastes érotique suite à leur diffusion à *Bleu nuit*: *La clé* (1983) et *Miranda* (1985). Si l'on peut assez bien comprendre l'attrait pour un tel « programme » de *Miranda*, mélodrame campagnard où les gens se disputent les bonnes grâces de l'héroïne titulaire, *La clé* pose un peu problème même si Brass y expose allègrement les charmes de l'actrice Stefania Sandrelli – découverte dans les comédies de Pietro Germi puis filmée par Bernardo Bertolucci dans *Le conformiste* (1970) et *1900* (1976). En effet, l'érotisme y est d'emblée teinté d'un profond malaise: Sandrelli, qui s'est évanouie, est violée par son vieux vicieux de mari au son d'une ritournelle vaguement carnavalesque qui confère à l'ensemble une qualité résolument grotesque.

Dans les faits, cette gravité s'avère peut-être plus représentative de la véritable nature de l'œuvre de Tinto Brass que les galipettes cochonnes qu'il se complaira à produire dans les années 90. Car, avant de devenir le Alfred Hitchcock de la levrette par le biais d'une série intitulée *Tinto Brass présente*, il aura été pour un temps

un cinéaste certes maladroit mais très certainement sérieux, spécialisé dans le plagiat olé olé des grands auteurs du septième art.
En 5ᵉ vitesse (*Deadly Sweet*, 1967), par exemple, est une sorte de pastiche du *Made In U.S.A.* (1966) de Jean-Luc Godard citant abondamment le fameux *Blow Up* (1966) de Michelangelo Antonioni.
L'actrice Ewa Aulin, une espèce de lolita suédoise qui se fera véritablement connaître l'année suivante dans *Candy* de Christian
Marquand, y tient la vedette aux côtés de Jean-Louis Trintignant.
Le film capitalise assez clairement sur la fausse innocence de cette
blonde ingénue.

Plus ouvertement érotique, *Nerosubianco* (1969) exploite l'enthousiasme du public de l'époque pour le cinéma expérimental
se réclamant du psychédélisme. Produit par Dino de Laurentis,
bien conscient du potentiel commercial de la formule «sexe et
acide» suite au succès du *Barbarella* (1968) de Roger Vadim, le
film entremêle allègrement révolte politique, libération sexuelle

et amour interracial sur fond de musique rock, brisant au passage quelques tabous. Déjà, Tinto Brass ne fait pas que saupoudrer ses films de sexe pour les enjoliver. Le sexe s'impose en tant qu'enjeu principal de ceux-ci, à la fois moteur de l'action et catalyseur des préoccupations sociales et morales de l'auteur. Car, il faut bien le dire, Tinto Brass a tout d'un « auteur » : son style visuel affiche un nombre important de signes distincts et son œuvre est marquée par la présence de quelques thèmes majeurs qui reviennent d'un film à l'autre.

Le plus important sera sans contredit celui du fascisme, qu'il met généralement en scène comme une sorte de dérèglement néfaste de la sexualité humaine. Meilleur film de Brass sur le sujet, *Salon Kitty* (1976) se déroule dans un bordel que le haut commandement nazi utilise pour espionner ses officiers et localiser les déviants idéologiques. Une scène, en particulier, nous montre l'entraînement quasi militaire des prostituées qui travailleront dans l'établissement : sous l'ordre des officiers SS, les corps s'entrelacent, formant un simulacre orgiaque du rapport sexuel. Ainsi dirigé, répété, voire mécanisé, le contact sexuel perd tout son sens et devient une horrible parodie de ce qu'il peut représenter. Aux yeux de Tinto Brass, il n'existe manifestement pas de démonstration plus probante de l'inhumanité intrinsèque du nazisme : si elle retire la jouissance de l'acte sexuel, c'est clairement qu'il s'agit d'une idéologie contre nature.

On se doute bien que le spectateur moyen de *Bleu nuit*, quand il s'installait devant son téléviseur le samedi soir à minuit, ne cherchait pas vraiment à savoir si *La clé* ou *Miranda* faisaient cheminer la réflexion du cinéaste sur le fascisme dans une direction pertinente. Peut-être aura-t-il, tout au plus, noté cette inclination de l'auteur pour l'emploi abondant de miroirs, qui permettent à la fois d'illustrer la double nature de la réalité et de faire cohabiter au sein d'un même plan plusieurs points de vue sur une même action. Qu'elle est riche en possibilités discursives, cette double fonction du miroir ! Au-delà de l'ambivalence propre à toute chose, ne met-elle pas en évidence la logique même du voyeurisme ? Accessoirement, son effet réfléchissant offre aussi au regard plusieurs angles sous lesquels observer Serena Grandi ou Stefania Sandrelli alors qu'elles se pavanent en lingerie ou s'adonnent aux plaisirs de la chair. Mais ce n'est là qu'une conséquence forcément accidentelle de ce que l'on appelle une signature esthétique marquée.

Apôtre de la liberté individuelle, Tinto Brass s'oppose à l'autoritarisme par tous les moyens que met à sa disposition le canevas somme toute limité de l'érotisme *softcore*. Dans *Paprika* (1991), adaptation libre du roman de John Cleland *Fanny Hill*, Debora Caprioglio joue par exemple le rôle d'une prostituée qui refuse d'être sodomisée par un haut gradé de l'armée, lui faisant savoir de manière on ne peut plus claire qu'il peut aller bombarder les fesses de ses cadets si le cœur lui en dit, mais qu'elle n'a pas à se soumettre à ses fantasmes. Un peu plus tôt dans le film, le réalisateur se permet quant à lui un petit caméo assez révélateur de ses convictions, dans le rôle d'un médecin qui travaille dans une clinique d'avortement. On peut dire que les femmes sont règle générale assez libres, dans le cinéma de Tinto Brass, même si cette liberté prend la plupart du temps la forme plutôt opportune d'une liberté sexuelle qui conduit au mœurs relâchées qu'exige le genre. Miranda, dans le film du même nom, dirige son propre commerce et refuse de s'attacher à un seul homme depuis la mort de son mari. Voilà donc pourquoi elle est en mesure de coucher avec plusieurs d'entre eux – au grand plaisir du cinéaste et, il va sans dire, du public cible de ses films.

Dans *P.O. Box Tinto Brass* (1995), le cinéaste joue son propre rôle et se représente fort probablement tel qu'il se perçoit. Il y reçoit des lettres de ses nombreuses admiratrices, qui lui confient leurs anecdotes coquines. Ce synopsis, fort évidemment, sert de prétexte à la représentation explicite de ces histoires, le film enchaînant ainsi les saynètes érotiques à la manière d'un catalogue de comportements sexuels relevant à divers degrés de l'interdit : exhibitionnisme, échangisme, infidélité et compagnie... Brass, en quelque sorte, semble dire que son cinéma sert à matérialiser les fantasmes des femmes. Par le fait même, cette gigantesque apologie de l'érotisme *softcore* le place dans le rôle de l'homme qui a le pouvoir de réaliser leurs fantasmes. Les femmes sont libres grâce à Tinto Brass, dont la caméra exauce les souhaits les plus secrets. La conclusion s'avère en ce sens particulièrement révélatrice des contradictions qui sont au cœur même de son discours. L'ultime sketch met en scène la secrétaire du cinéaste, interprétée par Cinzia Roccaforte. Tout au long du film, celle-ci a refusé les avances de son patron tout en jugeant d'un œil plutôt sévère les femmes qui se sont confiées à lui.

La scène, sorte de relecture à rabais d'un moment clé du *8½* de Fellini, se révèle d'un surréalisme particulièrement saugrenu. Roccaforte raconte un rêve où elle pénètre dans un magasin de souliers tenu par le cinéaste. Toutes les femmes que l'on a pu voir précédemment y sont figées dans diverses poses comme des mannequins de plastique – et l'on pourrait croire, dans un premier temps, que la secrétaire vient à son tour se joindre à cette galerie de « conquêtes ». Mais, au contraire, elle ridiculise Brass en le repoussant au sol d'un simple geste qui se veut à la fois autoritaire et connoté sexuellement. Le cinéaste, devenu vendeur de godasses, ouvre alors son pantalon pour révéler une gigantesque trompe d'éléphant qui vient souffler sous la robe de la jeune femme. Celle-ci retient alors sa jupe d'une manière qui évoque le souvenir de Marilyn Monroe, le cinéaste orchestrant à l'aide de cette espèce de phallus surdimensionné un hommage impromptu à la scène de la bouche de métro dans *The Seven Year Itch* (Billy Wilder, 1955). Au bout du compte, Brass collectionne les fantasmes pour son propre plaisir, et même le rejet semble appartenir au registre du fantasme érotique.

En ce sens, Tinto Brass semble incarner à lui seul le *softcore* et ses incohérences : son progressisme libertin et son vieux fond de machisme débile, son amour de la femme « libre » et son incapacité à lui foutre la paix pour qu'elle se libère par elle-même, son romantisme un peu vieux jeu et son sexisme ordinaire… On sent bien que ses intentions ne sont pas mauvaises, mais il ne sait pas toujours comment s'y prendre. On comprend d'ailleurs très vite qu'il vient d'une autre époque, quand on le voit en photo un gros cigare vissé aux lèvres. Dans *Paprika*, le propriétaire d'un bordel résume assez bien l'essence du problème lorsqu'il affirme qu'il est un esthète, qu'il offre de jolies femmes à ceux qui savent apprécier la beauté. Tinto Brass filme bien la femme avec « amour », mais cet amour ne sait s'exprimer que par des moyens de proxénète et, s'il a bien raison de critiquer l'hypocrisie des hommes qui fréquentent les bordels tout en trouvant humiliant le métier de prostituée, son problème à lui, c'est de ne pas pouvoir s'imaginer vivre dans un monde sans bordels.

Au royaume de l'indicible
La clé (1983)
Olivier Thibodeau

(5) Clé, La (La Chiave)   35   5

It. 1983. Drame de mœurs de Tinto Brass avec Frank Finlay, Stefania Sandrelli, Franco Branciaroli. – Sentant son énergie sexuelle décliner, un expert en art croit la faire revivre par la jalousie et manœuvre pour que son épouse succombe aux charmes de son futur gendre. – Adaptation arbitraire d'un roman érotique japonais. Réalisation appliquée. Fausse recherche d'esthétisme. Interprétation quelque peu artificielle. © Mediafilm

Première diffusion: 1er octobre 1988, 23h30

Consacrant Tinto Brass enfant génial du X italien, *La clé* (1983) met en lumière tous les thèmes fétiches de l'auteur et en propose une éclairante synthèse. Comme dans *Nerosubianco* (1969) et d'autres œuvres plus personnelles, le sexe n'y est pas réduit au niveau de simple spectacle mercantile, retrouvant au contraire tout le caractère cathartique et révolutionnaire qu'il possède aux yeux des romantiques. Il s'impose d'ailleurs en tant que solution au fascisme si souvent décrié par le réalisateur, une affaire de cœur qui permet de libérer le corps d'un esprit nourri aux interdits sociaux et religieux[1]. L'utilisation systématique des miroirs dans l'œuvre du réalisateur trouve en outre une pertinence renouvelée dans *La clé*, puisque ce sont eux qui permettront à l'exquise protagoniste de reprendre le contrôle de son image, l'émancipant ainsi d'un regard mâle pervers et chirurgical[2].

C'est d'ailleurs dans cette perspective que s'inscrit le «profond malaise» que peuvent provoquer certaines scènes du film – un malaise qui permet surtout de souligner la nature égoïste de ce regard qui préfère se poser sur un objet inerte, dénué de volition. Voilà qui souligne, une fois de plus, ce sens de l'autodérision traversant l'œuvre du réalisateur qui se met en scène plus souvent qu'à son tour, que ce soit dans la peau d'un confesseur

1   Les «corps dociles» décrits par Michel Foucault dans *Surveiller et punir* (Paris, Gallimard, 1975) échappent ainsi au contrôle social par leur libre expression sexuelle, laquelle s'impose comme une échappatoire au militarisme triomphant préconisé par le haut commandement fasciste.

2   Les adeptes de Laura Mulvey, et de son incontournable «Visual Pleasure and Narrative Cinema» (originalement publié dans *Screen*, Automne 1975, p. 6-18) constateront sans doute avec mépris la mise en abyme permettant au spectateur de partager le voyeurisme du protagoniste masculin. Mais sauront-ils déceler la solution proposée par Brass à la fragmentation du corps féminin, lequel sera d'abord sectionné, puis reconstruit par la caméra de ses amants?

vociférant ou dans celle d'un protagoniste pervers tripotant à qui mieux mieux le corps vulnérable de sa vedette, pour laquelle on lui devine une passion longuement mûrie. Outre ces apparitions, le film cache une démarche intellectuelle surprenante sur laquelle on se penchera ici avec tout le sérieux qu'elle mérite. Car bien que la blague salace nous brûle sans cesse les lèvres lors du visionnement de ce film typiquement tragi-comique, on la laissera de côté momentanément, question de comprendre toute la complexité d'une œuvre brillante dont on voudrait tirer plus que des jets de sperme.

LA LECTURE DES ÂMES

Pays bipolaire où se côtoient les passions enfiévrées de nombreux épicuriens et le traditionalisme puritain hérité d'une Église tentaculaire, l'Italie est un terreau particulièrement fertile pour les excès cinématographiques en tous genres. Ses films d'horreur sanguinolents et ses décadents pornos permettent la mise en abyme systématique des désirs indicibles du spectateur, qui se retrouvent incarnés dans de nombreux personnages pervers troquant souvent la parole pour une expression plus directe de leurs désirs inassouvis. On n'a qu'à penser aux tueurs gantés du *giallo*, dont les mains lestes expriment plus de pulsions dévorantes que ne pourront jamais le faire leurs voix sifflantes[3]. Ces entités muettes ne cédant leurs secrets qu'à contrecœur, il nous faudra détenir « la clé » pour accéder aux recoins sombres de leur psyché.

La clé ne sert pas ici de simple passe-partout vers l'inconscient des personnages ; il s'agit également d'une échappatoire à l'étouffante institution matrimoniale, symbolisée par les contraignants quartiers qu'occupent les deux protagonistes au cœur de la sérénissime Venise. Le récit de ces deux humbles âmes s'ouvre lors d'une soirée mondaine où le gratin fasciste de l'époque célèbre la nouvelle année 1940. Invité à cette opulente cérémonie est un professeur britannique aux mœurs légères nommé Nino (Frank Finlay). Bientôt ivre, celui-ci amène sa femme Teresa (Stefania

---

3   Dans son analyse du *giallo* (publiée dans *Euro Horror: Classic European Horror Cinema in Contemporary American Culture*, Bloomington, University of Indiana Press, 2013, p. 103-142), Ian Olney inscrit le courant dans une mouvance « antipolicière » où l'on tait le tueur pour mieux masquer son identité. Or, il relèvera le caractère « déshumanisant » (p. 118) de la voix de canard de *L'éventreur de New York* (1982), qui en fait une « figure pathétique et infantile » (p.118) capable de s'affirmer seulement par le truchement de la violence.

Sandrelli) sur la piste de danse d'une façon cavalière qui est vite rabrouée par la bourgeoisie puritaine rassemblée pour l'occasion. Pervers décadent, on comprend dès le retour à la maison qu'il n'a pas l'ascendance désirée pour engager sa femme dans les ébats qu'il s'imagine.

Teresa reste d'ailleurs froide à la brûlante libido de Nino jusqu'au jour où il crée un habile jeu de substitution lui permettant de dialoguer avec elle par objets interposés. Après avoir rédigé un journal «intime» dans lequel il exprime ses passions inavouées, Nino laisse la clé du tiroir qui le contient sur le plancher, là où sa femme est sûre de la découvrir. À son tour, Teresa dissimule un journal dans lequel elle exprime ses propres désirs à l'endroit de son beau-fils Laszlo. Ce triangle amoureux bourgeonnant va permettre à toute la famille de briser les barrières d'une bourgeoisie répressive via l'épanchement de leur plus intrinsèque humanité[4], célébration simultanée du cœur battant sous l'uniforme et du cinéma de genre en tant que catharsis.

LA CULTURE DU SILENCE

À l'instar des herbes poussant entre les pierres du pavé, incarnations d'une nature qui ne saurait être écrasée par la civilisation, les passions primaires de l'être humain vont ici devoir faire preuve d'une grande ténacité afin d'échapper à la noirceur de l'infamie et rejoindre la lumière du jour. Refoulées au plus profond de l'âme, ces passions ne peuvent d'abord s'épancher qu'au moyen de monologues en *voix off*, reflet d'un discours intérieur trop frileux pour se manifester publiquement. Incapables d'exprimer leurs pulsions sexuelles par le simple dialogue, Nino et Teresa sont contraints de parler seuls, transmettant de nombreuses vérités via une bande sonore remplie de croustillants aveux. Nous devenons ainsi les seuls témoins de leurs différents états d'esprit, honte et jalousie héritées des dogmes puritains, puis joyeuses obscénités menant à leur libération finale.

---

4   L'abondance de thèmes communs entre les deux films semble presque forcer la comparaison avec le *Teorema* de Pasolini (1968), film indéniablement soixante-huitard dont la philosophie révolutionnaire trouve ici une pâle réflexion.

Cette technique est employée dès la première scène, alors que Nino s'imagine les ragots hypothétiques tenus par l'aristocratie fasciste attablée autour de lui. On est alors submergés par les qualificatifs peu flatteurs conjurés par Teresa dans l'esprit de vieux croûtons réactionnaires, qui n'hésiteront pas à la traiter de morceau de viande et de Slave retorse. Fruit de la jalousie qu'entretient Nino à l'égard de Laszlo, avec qui sa femme partage une chaste danse, l'apparition soudaine de ces ragots permet à la fois d'introduire la relation frustrante qu'entretient le professeur vieillissant avec sa femme trentenaire et de dépeindre le milieu répressif dans lequel il évolue.

La jalousie de Nino va d'ailleurs s'exprimer de manière plus intense lors de chacune de ses rencontres subséquentes avec son beau-fils. Voyant sa femme s'amuser avec lui lors d'un souper de famille, il nous fait immédiatement part de son malaise sans même songer à ouvrir la discussion avec Teresa – préférant plutôt attendre son sommeil pour la confronter à sa verve rageuse. Nino est uniquement capable de converser avec un corps inerte qui ne saurait lui opposer sa volition[5].

Teresa va heureusement transcender ce statut d'objet, ayant vite droit à sa propre narration parallèle. Celle-ci débute avec l'expression de ses premiers désirs adultères, alors qu'elle se rend à l'église afin de les expier par la prière. Ne trouvant là guère de réconfort, mais plutôt une grossière comédie d'avarice et de lamentation comme seul un iconoclaste de la trempe de Brass[6] pouvait l'imaginer, elle se lance dès lors dans la rédaction de son propre journal intime. Bien qu'il s'agisse d'un pas dans la bonne direction, l'écriture ne lui permet cependant pas d'exprimer la gamme complète des émotions nouvelles qui la submergent. C'est à ce moment que Teresa va prendre le relais de son mari sur la

---

5   Dans un essai intitulé *When the Woman Looks* (publié dans *The Dread of Difference*, Austin, University of Texas Press, 1996, p. 15-35), Linda Williams nous rappelle que «la défaillance et l'obscurcissement du regard de la femme constituent le signe de sa pureté sexuelle» (p. 16, traduction libre). Et bien que son argument sur la nature du voyeurisme s'avère finalement simpliste et dérivatif, il nous aidera à comprendre la nature initiale de Teresa, pour qui le puritanisme est intimement lié à l'aveuglement volontaire.

6   Dans une perspective délicieusement satirique, le réalisateur s'incarne ici en père confesseur, figure dont il ne partage que le talent pour l'extraction de désirs pervers.

bande sonore, nous confiant librement chacune de ses impressions au détriment des bonnes mœurs ambiantes[7].

Exercice cathartique pour les deux protagonistes, la rédaction de documents secrets demeure intimement liée à la toile fasciste du film, et à la réalité sous-jacente d'une police de la pensée réfractaire à l'expression des idées progressistes. À l'instar des passions politiques inavouables entretenues par les sympathisants communistes des films de Rossellini, on peut interpréter l'incommunicabilité des passions sexuelles ici présentes comme le produit direct d'un milieu social répressif[8], d'autant plus qu'on nous les présente comme spontanées et intrinsèques. Après tout, le désir adultère est biologique avant d'être social, et toute tentative de le refouler se heurtera nécessairement à sa violente résurgence.

À ce titre, il est intéressant de noter que la société fasciste oppose ici à l'amour libre et instinctif une sorte d'amour artificiel pour le « guide suprême ». Lors d'une séquence délicieusement satirique, on dévoile ainsi le journal que Lisa Rolfe trimbale en route vers sa rencontre des jeunesses fascistes. On y lit « To amo il Duce », répété huit fois, comme une prière. Cette séquence est d'autant plus savoureuse qu'elle propose un contraste cinglant entre la révérence puérile de Lisa envers le vertueux leader et les envolées décadentes de ses parents, toutes confinées dans des journaux impeccablement calligraphiés. L'amour de la jeune femme pour le *Duce* va d'ailleurs servir de point d'exclamation à la scène finale du 10 juin, alors qu'elle répondra au « Il vient de déclarer la guerre ! » de Laszlo par un « Quel brillant orateur ! » admiratif[9].

---

7 On notera ici que l'Église catholique sera aussi prompte que l'institution fasciste à réprimer l'expression sexuelle des femmes, établissant en 1934 son propre organe de censure nommé « Centro Cattolico Cinematografico » pour complémenter le travail de la « Direzione Generale per la Cinematografia » nouvellement formée. Voir Gino Moliterno, *Historical Dictionary of Italian Cinema*, Lanham, Scarecrow Press, 2008.

8 Peut-être les films de Rosselini ont-ils plus en commun avec ceux de Tinto Brass que leur simple mise en scène de milieux répressifs. Angela Dalle Vacche suggère en effet que le réalisateur de *Rome, ville ouverte* (1945) utilise des pratiques proches de la *commedia dell'arte*, utilisant notamment « le corps comme fenêtre vers l'âme des personnages », faute de pouvoir « effectuer l'introspection par de subtils moyens verbaux » (*The Body in the Mirror: Shapes of History in Italian Cinema*, Princeton, Princeton University Press, 1992, p. 187, traduction libre).

9 Transportant la dépouille de Nino sur les eaux du canal, la famille rassemblée pour l'occasion entendra résonner les paroles du guide projetées par de puissants haut-parleurs, devenant ainsi les premiers témoins d'une déclaration de guerre faite par un être désincarné et pseudo-divin que seul Laszlo verra pour sa véritable ignominie.

Si les protagonistes arrivent finalement à s'émanciper, c'est en rejetant la culture du silence et de la honte, opposant à la rigidité fasciste toute la souplesse du corps. Ils regagnent du coup l'usage de leur langue, non pas comme outil sexuel, mais comme outil de communication. La présence d'un véritable dialogue entre Nino et Teresa n'est possible qu'après la libération sexuelle de cette dernière. Elle est alors en mesure d'entretenir une éclairante conversation post-coïtale avec son mari au sujet de l'art érotique de Giulio Romano, dont la série d'illustrations *I Modi*, engravées par Marcantonio Raimondi en 1524, causa l'emprisonnement de ce dernier par le pape Clément VII. Cette superbe ouverture de l'un envers l'autre sert non seulement de prélude à la mort heureuse de Nino, mais pousse également celui-ci à faire le noir constat d'une société historiquement intolérante.

L'ŒIL ENJÔLEUR

On note que le regard de l'autre joue ici un rôle primordial, objet d'une opération dialectique particulièrement révélatrice de la censure prévalent en pays fasciste. Cause simultanée de l'emprisonnement et de l'éventuelle libération des protagonistes, sa mise en scène est d'autant plus pertinente qu'elle s'intègre à un genre cinématographique où la vue est souvent l'unique sens stimulé. Initialement lié au conservatisme ambiant, le regard de l'autre s'incarne d'abord comme un obstacle à la libre expression des protagonistes. C'est ainsi que nous sommes témoins de la condamnation unanime du spectacle lascif auquel s'adonnent Nino et Teresa lors de la scène d'ouverture, expression d'une passion que ne sauraient voir les bourgeois hypocrites.

Paradoxalement, le regard étranger, pour peu qu'il soit suffisamment progressiste, devient éventuellement l'outil de libération de ces mêmes protagonistes. Celui-ci sert en outre de validation à l'expression désinhibée du moi naturel, celle-là même qui aura raison de la modestie initiale de Teresa, faisant d'elle non pas le simple objet du regard masculin, mais la maîtresse absolue du spectacle de son corps. À plus forte raison, cette maîtrise du regard étranger permet ici la libération de la sexualité féminine tant crainte par les partisans de l'idéologie conservatrice, au-delà de l'univers domestique où ils voudraient la voir confiner[10].

Pour Teresa, la peur du regard provient d'une pudeur solidement ancrée dans les mœurs, carcan imposé aux femmes pour mieux contenir leur sexualité mystique. Scandalisée par l'exhibitionnisme festif d'une jeune femme rencontrée au hasard après le bal du jour de l'An, on la voit ensuite se soustraire farouchement à l'œil concupiscent de son mari. Anxieuse de soulager sa vessie, c'est à contrecœur qu'elle va uriner dans une ruelle, faisant promettre à Nino de ne pas l'épier. Une fois réunis dans la chambre conjugale, elle lui interdit d'éclairer la pièce, préférant ensuite voiler leurs corps brûlants sous les couvertures du lit afin de confiner leurs ébats au secret. On peut donc dire que le regard s'avère d'abord carcéral, surtout que la caméra s'efforce alors de créer un univers conjugal suffocant. Série de pièces obscures et encombrées, la demeure du couple n'est propice qu'à un exercice fallacieux du regard.

Symbole carcéral par excellence, les barreaux métalliques constituant la monture du lit des époux forment un treillis en avant-plan, créant du coup l'impression d'une geôle domestique derrière laquelle Nino et Teresa sont constamment emprisonnés. Quant à la porte séparant la chambre des maîtres de la salle de bains attenante, elle est faite d'une vitre semi-opaque surmontée de carreaux déformants qui causent la fragmentation du sujet observé à travers elle. Il devient vite évident que Teresa ne peut pas atteindre la plénitude corporelle à l'intérieur du cadre matrimonial, où elle fait l'objet de cette fragmentation indue. Elle accède à la liberté en reprenant possession de son intégrité physique, laquelle passe par un certain exhibitionnisme jubilatoire.

Inspirant et lumineux, c'est finalement le regard de Laszlo qui permet à Teresa de s'émanciper, dévoilant à la chaste épouse le pouvoir insoupçonné de son image. Ironiquement, ce sont les

10   À propos de l'époque fasciste, Marga Cottino-Jones écrit : «Dans l'Italie fasciste, les individus ne pouvaient survivre que s'ils se conformaient aveuglément aux rôles sexués que le régime avait prévus pour eux dans leur environnement social. Les hommes devaient projeter une image très virile de la masculinité [tandis que] les femmes devaient remplir leur rôle reproducteur» (*Women, Desire and Power in Italian Cinema*, New York Palgrave Macmillan, 2010, p. 37, traduction libre). L'Italie pourrait ainsi développer sans fin son complexe militaire et conquérir le monde.

photos érotiques déposées chez Laszlo par Nino qui la forcent à abandonner sa pudeur et à célébrer le spectacle réjouissant de sa généreuse féminité. D'abord choquée d'apprendre que son beau-fils a pu l'observer nue, Teresa le confronte à ce sujet lors d'une scène décisive où ils se retrouvent seuls dans un café. Lorsqu'il déclare l'avoir alors désirée, elle fuit les lieux. Mais elle emporte avec elle une confiance renouvelée.

Laszlo ne prêche pas seulement la libre expression du corps, mais la libre expression de toute émotion primaire. On le voit partager de francs éclats de rire avec Teresa alors qu'ils observent les passants qui glissent sur le pavé ruisselant à travers la porte vitrée du café. Alors qu'elle cherche à réprimer ce rire, qu'elle juge indigne des bonnes mœurs, son futur amant croit plutôt qu'elle devrait embrasser toute expression spontanée de ses sentiments. C'est sur une plage où Laszlo et Teresa vont en promenade que nous sommes frappés du sentiment de légèreté le plus mémorable, consécration d'un amour véritablement libérateur. L'héroïne y trouve sa plus magnifique expression, par le biais d'une photographie où elle apparaît sensuelle, exubérante dans son intégrité retrouvée.

LA BITE ET LA SERPE

Mettant de l'avant l'importance du regard dans les relations humaines, la proposition de Tinto Brass est certes très cinématographique. Dans un surprenant effort de réflexivité, l'auteur en profite même pour discuter de l'art érotique dans son ensemble, célébrant son pouvoir libérateur tout en nous rappelant que la censure lui opposera toujours sa préférence pour l'obscurantisme. Les allusions à l'art érotique, présenté comme l'expression primordiale d'une humanité indomptable, sont nombreuses tout au long du récit. À commencer par les clins d'œil initiaux à Gustav Klimt, dont les magnifiques fresques, jugées pornographiques à l'époque, furent longtemps dévaluées au profit de ses œuvres décoratives.

Brass se penche par la suite sur Egon Schiele, peintre autrichien dont la toile *Le cardinal et la nonne* s'avère une variation blasphématoire sur le *Baiser* de Klimt – mentionnant au passage que les Chemises noires étaient secrètement friands des œuvres de Schiele, signe des épanchements chaotiques de leurs propres passions refoulées. Finalement, ce sont les œuvres érotiques de Giulio Romano qui sont évoquées. Discutant ainsi de son art d'une façon passionnée, étrangère à la plupart des pornographes qui sont souvent marchands de saucisses plutôt qu'artistes, Tinto Brass parvient à célébrer non seulement le cinéma de genre, mais également sa liberté narrative et politique. Il crée ainsi un classique immémorial dont la pertinence semble assurée jusqu'à la fin des temps. Du moins, jusqu'à la fin de l'ordre bourgeois préférant tapir l'herbe sous la pierre...

Nos nuits détraquées
Stéphane du Mesnildot

Elle est blonde, son regard est vide, comme aveugle, ses gestes lents, sa voix blanche.

Elle revient la nuit, toujours la nuit, et elle nous dit : « Emmenez-moi, je vous en supplie, ne les laissez pas me reprendre. »

Elle nous dit encore : « Je ne sais plus rien, tout est vide dans ma tête. »

Brigitte Lahaie fut la plus grande star du cinéma pornographique français des années 70. Elle fut cette chair ultravisible, dont les admirateurs connaissaient la moindre parcelle, le moindre détail intime. Pourtant, ce corps était aussi tabou ; il appartenait aux salles X, à un ghetto regroupant tout à la fois les acteurs, les cinéastes et même les spectateurs renvoyés à la honte et à la culpabilité. Ses amoureux la retrouvaient clandestinement, l'admiraient, mais gardaient ses images comme un secret. Elle était leur belle captive et leur belle noiseuse. Entamée à l'âge de 22 ans, après la loi X[1], la carrière de Lahaie fut relativement brève : à peine 5 ans entre son premier *hardcore* (*Je suis une belle salope* de Gérard Vernier, 1977) et son dernier (*Hot action* de Gérard Kikoïne, 1982). Ce fut suffisant pour que se noue une véritable histoire d'amour entre elle et son public. Lahaie s'inscrivait de façon parallèle dans ce *star system* français en plein renouvellement et dont les actrices s'appelaient Isabelle Adjani, Miou-Miou ou Isabelle Huppert. Elle en fut la version X, mais tout aussi accessible et solidement ancrée dans cette France giscardienne en train de payer le prix des Trente

---

1   Mise en place en 1976, la loi X correspond à une série de mesures fiscales instaurées afin d'endiguer la production pornographique. Elle vise à la fois les producteurs et les salles de cinéma. Forme de censure à peine déguisée, « ce régime « X » repose sur l'hypothèse que les films pornographiques ou d'incitation à la violence se multiplient puisqu'ils représentent un profit aisé. S'il devient difficile de recouvrir les fonds investis dans un tel film, le genre s'étiolera jusqu'à disparaître. Il ne s'agit ni plus ni moins que d'une procédure d'intimidation fiscale. » Voir : Colin Vettier, Le classement X. De l'art ou du cochon, Paris, Sin' Art, 2014, p. 17.

glorieuses. *Cathy, fille soumise* (1977), *Les petites écolières* (1980) ou la bande de joyeux lurons de *Partie de chasse en Sologne* (1979) se souciaient peu des chiffres du chômage et du prix de l'essence qui n'en finissait pas de grimper. « C'est la fête à mon cul ! » clamait un titre ; c'était peut-être une maigre consolation face au second plan d'austérité, mais au moins, c'était encore un peu la fête.

La plupart des comédiennes du porno disparurent au fil des années, certaines pour mener une existence très rangée, mais le désir du public envers Lahaie était suffisamment fort pour la maintenir au visible. Peu importait finalement la qualité de ses films traditionnels (comprendre sans scènes pornos) des années 80 : les comédies populaires de Caputo et Balducci, les polars qui étaient pour la plupart des nanars (*Le couteau sous la gorge* en 1986, *Brigade des mœurs* en 1985, *L'exécutrice* en 1986), les *softcores* (*Joy et Joan*, 1985) ou les productions prestigieuses (*Henry et June* de Philip Kaufman, 1990). Paradoxalement, c'est au moment où elle prenait sa retraite qu'elle devint véritablement la reine du cinéma X et sa figure la plus identifiable. En 1982, l'érosion des salles de quartier avait commencé et la production pornographique de la décennie précédente fut recyclée en vidéo. Bien qu'elle ne tourna jamais pour des sociétés vidéos comme Marc Dorcel, le second âge d'or de Lahaie fut donc domestique : son nom sur un boîtier de VHS était aussi vendeur que ceux de Belmondo, Bronson ou Eastwood. Non seulement les nostalgiques des salles X la retrouvèrent, mais elle fit de nouveaux adeptes. Les couples, les timides et les membres de la classe moyenne en pleine expansion purent goûter à ces plaisirs sulfureux sans mettre les pieds dans une salle X. Pour nous, adolescents, auxquels ces salles étaient de fait interdites, il était aisé de se procurer ces fameuses VHS. Lahaie fut notre complice, une jeune femme à la sexualité débridée mais foncièrement bienveillante. Signe incontestable de cette popularité qui n'a jamais fléchi : en 1987, elle présenta ses mémoires, *Moi, la scandaleuse* à *Apostrophe*, face à Bernard Pivot, sosie d'Alban Ceray.

La carrière de Lahaie, balançant entre le caché et le visible, contient également une ligne ombrageuse, que l'on rattachera à une forme d'*underground*. Il s'agit de sa participation aux films fantastiques de Jean Rollin. Ce dernier eut la particularité de la diriger dans ses premiers pornos (*Vibrations sexuelles* en 1977) et de lui offrir presque immédiatement ses premiers rôles d'actrice traditionnelle dans *Les raisins de la mort* (1977) et *Fascination* (1978). D'une certaine façon, le fantastique fut pour Lahaie une façon d'échapper à l'ultravisiblité du porno et à sa demande impérieuse de validation de la jouissance. Où ailleurs que chez Rollin aurait-elle pu interpréter une morte-vivante régnant sur un domaine vinicole empoisonné par les pesticides, ou une châtelaine buvant le sang des abattoirs et accomplissant sa vengeance armée d'une faux? Le fantastique rêvé de Jean Rollin offrit à Brigitte Lahaie un cadre parfait pour son jeu parfois vif et enfantin et parfois singulièrement atone et opaque. Les acteurs de Rollin ne jouent pas, ils récitent. Les yeux vides comme des pythies, ils sont là pour porter une langue poétique : idéalement celle des romans-feuilletons de Gaston Leroux, de la Nadja de Breton et de Mandrake le magicien. Deleuze disait : « Écrire, c'est toujours écrire pour les animaux, à leur place. » Peut-être faut-il aussi écrire pour les actrices du X, celles qui ignorent qu'elles savent jouer. Elles portent la véritable poésie du cinéma de Rollin tandis que ses pires acteurs viennent du théâtre, redoutables cabotins qui renvoient son cinéma à un pittoresque poussiéreux.

Le plus beau film de Jean Rollin interprété par Lahaie est à cet égard *La nuit des traquées* en 1980. S'il prend sa source dans le réalisme poétique et son Paris enchanté, le Nouveau roman et ses personnages-mannequins à la mémoire troublée, il se projette aussi dans une modernité inhabituelle. Dans la tour Fiat de la Défense qui sert de décor au film, surplombant un monde de béton, il y a toute la froideur et la laideur de cette France de la fin des années 70. Rollin dans ses mémoires reconnait l'influence, peut-être inconsciente, de la privation sensorielle à laquelle étaient soumis les membres de la bande à Baader dans la prison de Stammheim. C'est cela qui fait de *La nuit des traquées* le seul film de Rollin réellement angoissant. Tout semble asphyxié et le décor, carcéral, réduit à presque rien : des couloirs de moquette grise et des pièces aux murs blancs. La tour noire est peut-être l'équivalent du vieux château où venaient s'égarer les nymphettes, mais elle s'élève ici comme une ruine du futur. En secret, la police et les industries pharmaceutiques élaborent une société de contrôle qui sonne le glas des quelques utopies qui ont pu s'élaborer dans les années 70. Lahaie et Marilyn Jess dans un petit rôle, corps autrefois libérés, sont ici hagardes, lessivées, rendues folles. Leur amnésie est semblable à celle que l'on fait subir au paysage : les faubourgs parisiens, décor historique du réalisme poétique, sont enfouis sous le béton, désormais introuvables. Le film se conclut de façon glaçante dans une gare de banlieue où les folles sont parquées dans des wagons. Alors que l'aube se lève, tout un peuple et son histoire sont emportés par les trains de la mort. Ce ne sont pas seulement les acteurs du X des années 70 qui allaient être balayés par la télévision et les vidéocassettes mais aussi leur public anonyme. Le prolétariat des salles de quartier se trouvera privé de ces refuges où ils pouvaient passer la journée à rêver les yeux ouverts.

Ironiquement, les usagers de ces tours, les jeunes cadres dynamiques, feront plus tard le succès du cinéma X dans les vidéoclubs et sur Canal+. Rollin marque le passage de l'artisanat de la pornographie à son industrialisation, de la petite production à la finance internationale. C'est dans ces tours, qu'elles se dressent à Paris, New York ou Los Angeles, que s'élabore désormais le marché des divertissements du sexe dont le cinéma n'est plus qu'un fragment. Pourtant, ces hommes d'affaires n'ont pas réussi à effacer complètement cette mémoire. Il est probable qu'ils n'ont pas compris quelles subversions portaient en eux les films de Rollin, rediffusés sans cesse sur les chaînes câblées pour remplir d'obscurs quotas de production française. On les attrape parfois au cœur de la nuit : *La vampire nue* (1970), *Le frisson des vampires* (1971), *Les lèvres de sang* (1975) ou *La morte vivante* (1982). Le plus blême de tous, *La Nuit des traquées*, on le connait par cœur et on en regarde à peine les images. Mais on écoute la voix de Brigitte Lahaie qui vient désormais d'une autre époque et d'un autre monde. Elle nous accompagne tout au long de cette nuit blanche qui au petit matin nous laisse toujours un peu paumé.

Elle, la scandaleuse

Rencontre avec Brigitte Lahaie

Entretien réalisé par Simon Laperrière

Actrice française ayant œuvré dans le milieu du cinéma pornographique dès les années 70, Brigitte Lahaie a également interprété de nombreux rôles pour des cinéastes cultes comme Jess Franco, Gérard Kikoïne et, bien sûr, Jean Rollin, le réalisateur à qui elle doit principalement sa notoriété. Les nostalgiques de *Bleu nuit* se souviendront d'elle pour ses apparitions dans *On se calme et on boit frais à Saint-Tropez* et *La brigade des mœurs* de Max Pécas ainsi que *L'exécutrice* et *Si ma gueule vous plaît...* de Michel Caputo.

Depuis plus de 10 ans, Brigitte Lahaie anime quotidiennement *Lahaie, l'amour et vous*, une émission de radio diffusée sur la chaîne RMC. C'est avec générosité qu'elle nous a reçus dans son studio d'enregistrement à Paris afin de revenir sur son parcours scandaleux.

Qu'est-ce qui vous a amenée à travailler dans le X ?

B.L. : Je suis issue d'un milieu très petite bourgeoisie, très morale judéo-chrétienne, et j'avais une grande pulsion de vie. J'ai eu envie de ruer dans les brancards, de bousculer un peu cette éducation que j'ai eue. Le hasard a fait qu'on m'a proposé de tourner dans un premier film, ce qui correspondait à mon côté rebelle. Et vraiment, je ne regrette rien, je suis très heureuse d'avoir connu ça et je suis très contente de mon parcours. Aujourd'hui, je peux dire que je sais ce que c'est que le sexe et ça continue à me passionner, même si je me suis beaucoup assagie sur le plan du corps. Sur le plan de l'esprit par contre, ça reste quelque chose qui me passionne toujours autant.

C'est sur le plateau de *Vibrations sexuelles* que vous avez rencontré Jean Rollin, cinéaste qui occupe une place très importante dans votre carrière de comédienne.

B.L. : Je l'ai rencontré sur l'un de mes premiers films pornographiques et tout de suite, il m'a dit : « Je vais te faire tourner dans un film traditionnel. » Je ne l'ai jamais trop cru, jusqu'au jour où j'ai joué dans *Les raisins de la mort*. Ça m'a fait beaucoup de bien de tourner mes premiers grands rôles avec Jean. Les films valent ce qu'ils valent, ils sont très atypiques, mais j'ai une vraie tendresse pour ces quelques longs tournés avec lui. Il a son propre univers. On aime ou on déteste, mais il m'a bien mise en valeur et ça reste de très bons souvenirs de tournage, même si ce n'était pas toujours facile parce qu'il faisait froid et que l'on avait très peu de jours pour tourner.

Ce plan de *Fascination* où vous tenez la faux, c'est en quelque sorte l'emblème de tout le cinéma de Jean Rollin.

B.L. : Elle est magnifique cette image, elle est très symbolique, c'est la mort. J'ai longtemps été sa muse et il y a deux ou trois projets qui n'ont malheureusement jamais vu le jour, notamment un très beau rôle dans un film qui se serait appelé *Bestialité* où une femme se transformait en bête sauvage. L'univers de Jean Rollin traite de ce qu'il y a dans la vie, dans la mort, dans l'être humain. Ça correspond aussi d'une certaine manière à mon univers.

Vous lui êtes restée fidèle en apparaissant dans ses œuvres tardives.

B.L. : Je suis très fidèle aux gens qui m'ont aidée dans un moment ou l'autre de ma vie. Chaque fois que Jean m'a demandé de jouer, de faire une apparition dans un de ses films, j'ai toujours répondu présente. Ça me paraissait normal. Même si c'était un tout petit rôle, j'étais toujours là.

Pour revenir à votre participation dans *Les raisins de la mort*, cette transition entre le *hard* et le bis s'est-elle faite naturellement ?

B.L. : Oui, à l'époque, j'étais ravie quand j'étais devant une caméra. J'étais très exhibitionniste et tourner un film porno ou tourner un film traditionnel, j'avoue franchement que je ne faisais pas vraiment la différence. Je ne prenais ni l'un ni l'autre au sérieux. Ça m'amusait, j'étais heureuse et tout allait bien. Pour les comédiens avec lesquels j'ai tourné, que ce soit sur *Les raisins de la mort* ou *Fascination*, c'était une autre histoire. Dans *Fascination*, par exemple, il y avait des acteurs qui n'avaient évidemment jamais fait de porno et qui ne voulaient absolument pas que leur nom figure sur la même affiche que moi, alors vous voyez bien à quel point c'était complexe, parce que j'avais quand même le rôle principal. Mais là-dessus, Jean n'a pas cédé.

Dans les années 80, parallèlement à tous les films que vous avez tournés avec Jean Rollin, vous avez fait un détour vers des productions plus classiques avec, entre autres, un film réalisé par Alain Delon. Pourquoi cette décision de laisser le X derrière vous ?

B.L. : En fait, en 80, j'en avais marre. J'avais envie d'arrêter le cinéma pornographique. Par des concours de circonstances, j'ai eu l'occasion de tourner dans différents films dont *Pour la peau d'un flic* avec Delon. Bon, comme je dis toujours, j'ai tourné des petits rôles dans de grands films ou des grands rôles dans de petits films. Finalement je n'ai pas eu une carrière cinématographique extraordinaire, mais ça ne m'a jamais posé de problèmes de toute façon. Je dirais franchement que j'ai accepté ce qu'on me présentait.

C'est également à cette époque que vous avez interprété des rôles dans deux films de Max Pécas (*On se calme et on boit frais à Saint-Tropez* et *La brigade des mœurs*) et deux de Michel Caputo (*L'exécutrice* et *Si ma gueule vous plaît...*).

B.L.: Oui, c'est vraiment deux réalisateurs totalement différents. Max Pécas, c'était un réalisateur très «vieille France», même s'il a fait des films un peu *space* et plutôt de série B. Il avait un côté un peu Claude Chabrol. Tout était préparé. Avec Michel Caputo, c'était plus *fun*. J'ai beaucoup aimé tourner *L'exécutrice*, c'est un très très bon souvenir. Michel Caputo était un jeune réalisateur qui aurait pu avoir une meilleure carrière, mais lui aussi a tourné des films pornographiques sous un pseudonyme et je pense que ça l'a beaucoup marqué.

Ce qui est étonnant lorsque l'on se renseigne au sujet d'*On se calme et on boit frais*, c'est de voir tout le drame qui a entouré la production du film. De la mort de son scénariste Claude Mulot, décédé durant le tournage, à l'échec du film au *box-office* qui a entraîné la faillite de Max Pécas. Est-ce que vous retenez quoi que ce soit de ces incidents de parcours?

B.L.: Franchement, le film est très démodé au moment où il sort. Il tient la route et il n'est pas plus nul que d'autres qui ont fonctionné, mais c'est un film qui aurait dû sortir 10 ans plus tôt. Et c'est pour ça qu'il a été mal accueilli par les critiques. De toute façon, chaque fois que Max Pécas faisait un film, il avait de mauvaises critiques. Mais le public n'y est pas allé et le problème du cinéma, c'est que ça coûte cher à produire et quand, surtout à l'époque, ça ne marchait pas, ça ne marchait pas. Aujourd'hui, il y a beaucoup de chaînes télé. À l'époque, il n'y avait pratiquement pas de vidéo. Quant à Claude Mulot, c'est un concours de circonstances assez dramatique.

En 1987 vous publiez *Moi, la scandaleuse*, votre autobiographie. Qu'est-ce qui vous a motivée à écrire ce livre?

B.L.: J'avais tourné *Joy et Joan*, un film érotique qui avait beaucoup marché. J'avais eu une couverture médiatique importante et chaque fois, les journalistes me reposaient des questions sur mon passé. C'était à une époque où j'avais un peu envie de tourner la page, mais il n'y avait rien à faire, c'était sans arrêt les questions qu'on me posait. Le scénariste de *Joy et Joan*, qui était l'auteur des livres *Joy* dont a été tiré le film, m'a dit: «Sors un bouquin et avoue franchement au grand jour.» Cela a tout de suite eu du sens pour moi, parce que j'assume ce que je fais. Tout mon entourage était contre et me disait : « Mais tu donnes la balle pour te faire massacrer.» Et en fait, il y a eu un concours de circonstances extraordinaire : le livre est sorti, j'ai eu la bonne idée de l'envoyer à Bernard Pivot, parce que j'avais un ami qui le connaissait bien et qui m'avait dit « je vais lui en toucher deux mots on sait jamais» et finalement, Pivot m'a invitée à *Apostrophe*. Du coup, c'était devenu tout à fait acceptable de m'inviter, j'ai eu une couverture médiatique pour ce bouquin qui m'a fait passer de l'ombre à la lumière, et je suis devenue très, très, très connue du grand public. Même ceux qui n'avaient jamais vu de films pornographiques m'ont connue grâce aux émissions de Patrick Sébastien et aux émissions sur RTL des *Grosses têtes* qui est l'une des plus populaires en France. Cela m'a apporté une notoriété qui n'a fait que grandir. Je suis devenue « la femme libérée qui peut parler de sexe de manière intelligente». Ce livre m'a énormément apporté.

Et c'est cette notoriété qui vous a menée du cinéma à la radio ?

B.L. : Oui, mais c'est quand même un parcours un peu long. Ce livre est sorti en 1987 et j'ai fait ma première émission de radio sur RMC en 2001. Il s'est quand même écoulé 14 ans. Mais entre temps, j'ai fait autre chose, j'ai travaillé sur une chaîne X, la chaîne XXL où j'animais une émission dans laquelle les gens parlaient de leur sexualité.

Est-ce que vous voyez une différence entre parler de pornographie et de sexualité ?

B.L. : Bien sûr, ça n'a strictement rien à voir. La pornographie, c'est deux organes génitaux qui se rencontrent, et qui font boum boum. C'est tout. Il n'y a pas de sentiments, pas d'émotions, on reste dans quelque chose de purement anatomique. C'est du sexe. La sexualité humaine, c'est des émotions, du psychisme, c'est pour ça que c'est si compliqué et, si on résume la sexualité au sexe, ça ne veut plus rien dire. C'est pour ça qu'il ne faut pas confondre le sexe et la sexualité.

Le slogan de votre site web «Le sexe sans tabou» semble bien décrire votre position par rapport à la sexualité.

B.L. : Oui. En même temps, les tabous, c'est obligatoire. Quelqu'un qui me dit «je n'ai pas de tabou» et qui n'en a véritablement aucun, il faut le faire enfermer, c'est un grand pervers. On a tous des tabous et heureusement, je dirais. Il y a des tabous indispensables comme le tabou de l'inceste, le tabou de la mort. Mais, en même temps, c'est un slogan qui montre bien que malgré tout, si on a trop de tabous, si on n'ose pas faire une fellation, c'est vrai qu'on se limite beaucoup dans sa sexualité.

Parlant de tabous, croyez-vous que la légitimation de la pornographie est encore un combat ou est-ce qu'elle a trouvé ses lettres de noblesse, qu'elle est mieux assumée ?

B.L. : C'est compliqué parce que le problème de la pornographie, c'est qu'elle montre du sexe que les gens ne peuvent pas faire eux-mêmes. Comme les gens copient la pornographie, ils en font de plus en plus et donc la pornographie doit aller de plus en plus loin. Et aujourd'hui, elle est un peu extrême. Un gamin de 14 ans qui tombe sur un film porno de mon époque, ça ne va pas le traumatiser, mais il y a des choses très, très dures aujourd'hui dans la pornographie – je pense par exemple au *fistfucking* ou à des choses comme ça. Si c'est des adultes qui ont une sexualité assez mature qui voient ça, c'est pas trop grave, mais si c'est un jeune adolescent qui n'est pas encore très bien construit ou éduqué, ça peut lui donner des fantasmes violents. Ce qui est un peu dommage, c'est que l'on n'a pas réussi à créer une pornographie «érotique», c'est-à-dire une pornographie où on mettrait un peu d'émotions, un peu de sentiments. On est soit dans des films traditionnels où, finalement, il n'y a pratiquement jamais de scènes de sexe ou c'est vraiment très édulcoré, ou alors, on va dans des pornographies très, très fortes. C'est pas mon combat, mais je pense néanmoins que quand un enfant a eu une éducation et qu'il a été élevé dans l'amour et dans des repères assez stables, quand il verra son premier film pornographique, il s'en sortira quand même plutôt bien. Il ne faut pas non plus dramatiser.

C'est intéressant ce que vous dites parce que ce que l'on retient des films présentés à *Bleu nuit*, qui étaient majoritairement des films *softcore*, c'est la présence d'émotions. Bien souvent, il s'agissait de femmes amoureuses allant à la rencontre de leur amant. C'est un attrait que l'on perd aujourd'hui dans la pornographie contemporaine.

B.L. : Oui, on passe directement à des scènes de sexe qui s'enchaînent et c'est un peu embêtant, parce que la pornographie aujourd'hui est principalement utilisée comme support masturbatoire, elle n'est plus du tout utilisée comme support fantasmatique. C'est très ennuyeux, parce que ça limite encore plus la fantasmatique érotique de l'humain, et ça rend sa sexualité très pauvre, parce qu'il y a pas 36 000 choses qui donne une richesse à la sexualité, c'est le ludique, si l'on sait s'amuser dans sa sexualité, l'imaginaire, si l'on sait faire fonctionner son esprit, ou alors le sacré, si l'on sait donner du sens à sa sexualité. Donc si le rôle de la pornographie est de faire fonctionner l'imaginaire, ou éventuellement le ludique ou le sacré, je n'y crois pas trop. On voit bien qu'une pornographie qui ne montre que des vagins et des verges qui s'emboîtent propose un imaginaire assez limité.

L'imaginaire est remplacé par une sorte de mécanique des corps...

B.L. : Oui voilà, on appauvrit la sexualité humaine, et c'est dommage parce qu'au départ, je pense que la pornographie l'a enrichie. Elle avait ce rôle-là, elle a libéré la sexualité, elle a libéré les fantasmes, il y a plein de gens qui ont osé faire des choses parce qu'ils les ont vues sur l'écran. Et là, on l'a beaucoup appauvrie puisque l'on montre des trucs où il n'y a plus de fantasmes. Ou alors, ce sont des fantasmes très violents qui ne sont pas conseillables.

La pornographie aurait donc une part de responsabilité.

B.L. : C'est l'histoire de la poule et de l'œuf. La société d'aujourd'hui a envie de cette pornographie de consommation. Après, est-ce que c'est la pornographie de consommation qui est responsable de la sexualité des gens ou est-ce que c'est la sexualité des gens elle-même ? C'est très lié et c'est compliqué parce que l'on voit bien que l'art, au sens large du terme, que ce soit le cinéma pornographique, le cinéma traditionnel, la musique, etc., est presque toujours un petit peu en avance sur l'inconscient collectif. Je pense que si la pornographie est devenue violente, c'est aussi parce que la libération sexuelle n'a pas eu lieu. Malheureusement, il aurait fallu qu'il y ait une vraie prise de conscience de ce que l'on est et de ce que ça veut dire d'être un homme et d'être une femme. Aujourd'hui, indépendamment de la sexualité, les gens n'ont pas envie de devenir matures. Je l'entends, tous les jours, du moins en France. Il y a une guerre des sexes qui est en train de prendre de l'ampleur. Qu'est-ce que font les hommes, puisqu'aujourd'hui les féministes se font un peu trop castrantes? Eh bien, ils se vengent dans la sexualité et dans la pornographie.

Comment se sent-on lorsque l'on est devenu, du moins pour les anciens spectateurs de *Bleu nuit*, l'une des figures de toute une cinéphilie nocturne?

B.L.: Je crois que cela m'a beaucoup réparée, narcissiquement parlant. Adolescente, j'étais persuadée que j'étais une femme pas très belle, peu désirable. J'ai eu sans doute beaucoup de mal avec mon père, alors que je sais aujourd'hui qu'il m'adorait, mais à l'époque il n'a jamais démontré le moindre intérêt pour la jeune femme que je pouvais être. Ça a été une belle revanche d'être une sorte d'objet de désir comme ça pour autant d'hommes. Après, je dirais que je m'en amuse plutôt. Ça a été une période de ma vie où j'ai beaucoup joué là-dessus. Moi, je ne m'en rendais pas compte, mais, quand j'allais à un dîner, j'étais toujours habillée de manière tellement provocante que toutes les femmes me détestaient. Aujourd'hui, avec le recul, quand je regarde mes films ou des photos de moi à 20 ans, c'est vrai je suis très, très belle, mais en même temps, ce qui est frappant, c'est ce regard. J'ai un regard très dur, très fermé et on voit bien toute la souffrance qu'il y a derrière. Mais vous savez, quand une femme fait ce que j'ai fait, c'est qu'elle a besoin d'amour. J'ai été comblée.

Paris, le 20 novembre 2013

Transcription: Marie-Pier Sansregret

Édition: Renaud Plante

Dr Hippolyte & Mister Dark
Colin Vettier

Né le 12 juillet 1957 à Los Angeles, Gregory Hippolyte Brown peut aujourd'hui se targuer d'avoir eu une carrière pour le moins atypique, à l'image de ses dédoublements de personnalités artistiques. Parmi les multiples expressions de son art, le réalisateur a été particulièrement prolifique dans le thriller *softcore*, genre avec lequel le spectateur de *Bleu nuit* est plus familier. L'émission a compté de nombreuses diffusions des films de Gregory H. Brown, notamment, les séries *Le miroir aux passions* (1992-1993) et *Jeux secrets* (1992-1994).

Après des études en art conceptuel en Californie, Brown étudie le documentaire à l'Université de New York (NYU) et se fait embaucher par NBC, où il monte de petits segments documentaires pour l'émission *White Papers*[1]. La carrière de Gregory H. Brown prend un tournant décisif lorsqu'il réalise et coproduit le documentaire *Fallen Angels* (1985) qui s'intéresse à l'industrie du divertissement pour adultes. Produit pour Vestron Video, le film est un exemple parmi tant d'autres d'exposés antipornographiques commandés par un distributeur à tendance *sexploitation*[2], laquelle consiste, ni plus ni moins, à condamner la pornographie tout en en montrant suffisamment de nudité pour pouvoir capitaliser sur son pouvoir raccoleur. L'un des producteurs du film, Richard Lerner, qui avait déjà réalisé un film porno dans les années 70 (*Hot Circuit*, 1971), le présente à Jim South, célèbre agent et recruteur de talents de l'industrie pornographique. Ce dernier organise un casting d'acteurs et d'actrices porno pour *Fallen Angels*. Gregory H. Brown découvre pendant le tournage de ce film que les réalisateurs X n'y connaissent rien en cinéma. Inspiré, il se croit capable de faire mieux.

1   Porn Director's *Podcast* épisode 013 avec Gregory Dark, 27 novembre 2013 : http://www.porndirectorpodcast.com/main/2013/11/27/episode-013-with-gregory-dark/
2   David Andrews, *Soft in the Middle: The Contemporary Softcore Feature in Its Contexts*, Ohio State University Press, 2006, p. 135.

DARK BROTHERS : LA PART SOMBRE HAUTE EN COULEURS

Pour les besoins de *Fallen Angels*, Brown interviewe Walter Gernert, un associé de Russell Hampshire qui est président et fondateur de VCA[3]. Cette rencontre sera décisive. Ensemble, ils fondent les Dark Brothers, dont la devise officielle annonce clairement les couleurs : « purveyors of fine filth » (fournisseur de bonne cochonnerie). Gregory réalise et Walter produit.

Leur première collaboration, *Let Me Tell Ya 'Bout White Chicks* (1984), pose les jalons de la carrière de « Gregory Dark ». Le film piétine allègrement les tabous (notamment celui du sexe dit « interracial ») et plonge à bras raccourcis dans la caricature extrême. Si Brown/Dark s'est intéressé au cinéma pour adultes, c'est parce qu'il souhaitait « faire de la pornographie antiérotique, où les êtres humains ne seraient que de dégoûtants morceaux de viandes interprétant des pièces de théâtre surréalistes similaires à celles d'Alfred Jarry, mais en vidéo[4]. » La carrière XXX de Brown est ainsi marquée par ces influences surréalistes. Il n'hésite pas à présenter sciemment une vision outrancièrement misogyne, dégradante et agressive du sexe au spectateur[5]. Sur le fond, les Dark Brothers explorent les limites du politiquement incorrect et poussent le bouchon toujours plus loin. Ils choquent à nouveau avec *Let Me Tell Ya 'Bout Black Chicks* (1985, coscénarisé avec Antonio Passolini) et sa scène où deux membres du Ku Klux Klan ont un rapport avec une jeune femme noire, le tout assaisonné de commentaires racistes.

Si les frères Dark portent un regard irrévérencieux envers leurs contemporains, ils n'oublient heureusement pas de parsemer le tout d'une dose d'humour décalé, voire dégénéré. Pour appuyer son propos, Brown s'amuse en utilisant des décors déformés et absurdes, des effets sonores évoquant les animaux (bruits de porcs, ronronnements, etc.) et de véritables chansons dont les paroles allient humour et provocation. Plus encore, il dirige ses

---

3   Video Corporation of America : distributeur puis producteur spécialisé dans le matériel pornographique – aujourd'hui partie de Larry Flynt Publications.
4   Linda Ruth Williams, « Interview : Director Gregory Dark », dans *Erotic Thriller in Contemporary Cinema*, Indiana University Press, 2005, p. 277.
5   « J'aimerais contribuer à précipiter la chute de la moralité des États-Unis... Je veux faire des trucs tels que si un chrétien de droite allume la télé et tombe dessus, il veuille se tuer. » Voir Ruth Williams, *op. cit.*, 2005, p. 92.

acteurs non comme un metteur en scène dirige ses comédiens, mais plutôt comme un sculpteur modèle l'argile. Il dit lui-même : « J'étais doué pour obtenir des gens qu'ils se comportent comme des animaux ! J'étais doué pour détruire toute leur socialisation, tout ce que leurs parents leur avaient appris. [...] J'étais doué pour filmer ce moment où l'humain devient quelque chose d'autre qu'un humain[6]. »

En regardant ses films, la question se pose à savoir si l'artiste n'a pas retiré l'attrait masturbatoire de la pornographie pour signer des œuvres non pas antiérotiques, mais ouvertement antisexuelles. Cette approche sans concession s'est toutefois butée aux limites de l'industrie du divertissement pour adulte. Malgré un succès indéniable, un nombre insuffisant de jours de tournage et des équipes peu talentueuses suffisent pour convaincre Gregory Dark de quitter le cinéma X (il y reviendra ponctuellement par la suite). C'est ainsi que Gregory Hippolyte Brown devient Gregory Brown et Jon Valentine, ses alter ego « grand public », puis Gregory Alexander Hippolyte.

LA FACE ROSE DU RÉALISATEUR

Sous le pseudonyme Gregory Brown, il signe *In Search of... the Perfect '10'* (1986), un *documenteur* dans lequel Farley Buxton écume les rues d'une petite ville à la recherche de la femme parfaite. Il enchaîne avec *Dead Man Walking* (1988) et *Street Asylum* (alias *S.Q.U.A.D*, 1990) deux séries B mélangeant allègrement les genres (science-fiction, thriller, action, etc.). Sous son pseudonyme de Jon Valentine, il signe *Night of the Living Babes* (1987), une comédie où deux yuppies à la recherche d'un bordel se retrouvent pourchassés par des zombies nymphomanes. Au début des années 90, il décide de mettre fin à sa parenthèse série B pour retourner explorer la sexualité à l'écran par le biais du *softcore*.

En 1986, le succès de *9 semaines 1/2* (Adrian Lyne) ouvre les portes du thriller érotique. Pour Gregory Alexander Hippolyte : « La plupart des projets de Zalman King étaient passables ; mais j'ai bien aimé *9 semaines 1/2*[7] et j'ai pensé que peut-être il y avait là une

---

6   Tom Junod, « *The Devil in Greg Dark* », *Esquire*, 2001, http://www.esquire.com/
    ESQ0201-FEB_Greg_Dark_rev
7   Zalman King en était l'un des coscénaristes

place pour essayer et explorer quelques choses[8]. » C'est ainsi que s'amorce la carrière de Gregory A. Hippolyte, pionnier du thriller *softcore* et ce que *Bleu nuit* retiendra de la carrière du réalisateur aux multiples visages.

Au milieu des années 80, la chaîne Blockbuster explose littéralement et s'empare du marché de la location vidéo. Une règle toutefois : pas de cassettes sexuellement explicites sur ses étagères. C'est ainsi que Walter Gernert (ex-Walter Dark) et Andrew Garroni, accompagnés de Brown, décident de fonder Axis Films. L'objectif est alors d'occuper un marché de niche avec une production récurrente de thrillers *softcore* et une distribution de type *direct-to-video*. Brown est la force créatrice tandis que Gernert et Garroni occupent les fonctions rattachées à la production et à la vente commerciale. La création d'Axis Films repose sur un modèle similaire à celui créé par Samuel Z. Arkoff avec American International Pictures (modèle popularisé par Roger Corman, réalisateur et producteur maison), soit : des coûts de production limités, de jeunes réalisateurs libres de faire ce qu'ils veulent du moment qu'ils s'en tiennent au genre fixé par la production et une distribution à grande échelle. Ainsi, « en tant que producteur de premier rang dans les thrillers *softcore*, Axis Films a non seulement été un pionnier du genre, mais a aussi contribué à rationaliser sa production[9]... »

Ces films appartiennent au sous-genre du thriller *softcore*, héritier lointain du film noir. Cette influence est particulièrement frappante dans *Ondes lascives* (1992) où l'on retrouve les figures archétypales du genre : le héros ténébreux et la femme fatale. Même la photographie du film est hyper référentielle, tout en clairs obscurs[10]. Cette imagerie a été immédiatement privilégiée par le DTV, notamment parce qu'elle offrait un style identifiable et, surtout, intégré depuis longtemps à la culture populaire. De ce fait, le film noir légitimait l'aspect *sexploitation* des films[11]. Or, l'une des caractéristiques du film noir est une misogynie prononcée.

---

8   Linda Ruth Williams, *op. cit.*, 2005, p. 277.
9   David Andrews, *op. cit.*, 2006, p. 147.
10 Gracieuseté de Wally Pfister, directeur de la photographie de nombreux films d'Hippolyte (notamment la série des *Jeux secrets* diffusée à *Bleu nuit*) et chef opérateur attitré de Christopher Nolan depuis *Insomnia* (2002).
11 David Andrews, *op. cit.*, 2006, p. 140.

La formule développée dans ses *softcore* cherche à contourner ce problème.

Ses films tenant pour acquis que les combats féministes ont été menés à bien, Brown s'inscrit dans un paradigme postféministe dérangeant. David Andrews le résume dans un ouvrage consacré au *softcore*:

> [...] beaucoup des films d'Axis Films se concentrent sur une riche femme mariée que le manque d'épanouissement conduit à l'adultère [...]. À l'instar des thrillers érotiques cinématographiques, ils négligent les risques de l'infidélité. Mais ils soulignent que le manque d'épanouissement sexuel est tout aussi risqué et ses héroïnes sont rarement «punies» pour leur adultère, ce qui les distingue des films à gros budget [...] Ces thrillers softcore vont même jusqu'à suggérer que l'infidélité permet aux femmes d'atteindre certains idéaux traditionnels[12].

De fait, les productions maison (notamment les franchises *Le miroir aux passions, Jeux secrets* et *Instinct animal*) traitent l'adultère féminin comme un vecteur d'épanouissement. Les belles bourgeoises qui peuplent les films de Brown s'ennuient à mourir, délaissées par leurs maris trop occupés à gagner de l'argent (un politicien dans *Le miroir aux passions,* un architecte dans *Jeux secrets...*). Souvent, le chemin le plus court vers la plénitude est la prostitution sous la forme de «parties fines» organisées dans de luxueuses maisons (*Jeux secrets I* et *III*). Inversement, l'adultère masculin est l'apanage des lâches et des «méchants».

Le schéma narratif varie rarement: l'insatisfaction pousse la femme à l'adultère. Ce faisant, elle est confrontée à une menace extérieure (maître chanteur, tueur, escroc), mais tout est bien qui finit bien puisque le mari négligent lui pardonne. Si Brown ne s'épargne pas quelques tentatives de le renouveler, le genre permet peu d'écarts. Résultat, plus le spectateur consomme ces films, moins il lui est possible de les distinguer les uns des autres. Chacun semble n'être que la copie carbone du précédent.

12   *Ibid*, p. 147.

Dans ce carcan, l'artiste est à l'étroit. Mais ce qui le contrarie, c'est avant tout l'impossibilité de développer une intrigue digne de ce nom. Ce défaut est selon lui inhérent au *softcore*, « qui comporte des scènes de sexe simulé, durant de deux à trois minutes qui finissent par détruire la progression de l'histoire d'un point de vue structurel[13]. » Avant de se retirer définitivement du genre, il tourne *Instinct animal III* (jamais diffusé à *Bleu nuit*). Le film relate la relation d'interdépendance entre une auteure exhibitionniste et un lanceur de couteaux prétendument aveugle et voyeur. Au-delà de cette idée farfelue, le dernier *softcore* d'Hippolyte renoue avec une mise en scène qui flirte gentiment avec un cinéma plus audacieux (décadrages, inserts atypiques de très gros plans...).

Alors pourquoi avoir persévéré à faire des thrillers *softcore* jusqu'en 1996 ? Parce que Brown espérait qu'« [Axis] devienne autre chose, et ce n'est jamais arrivé. J'avais espéré que l'on réalise de temps à autre des thrillers érotiques, des films *softcore* mais aussi des films d'horreur et d'autres genres. Au final, je suis parti et j'ai commencé à réaliser des vidéoclips[14]... »

LE RETOUR DE GREG DARK

C'est dans l'industrie de la musique que l'alter ego créatif et expérimentateur « Gregory Dark » ressurgit. Son passé de pornographe, loin de lui nuire, lui sert de carte de visite. Des groupes de rock, amateurs de ses pornos, font appel à lui pour leurs vidéoclips : les Melvins (*Bar-X-the Rocking M*), Sublime (*Wrong Way*) puis Linkin Park (*One Step Closer*). En 1999, Brown, véritable créateur iconoclaste dont les horizons ne cessent de s'élargir, se retrouve aux commandes du clip *From the Bottom of My Broken Heart* de Britney Spears. À cette époque, la jeune icône de la pop capitalise encore sur son image de petite fille modèle. Lorsque la maison de disques de la chanteuse découvre le passé de pornographe de Brown, elle refuse de travailler à nouveau avec le réalisateur. Mais peu importe, sous ses multiples visages, Brown a malgré tout réussi à marquer le monde de la vidéo.

---

13   Ruth Williams, *op. cit.*, 2005, p. 278.
14   Non sans avoir fait quelques nouvelles bizarreries pornographiques telles que *The Devil in miss Jones 5* (1995) et *Sex Freaks* (1996).

La gloire et les burnes :
David Duchovny & *Les escarpins rouges*
Ralph Elawani

I

« Ainsi le mouton, sur le flanc, dans le pré, agonise et broute encore »

Louis-Ferdinand Céline, Voyage au bout de la nuit

D'entrée de jeu, il y a l'homme. La rosette. La moue. Le nez. Une suite de rôles dans des films et téléfilms parfois envoyés *ad patres* au cimetière de la sortie vidéo directe, soustraits à la vue d'une bonne partie du public cinéphile, même si à l'ère du 2.0, rien ne peut être oublié. La plupart du temps, des rôles tapis dans l'ombre des *X-Files*. Des productions oubliables, mais aussi des apparitions épisodiques plus fumantes (*Zoolander*, *Twin Peaks*, etc.). Sorti des *X-Files*, David Duchovny est l'antipode d'un acteur culte. Un produit du début des années 90, un yuppie immortalisé par des scènes de gambades en costume couleur écru. Ne sont pas légion ceux qui prendraient une balle pour Duchovny en raison de ses performances d'acteur.

Fort d'une éducation enviable (Princeton et Yale, doctorat en lettres jamais complété) et d'une fortune personnelle commensurable, l'alter ego de Fox Mulder, Hank Moody, Jake Winters et Dennis Bryson ne m'apparait néanmoins pas comme un homme ayant réussi, comme un acteur dont le parcours incarne une équivalence à la devise « le joint mène à la seringue ».

Ayant personnellement été chapitré de cet adage durant mes années en sous-sol périurbain. La réaction d'un individu qui s'exclama un jour au passage d'un cône : « non merci, si je fume, je vais devoir trouver de la poudre », éveilla en moi un sentiment d'une inquiétante étrangeté, lorsque j'appris quelques mois plus tard que Duchovny – dont j'avais cru, enfant, être le seul à connaître l'obscène secret diffusé à TQS sous le titre *Les escarpins rouges* – s'était rendu de son plein gré en centre de réadaptation, pour y traiter ses problèmes de sexomanie.

À l'aune des commentaires de quelques présentateurs de nouvelles qui se ruèrent sur l'annonce, la question pourrait se révéler être : Duchovny a-t-il déjà été, aux yeux du public, plus que ses personnages ? Qui plus est : que peut-on tirer comme leçon du cas Duchovny ? Ou bien encore : à partir de quel seuil doit-on se rendre en thérapie pour sexomanie ? Par-dessus tout : quelle influence la participation de David Duchovny à la série *Les escarpins rouges* a-t-elle pu avoir sur ses comportements sexuels ? Le quidam à la moue de catalogue de coupes de cheveux serait-il analogue au personnage qu'il incarne dans la série *Californication* ? Un homme de lettres mû par les méandres de ses pulsions inassouvies. Un fornicateur. Un inguérissable de la haute voltige sexuelle.

Loin de moi l'idée de tracer une corrélation savante entre la gaudriole, l'herbe de la paix et une pathologie dont j'ignore les grandes lignes. Toutefois, mon intention, s'il en est une, est de souligner à quel point on peut presque s'émouvoir de la perfection du « juste châtiment » qui semble avoir accablé Duchovny.

II

« Pour qu'un message publicitaire soit perçu, il faut que le cerveau du téléspectateur soit disponible. Nos émissions ont pour vocation de le rendre disponible : c'est-à-dire de le divertir, de le détendre pour le préparer entre deux messages. »

Patrick Le Lay, ancien PDG de TF1

David Duchovny ne fut jamais, à mon sens, autre chose que le partenaire de Dana Scully. Et les *X-Files* ne furent jamais, pour moi, plus qu'une escobarderie visant à repousser l'heure du coucher – on voit ici toute l'innocence du préadolescent face à l'instant du coucher et à la sphère de l'intimité qui se présente à lui. Sa posture est encore celle d'un individu désirant prouver à ses comparses écoliers que son heure de coucher est plus tardive que la leur.

J'eus cependant, comme mentionné préalablement, une pensée pour Duchovny, le jour où je le *surpris* à incarner Jake Winters, le lascif narrateur épluchant les épisodes torrides des journaux intimes de femmes partageant leurs fantasmes dans la série *Les escarpins rouges*; un homme qui m'apparaissait identique à Fox Mulder, pour la simple raison que *Bleu nuit* se regardait avec le volume à 0, 1 ou 2.

Aux yeux des insomniaques qui attendaient la brèche qu'incarnait *Bleu nuit* dans le tissu télévisuel, les épisodes de rapports intimes étaient ce que la publicité représentait pour Patrick Le Lay, lorsqu'il formula l'illustre phrase à laquelle il sera associé *ad vitam aeternam*. Car, bien que *Bleu nuit* présentât bon nombre de films d'auteur, les jeunes amateurs guidés par les flux sanguins de leur nubilité les visionnaient avec les mêmes yeux qu'un comptable survole les déclarations de revenus d'un membre en règle de l'Ordo Templi Orientis et d'un pilote de brousse, c'est-à-dire, en ne s'attardant qu'aux parties qu'il recherche et en faisant fi du reste.

Et quel reste! Dans sa version française, dont le doublage peu inspiré n'aidait en rien, *Les escarpins rouges* – et plus particulièrement son pilote, qui s'efforçait de tenir lieu de colonne à la série – présentait une remarquable mise en corps d'un détournement d'une idée chère au cinéaste Robert Morin: utiliser des non-acteurs afin de révéler chez eux l'idée qu'ils peuvent se faire du rôle d'un acteur et de la manière de jouer des personnages.

Mais, n'étaient-ils pas tous des acteurs professionnels?

Oui, bien sûr, y compris la Montréalaise Brigitte Bako, qui se retrouverait plus tard aux côtés de Duchovny dans *Californication*. Toutefois, qui s'est frotté à cette série réalisée par Zalman King (1942-2012) – parrain du divertissement *softcore*, qui à une autre époque joua dans le *Blue Sunshine* (1978) de Jeff Lieberman – s'est sans doute piqué sur une œuvre assez chiche dont la pauvreté vous enlève presque l'envie de devenir sourd[1]. Des personnages cantonnés dans des stéréotypes que les non-acteurs ne peuvent que surexploiter, lorsque placés en situation de jeu. Tout le côté «film» du film porno, sans le porno. Un catalogue aux stéréotypes si criards qu'ils en sont comparables à la démesure des logos sur les vêtements commercialisés à la même époque.

III

«*Tout est bruit pour qui a peur*»

Sophocle

Ces réflexions constituent néanmoins un regard posé sur la série avec des yeux qui furent souillés, au fil des ans, de fange plus compétitive. Pourquoi alors tant de pitié émane donc de Duchovny au moment du (re)visionnement du pilote des *Escarpins rouges* dans sa version française? Eh bien parce qu'au-delà du fait que l'histoire apparait avoir été composée à la machine à piger des peluches, Duchovny m'est toujours apparu comme quelqu'un qui ne méritait pas cette bosse dans son parcours – lequel ne m'empêche nullement de dormir la nuit, ceci dit.

Le fait demeure que *Les escarpins rouges* eut une durée de vie plus que remarquable (cinq saisons) et une répercussion sur l'imaginaire collectif supérieure à des productions dotées de noms plus évocateurs et dont les grands cousins sont généralement friands, dans les faits ou dans l'esbroufe – *Deep in Diana Jones, Alice au pays des pervers*, etc.

L'ironie dramatique réside donc en cette situation au cœur de laquelle on croirait que Duchovny, en faux repentant, en aurait demandé puis redemandé en cachette, jusqu'à se bivouaquer dans cette haute voltige sexuelle dont son personnage de la série *Californication* deviendrait la corporification. Tout cela, jusqu'au jour où l'on réalisa, en employant une sorte d'ironie frisant la

---

1 Note: Croyance populaire s'étant quelque peu étiolée à travers les âges (faute de bases empiriques et en raison de la prolifération de sources fiables d'information sur la santé, telles les forums en ligne), l'auteur de cet essai se voit dans l'obligation de préciser au lecteur que cette référence à la surdité se veut en lien direct avec l'affirmation que l'onanisme peut entraîner des séquelles permanentes telles la perte de l'ouïe, la poussée de verrues sur les parties génitales ou la pilosité des paumes de la main.

punition *deus ex machina,* que la vie imite l'art et que Duchovny se serait lui-même livré à la «police des mœurs», prouvant en définitive que qui s'y frotte s'y pique et que la horde de parents qui-a-déjà-essayé-le-pot-mais-pas-aimé-ça-et-ça-pue-et-ça-mène-à-autre-chose avait raison. Nul besoin de dire que si l'on entraînait cette cohorte de papas et de mamans à étudier avec sérieux ce qui mène à épouser la veuve poignet, la bataille serait perdue pour tous.

Mélodies d'amour
Musique et cinéma érotique
Éric Falardeau

Rêver, danser sur des musiques érotiques
S'aimer, t'aimer encore
Sur des musiques érotiques

Herbert Leonard

S'il y a une chose qui est indissociable de l'expérience du cinéma érotique, c'est sa musique. Signe de son impact dans l'imaginaire collectif, on ne compte plus les nombreuses blagues ou utilisations parodiques de la musique de «fesses» qui se résume pour plusieurs au réducteur «bom chicka wah wah». Ces mélodies d'amour qui bercent tendrement les couples enlacés à l'écran peuvent sembler interchangeables, clichées, voire insipides, mais au-delà des innombrables solos de saxophones et de la froideur éthérée des claviers analogiques, la musique des films érotiques nous convie la plupart du temps à de véritables orgies sonores, définissant notre expérience de spectateurs autant, sinon plus, que les corps offerts à notre regard.

Art des Muses (du latin *musica*), la musique en appelle aux mouvements du cœur et de l'âme. En combinant mélodie, rythme et harmonie, elle agit comme une madeleine et ravive les souvenirs, dirigeant nos émotions et suggérant toujours plus que l'image. Puisque la musique est immatérielle, elle nous enveloppe, nous porte. Actrice invisible dans le cinéma érotique, elle y joue pourtant un rôle capital. En effet, c'est elle qui guide littéralement le spectateur au cœur des passions montrées à l'écran. Elle est plus qu'un emballage sonore, car comme une sirène elle attire et fait sienne même le moins attentif des spectateurs.

Le sujet mériterait un livre entier. L'objectif ici n'est ni de faire une analyse détaillée de l'utilisation de la musique au cinéma[1], ni de répertorier tous les compositeurs et morceaux entendus à *Bleu nuit*. De toute façon, la documentation sur le sujet est quasi

---

1 Pour cela, nous référons le lecteur au travail colossal du théoricien Michel Chion et plus particulièrement à *L'audio-vision: son et image au cinéma* (Paris, Armand Collin, 3ᵉ édition, 2013) et *La musique au cinéma* (Paris, Fayard, 1995).

inexistante et peu de trames sonores ont été publiées ou réédi-tées[2]. Il s'agit plutôt de dresser un portrait général des styles et de l'utilisation de la musique dans le cinéma érotique.

VARIATIONS SUR UN MÊME THÈME

La conception classique du rôle de la musique de film est que celle-ci doit d'abord et avant tout supporter discrètement les images et l'histoire racontée[3]. Sa tâche est de contribuer à l'ad-hésion du spectateur au récit en manipulant subtilement ses émo-tions au gré de celles vécues par les personnages à l'écran. Pour ce faire, les compositeurs ont recours à toute une série de moyens permettant d'arrimer leurs compositions à l'image, que ce soit narrativement, en ponctuant le récit et en appuyant les situa-tions dramatiques, ou formellement, en usant de repères visuels comme points d'entrée ou impulsions rythmiques (une coupe au montage ou une porte qui se ferme sont deux des exemples les moins subtils). La répétition de motifs et les variations sur un même thème participent également à l'atteinte de cet objec-tif puisqu'elles établissent une continuité sonore rendant rapi-dement imperceptibles les compositions. Ainsi, «la pertinence d'une partition dépend bien plus de son "efficacité" et de la qua-lité des relations qu'elle instaure avec les images que de l'écriture musicale proprement dite[4].»

La partition globale du film érotique obéit aux mêmes principes. Sa singularité réside plutôt dans sa manière d'annoncer et d'ac-compagner les scènes de sexe. Longtemps utilisée pour réduire au silence ou reléguer pudiquement en arrière-fond les sons de l'amour – les gémissements, halètements et autres frottements

---

2   Notons l'apport essentiel de quelques *maisons de disques* faisant office de gardiens du phare dans le paysage désertique de la réédition des trames sonores de films érotiques et pornographiques : Vadim Music (France, l'incontournable compilation *Parties fines* en tête), Finders Keepers Records (Angleterre), Light in the Attic Records (États-unis), Cinevox (Italie), Beat Records (Italie), Crippled Dick Hot Wax (Allemagne) et au Québec les Disques Pluton qui ont restauré la délicieusement *funky* bande originale de l'*Après ski* (Roger Cardinal, 1971) du groupe Illustration !

3   Voir Claudia Gorbman, *Unheard Melodies : Narrative Film Music*, Bloomington & Indianapolis, Indiana University Press et London, BFI Publishing, 1987.

4   Gilles Mouëllic, *La musique de film*, Cahiers du cinéma, Paris, 2003, p. 39, coll. Les petits cahiers.

– jugés vulgaires, dégoûtants ou gênants[5], la musique a rapidement été utilisée par les cinéastes et compositeurs désireux de transcender cette fonction purement utilitaire et de proposer, pour reprendre les termes de Georges Mouëllic, une lecture musicale des images.

Le rôle premier de la musique dans le *softcore* est d'amplifier la charge érotique des images. Elle peut être tour à tour dramatique, onirique, lyrique, sulfureuse ou simplement romantique. Peu importe le registre, elle enveloppe les amants dans une bulle hors du temps et de l'espace où les plaisirs du corps sont les rois et maîtres, conférant à l'union charnelle la dimension d'un rituel sacré[6]. Dans ce contexte, la musique fait plus que créer une ambiance. Elle accompagne et participe à la création d'un temps subjectif évoquant celui de la passion amoureuse. Le spectateur assidu sait que les premières notes d'une mélodie annoncent les ébats à venir. Comme le souligne Michel Chion,

> [...] l'acte sexuel soft – c'est-à-dire seulement mimé – est ainsi réduit à une suite de pâmoisons et de caresses comme «hors du temps», et non pas orientées vers un orgasme. La musique instaure un temps ad libitum sans délai précis, et crée un temps statique et rituel d'actes répétitifs[7].

Les plans serrés sur les corps contribuent à isoler les amants du reste du monde tandis que la musique impose une temporalité qui lui est propre ; les amoureux évoluent dans l'instant présent, captifs de leurs passions pour un bref instant et n'existant que par et pour le plaisir de leur sens. De nombreuses séquences débutent

5   En plus d'augmenter l'impression de réalisme des actes présentés à l'écran, le son peut lui-même être extrêmement chargé sexuellement selon l'attention qu'un cinéaste décide de lui accorder. Un gros plan sonore a un effet similaire à son équivalent visuel en ce sens qu'il focalise l'attention sur un détail. Il en va de même pour la répétition ou l'amplification d'un bruit spécifique, qui permettent d'exprimer l'obsession d'un personnage ou encore de traduire son désir et son état d'excitation. Pensons par exemple au souffle rauque des amants Jon Voight et Jane Fonda dans *Coming Home* (Hal Ashby, 1978) ou aux gémissements de Michelle Williams lors de la scène du cunnilingus dans *Blue Valentine* (Derek Cianfrance, 2010). Plus encore, les bruits portent en eux un «devenir-musique» de par leurs sonorités propres. Cette «musique du monde» peut servir à initier ou rythmer les images, transformant une séquence en un acte érotique, comme en témoigne l'envoûtante scène du lave-auto dans *Crash* (David Cronenberg, 1996).

6   Voir la superbe analyse de la musique de *Joy* d'Alain Wisniak par Michel Chion, *op. cit.*, p. 211.

7   Michel Chion, *op. cit.*, p. 211.

avec l'un des partenaires déshabillant l'autre, explorant lentement son corps et le couvrant de baisers tandis que la musique apparaît graduellement pour se déployer complètement lorsque l'acte sexuel est exposé, élevant ces moments au rang d'une véritable communion de la chair. Les nombreuses relations sexuelles dans *Mille désirs* (1996) de Francis Leprince, sur une doucereuse bande originale du compositeur français Oliver Hutman misant sur le piano et les cordes, représentent parfaitement cette mise en image et en son de l'acte sexuel typique du cinéma *softcore*.

Cette impression de flottement hors du temps est fréquemment suggérée à l'image par l'utilisation du ralenti : « Le ralenti d'un mouvement animal ou humain, d'une crinière ou d'une chevelure qui flotte, d'un couple qui se rejoint sur une plage, incarne le plaisir d'une sorte de délai conquis sur la loi de la gravité, de la pesanteur, de la lourdeur[8]. » La musique contribue à la forte sensation de sublime et d'érotisme se dégageant de cet effet stylistique de suspension temporelle, car

> L'écriture musicale, par ses développements, ses mouvements, ses propres figures de composition, ses ponctuations, ses cadences, ses carrures, ses figures rythmiques, structure le temps : accélération et ralentissement, attente et statisme sont les figures les plus conventionnelles appliquées à la musique[9].

Ici, l'association directe de la musique à l'image vient accentuer les plus intenses passions en magnifiant et en amplifiant chaque geste : d'une goutte de sueur descendant lentement le long du dos de la pulpeuse rousse pour se perdre au creux de ses reins aux cheveux dorés d'une jeune fille qui virevoltent et révèlent subrepticement sa nuque. C'est pourquoi de nombreuses trames sonores reposent sur des pièces vaporeuses et planantes faites de notes tenues et irréelles interprétées à l'aide de synthétiseurs électroniques. Dans ce registre, il est impossible de passer sous silence la magnifique pièce *Fascination* de Patrick Juvet pour *Laura, les ombres de l'été* (David Hamilton, 1979) qui parvient à créer une sensation de flottement évoquant la douce euphorie du sentiment amoureux. Juvet utilise même les possibilités du son stéréophonique

8   Michel Chion, *op. cit.*, p. 211.
9   Gilles Mouëllic, *op. cit.*, p. 56-57.

pour appuyer son effet, faisant passer certains instruments d'un canal à l'autre, de gauche à droite. Le brusque retour à la « réalité » est signifié par l'arrêt de la musique et du ralenti.

Malheureusement, l'utilisation de la musique fait souvent basculer les scènes coquines dans une esthétique proche du vidéoclip où elles sont banalement plaquées sur l'image afin d'éviter un travail sur l'environnement sonore et de servir « paresseusement » à rythmer le montage. Pensons aux génériques d'ouverture des thrillers *Jeux secrets* et de *L'escorte* (*Jeux secrets I et II*, Gregory Dark, 1992 et 1993) qui rappellent des vidéoclips comme *Wicked Games* de Chris Isaak ou *I Want Your Sex* de Georges Michael. Dans le premier, la caméra explore langoureusement, en une série de gros plans et de travellings, le corps de Michelle Brin qui se tient debout, nue et immobile, devant un fond noir. La musique de Joseph Smith s'inspire librement du film noir avec sa mélodie inquiétante et son saxophone omniprésent. Le second s'attarde, toujours en gros plan et devant un fond uni, à montrer Amy Rochelle vêtue uniquement de lingerie et de perles qui se caresse lubriquement en se maquillant. La partition d'Ashley John Irwin est cette fois-ci plus rythmée et proche de la musique *house*.

En réalité, une bonne part de la mauvaise réputation associée à la musique du cinéma érotique est attribuable aux compositions mécaniques et répétitives des années 90 (l'âge d'or du *softcore* télévisuel). Presque entièrement composés de manière électronique à l'aide de claviers et de séquenceurs, elles ont cimenté le stéréotype d'une musique interchangeable, produite à la chaîne, bon marché et peu recherchée. L'absence régulière de vrais instruments, la répétition en boucle des mêmes mesures et les arrangements minimaux accordent malheureusement un certain crédit à ces affirmations. Mentionnons par exemple le prolifique Herman Beeftink, l'un des compositeurs emblématiques du genre, qui est responsable de l'enrobage sonore d'une quantité phénoménale de téléfilms et de séries sexys dont *Aveux érotiques* (1992-1996) et *Lingerie* (2009-). Aux frontières de la musique *new age* et du *lounge*, ces pièces représentent parfaitement tout un pan du genre. Rythmes de batteries électroniques préprogrammées et répétées *ad nauseam*, petits solos plaintifs de guitares, chœurs monastiques, saxophones ténors expressifs et sons synthétiques au clavier Midi sont de rigueur. Il pousse même l'audace jusqu'à réutiliser des bouts de mélodies de chansons à succès comme *Black Magic Woman* (Santana) et *A Whiter Shade of Pale* (Procol Harum)[10]. Cela dit, il ne faut surtout pas oublier que les standards techniques des pièces composées pour une diffusion à la télévision n'étaient pas les mêmes que ceux pour les salles de cinéma. Le meilleur exemple est celui des enceintes mono ou stéréo des téléviseurs (les cinémas maisons étaient rares et coûteux à l'époque) versus le son Dolby Surround dans les *multiplex*.

GLISSEMENTS PROGRESSIFS DU PLAISIR

Il peut sembler présomptueux d'emprunter le titre de cette section à un film d'Alain Robbe-Grillet, mais c'est bien ce à quoi nous invitent les bandes originales de films coquins. En fait, le genre « érotique » est étonnamment riche et varié et n'obéit à aucun style précis. La bande originale doit simplement provoquer et soutenir le désir, faire fantasmer. Ce n'est pas pour rien qu'une part importante de la musique du genre s'appuie sur des sonorités « exotiques » comme la pièce titre de *Black Emanuelle* (Bitto Albertini, 1975) composée par Nico Fidenco (compositeur de plusieurs des titres de la série). Flûtes, trompettes, maracas, bongos et percussions tribales, envolées de voix et de guitares rappelant les westerns spaghetti, les compositions hétéroclites – et toujours adaptées aux modes du moment – de Fidenco annoncent immédiatement les aventures autour du globe de la journaliste. Rien de tel que la promesse de l'inconnu et de mœurs étrangères plus libérées pour faire rêver.

Certes, si la musique érotique fait office de « valeur ajoutée[11] », comme pour les autres genres cinématographiques, elle a aussi des fonctions narratives ou dramatiques. Plus spécifiquement, elle utilise abondamment le leitmotiv, motif musical revenant fréquemment et associé à un personnage, un événement, un lieu

---

10 Cela dit, il est difficile de résister au charme suranné qui se dégage de ces morceaux. D'ailleurs, les curieux peuvent se procurer une compilation en trois volumes de ses meilleures compositions réunies sous le titre *The Romantic Collection*. Une mention toute spéciale à *Enlightened* que plusieurs amateurs reconnaîtront dès ses premières mesures.

11 La valeur ajoutée est un « [...] effet en vertu duquel un apport d'information, d'émotion, d'atmosphère, amené par un élément sonore, est spontanément projeté par le spectateur [l'audio-spectateur, en fait] sur ce qu'il voit, comme si cela en émanait naturellement », Michel Chion, *op. cit.*, p. 205.

ou un objet. À ce titre, le travail du compositeur Francis Lai[12] est exemplaire. Accordéoniste pour Édith Piaf, il connaît le succès avec *Un homme et une femme* (Claude Lelouch, 1966). Sa démarche consiste à personnaliser chaque film à l'aide d'une mélodie forte et d'un thème « lisible et clair, mémorisable dès la première écoute[13]. » Le résultat est stupéfiant ; ses compositions sont élégantes, simples, légères et extrêmement romantiques. Adepte de l'improvisation, ses mélodies bénéficient d'arrangements en apparence banals, mais extrêmement riches (il collabore régulièrement avec Christian Gaubert[14]). La splendide et envoûtante trame sonore composée pour *Emmanuelle l'antivierge* (Francis Giacobetti, 1975) atteste ce savoir-faire hors du commun – notamment la pièce *Les fantasmes d'Emmanuelle* qui parvient à créer un troublant sentiment d'évasion à la limite du rêve éveillé.

Un autre compositeur de renom ayant accordé une attention spéciale aux mélodies est l'inclassable et iconoclaste *maestro* Ennio Morricone (*Il était une fois dans l'Ouest* de Sergio Leone, 1968). Ce dernier a mis son talent au service de plusieurs thrillers sulfureux, de comédies polissonnes à l'italienne et de films olé olé dont l'infâme *La clé* (Tinto Brass, 1983[15]). Sans oublier son travail pour l'une des trilogies fondatrices du genre érotique, soit la « trilogie de la vie » de Pier Paolo Pasolini, qui consiste en l'adaptation de trois des plus grandes œuvres de la littérature mondiale : *Le décaméron* (1971), *Les contes de Canterbury* (1972) et *Les mille et une nuits* (1974).

On pourrait croire que les compositions destinées au cinéma érotique se cantonnent aux ambiances chaudes et feutrées, mais ce serait oublier que la comédie est l'un des registres favoris du genre, ce qui nous donne des trames sonores joyeuses et rythmées. Avec ses percussions endiablées, son jazz charnel, ses guitares funky branchées sur des pédales wah-wah, ses bossa-nova et son swing façon britannique, l'Italie occupe le peloton de tête avec l'apport inestimable de ses créateurs aux styles éclatés s'inspirant

---

12 Lai a aussi composé les musiques de *Bilitis* (disque d'or, David Hamilton, 1977), *Love Story* (Oscar de la meilleure B.O., Erich Segal, 1970), *Madame Claude 2* (François Mimet, 1981) et *Canicule* (Yves Boisset, 1984).
13 Notes de Stéphane Lerouge dans le livret de *Francis Lai cinéma*, [cd], Play Time, 2012.
14 Jean-François Houben, *1000 compositeurs de cinéma – dictionnaire*, Paris, Cerf-Corlet, 2002, p. 422, coll. Septième art.
15 Deux compilations à écouter : *So Sweet So Sensual : A Sexy Selection of the Warmest Classics by Morricone* et *The Erotic Movie Soundtracks*.

autant de l'acid jazz que du disco. Davantage connus pour les bandes sonores des comédies de Terence Hill et Bud Spencer (*Deux supers flics*, Enzo Barboni, 1977), la musique des Italiens Guido et Maurizio De Angelis est festive et entraînante, comme en témoigne leur partition pour *Le bon roi Dagobert* (Dino Risi, 1984) mettant en vedette Coluche. Bruno Nicolai (décédé en 1991), cofondateur du studio électronique M4 à Rome et collaborateur régulier des réalisateurs Jess Franco et Alberto De Martino[16], a su insuffler un érotisme jazzé à de nombreuses productions[17]. Et il serait injuste de ne pas nommer Riz Ortolani[18] (*Mondo Cane, Cannibal Holocaust*). Véritable caméléon, sa carrière éclectique couvre tous les genres. Citons son travail pour *Perversion Story* (Lucio Fulci, 1969) et *Miranda* (Tinto Brass, 1985).

Notons le recours courant à la musique classique à travers la réutilisation de motifs ou la citation. Bien que le répertoire soit vaste, de nombreuses compositions adoptent une structure référant directement à l'un des modèles ultimes de la pièce érotique : le *Boléro* de Ravel. En effet, avec son rythme implacable et régulier, sa mélodie répétitive et son crescendo progressif, le *Boléro* est souvent comparé à l'acte sexuel. Au-delà de cette vision très masculine et phallocentrique de l'acte, il faut reconnaître que l'utilisation des répétitions, des courtes suspensions, du tempo régulier et des lentes montées évoquent à l'esprit un certain va-et-vient rythmé par les coups de boutoir. Ce canevas caractérise une large part des compositions du genre. Mais le *Boléro* n'est pas la seule pièce propice à l'amour réutilisée par les cinéastes et interprètes musicaux pour suggérer les doux frissons de l'orgasme. Notons les *Suites pour violoncelle* de Bach, la valse *La plus que lente* de Debussy, l'ouverture de *Tristan et Isolde* de Wagner et, toujours de Ravel, *Daphnis et Chloé (Suite #2)*.

---

16 Jean-François Houben, *op. cit.*, p. 529.
17 Outre les rééditions de quelques-unes de ses trames sonores pour Franco, certaines de ses compositions pour des comédies érotiques sont incluses dans les excellentes compilations *Beat at Cinecittà* sur lesquelles on trouve également des titres de Riz Ortolani et Piero Piccioni.
18 Décédé en 2014.

SÉRÉNADES ET MOTS D'AMOUR

Le film érotique ne se limite pas qu'aux pièces instrumentales. La chanson – originale ou empruntée pour le film – est aussi abondamment utilisée[19]. Plus précisément, le genre use et abuse des chansons thèmes qui peuvent être rassemblées sous deux tendances principales. D'un côté, il y a la chanson paillarde où l'humour grivois ou bon enfant est mis de l'avant. Ces pièces sont volages, frivoles et les jeux de mots douteux abondent[20]. De l'autre, il y a la chanson «sérieuse», souvent une ballade vaporeuse et feutrée, aspirant à devenir un succès. Dans les deux cas, la chanson thème de type couplet/refrain sert à donner le ton du film, à résumer le récit ou à exprimer les émois des personnages principaux (presque exclusivement de sexe féminin). C'est pourquoi ce sont les paroles qui sont les véritables pierres angulaires de chacune de ces pièces. Si, en France, l'influence omniprésente de Serge Gainsbourg – que nous pourrions presque qualifier d'inventeur, ou à tout le moins de précurseur du genre avec sa fameuse *Je t'aime, moi non plus* – se fait sentir au détour de chaque vers, les pays anglo-saxons, eux, s'appuient sur la structure plus convenue de la ballade amoureuse, délaissant la poésie libertine au profit des sentiments romantiques.

Prenons par exemple deux des chansons les plus célèbres du répertoire érotique, soit *Emmanuelle* composée par le renommé Pierre Bachelet[21] et *Goodbye Emmanuelle* par Serge Gainsbourg[22]. La chanson de Bachelet, douce et romantique, avec son introduction

19 Si la chanson est omniprésente tout au long de l'histoire du cinéma, elle a rapidement été associée à un certain érotisme. Pensons aux nombreuses séquences de cabarets à l'arrivée du parlant et plus particulièrement à l'interprétation lascive par Marlène Dietrich de *Falling in Love Again* dans *L'ange bleu* (Josef Von Sternberg, 1930).

20 Le lecteur mélomane trouvera beaucoup de ces pièces sur l'amusant site *Bide et musique* (www.bide-et-musique.com/). Une mention spéciale à l'entrainant, mais juvénile, ver d'oreille *Si ma gueule vous plaît...* interprétée par Valérie Mairesse pour le film du même titre (Voir à ce sujet dans le présent ouvrage, «Chansonnette pour Catherine» de Simon Laperrière (page 241).

21 La bande originale d'*Emmanuelle* s'est vendue à plus de 1,4 million d'exemplaires à travers le monde. Le *single* à 4 millions d'exemplaires. De par son succès, elle a défini – en bien et en mal – ce que devait être la musique érotique. Bachelet reviendra pour les volets 5 et 7 ainsi que la série de téléfil ms produite dans les années 90.

22 Anecdote amusante : Gainsbourg était préssenti pour composer la musique du premier volet, mais il ne se présenta pas à la projection du premier montage, préférant envoyer son arrangeur Jean-Claude Vanier, ce qui enragea le producteur Yves Rousset-Rouard qui opta pour Bachelet. Autre fait à noter, en plus de marquer à jamais le genre érotique, la trilogie originale d'*Emmanuelle* bénéficia du talent de Bachelet, Lai puis Gainsbourg. Voir Vincent Perrot, *B.O.F. Musiques et compositeurs du cinéma français*, Paris, Dreamland, 2002, p. 259.

à la guitare instantanément reconnaissable, s'amuse à jouer avec l'ordre des mots pour créer un plaisant effet de surprise :

Mélodie d'amour chantait le cœur d'Emmanuelle
Qui bat cœur à corps perdu
Mélodie d'amour chantait le cœur d'Emmanuelle,
Qui vit corps à cœur perdu.

Quant à Gainsbourg, il démontre encore une fois toute la force de son style doté d'une grande richesse linguistique. Son écriture poétique, d'une étonnante complexité derrière l'apparente facilité avec laquelle s'enchaînent les mots, est également extrêmement sensuelle. Sur une entraînante et suggestive rythmique reggae, il joue avec la sonorité des mots, enchaînant associations verbales, allitérations et rimes assonantes :

Emmanuelle, Emmanuelle, Emmanuelle, Good Bye
Emmanuelle aime les caresses buccales et manuelles
Emmanuelle aime les intellectuels et les manuels

Plus près de nous, *On vit de femmes*, composé pour *Comment faire l'amour avec un nègre sans se fatiguer* (Jacques W. Benoît, 1989) par Claude Dubois avec la participation de l'écrivain Dany Laferrière aux paroles, privilégie la reprise textuelle et la métaphore :

Par la fenêtre bouche ouverte sur la ville
J'entends s'exciter les sirènes
Mot pour mot dame pour dame
On vit de femmes je n'en ai jamais eu de trop.

Finalement, du côté anglophone, *Joy* de François Valéry (interprétée par Debbie Davis) illustre bien le côté pompeux et faussement moralisateur de certaines pièces :

Give
Yourself some time to know
You've never been to you
Don't be the fool
The next one will be true
Love is joy

Par-delà la chanson thème, de nombreuses chansons pop, rock, disco ou dance sont venues pimenter les bandes sonores des films érotiques. Le sexe et la musique faisant bon ménage (il suffit de lire quelques autobiographies de musiciens célèbres pour s'en rendre compte), il est tout naturel que les cinéastes aient exploité ce filon. En effet, «en choisissant une œuvre préexistante, le cinéaste sait qu'il doit tenir compte de son histoire et d'un éventuel effet de «reconnaissance» immédiat[23].» Des stars de renom comme le musicien et producteur pop Giorgio Moroder (*La féline*, Paul Schrader, 1982) ont érotisé les sonorités électroniques et les envolées dansantes du disco en les utilisant au rythme des corps se déhanchant lascivement à l'écran. Au Québec, pensons aux superbes *Miss Pepsi* et *Deux femmes en or* par Robert Charlebois et Mouffe (avec Art Philipps aux arrangements) pour le film du même titre de Claude Fournier. Et n'oublions pas la bande originale de *Les escarpins rouges* (Zalman King, 1992) qui, outre les instrumentaux érotico-soft de rigueur composés par George S. Clinton (*Austin Powers*, Jay Roach, 1997), réunit des interprètes comme Richie Sambora (guitariste de Bon Jovi), James Brown et Zucchero.

TOUCHE-MOI, NE PARLE PAS

Contrairement à son équivalent dans le cinéma grand public[24], la musique du cinéma érotique peine à se faire prendre au sérieux. L'une des raisons principales est probablement la difficulté de se procurer les trames sonores[25]. Le mélomane érotomane peut se rabattre sur quelques compilations réunissant essentiellement des classiques (*Emmanuelle* en tête) provenant de pays à la production érotique importante (Italie, France, États-Unis).

---

23 Gilles Mouëllic, *op. cit.*, p. 43.

24 Mais est-elle vraiment prise au sérieux? Certains compositeurs ont bénéficié d'une attention critique et académique plus importante, mais il y a encore beaucoup à faire pour légitimer leur travail. Ils sont rarement abordés autrement qu'à partir de leur collaboration régulière avec un cinéaste (par exemple John Williams et Steven Spielberg ou Bernard Hermann et Alfred Hitchcock).

25 Il faut dire que pendant longtemps les producteurs ont eu recours aux bibliothèques de musique (*production library music*). Particulièrement utilisées du milieu des années 60 au milieu des années 80, ce sont les collectionneurs qui ont levé le voile sur les banques de musique de certaines de ces librairies (*Keith Prowse Music* ou KPM, *Conroy Eurobeats*, etc.). Peu coûteuses, elles sont à la musique ce que le *stock footage* est à l'image, car elles sont réutilisables et ne nécessitent aucun crédit au générique. Elles sont donc pratiquement inidentifiables. Voir les notes de l'historien musical Ian Culmell dans l'essentielle réédition sur CD de la trame sonore de *The Opening of Misty Beethoven* (Radley Metzger, 1975) sous l'étiquette Distribpix.

Les collectionneurs sont également toujours plus nombreux à partager leurs trouvailles sur des blogues ou des sites spécialisés. Dans le confort de notre salon, les lumières tamisées, en compagnie ou non de l'être aimé, il est donc possible de s'enivrer des mélodies élégantes du grand Francis Lai, des chansons paillardes des comédies de Max Pécas et des pièces douces et discrètes de Bachelet. Malgré certaines fautes de goût, à travers ses styles et ses genres éclatés, crue ou pudique, frénétique ou romantique, il n'en demeure pas moins que la musique du cinéma érotique est à l'image du désir : protéiforme, complexe, inattendue et toujours grisante.

Note des éditeurs :

Lors de nos recherches sur la série *Bleu nuit*, un ancien employé de TQS (dont nous respecterons l'anonymat) nous a contactés. Ce dernier prétendait avoir dans ses archives personnelles un document inédit qui allait grandement nous intéresser. Le temps passa, sans jamais ravoir de nouvelle, jusqu'au matin du 13 juin 2014, où nous avons reçu par courrier recommandé un colis contenant ledit manuscrit. Quelle ne fut pas notre surprise de trouver un scénario original envoyé à TQS en 1993 par un aspirant cinéaste du nom de Jean-François Rivard, le futur coauteur des *Invincibles* et de *Série noire*.

Le voici donc dans son entièreté.

Jean-François Rivard
1875, Jardin des Seigneurs, app. 6
Sainte-Foy Québec
H2J 5P6

Cher TQS,

Je me présente, mon nom est Jean-François Rivard et je suis un réalisateur de films. Il y a un an, j'ai abandonné mes études en cinéma pour plonger dans la pratique du métier. J'ai troqué les bancs d'école pour une caméra Panasonic Palmcorder VHS C et réalisé mes premiers films.

Vous avez sûrement entendu parler de mon film *Le doute dans l'ombre*, qui raconte l'histoire d'un Gladiateur romain mystérieusement propulsé en 2017 qui doit combattre un androïde insurgé voulant prendre le contrôle de l'hôtel de ville de Ste-Foy. *Le doute dans l'ombre* s'est mérité une mention pour la précision de son générique au Festival Les bandes à images de Val-Bélair.

Après avoir attrapé une mononucléose, j'ai dû rester trois mois au lit. C'est dans cette période que je suis devenu un super gros fan de vos films à *Bleu nuit*. Chaque samedi, je dormais toute la journée pour rester éveillé et regarder les différentes histoires que vous alliez me proposer dans la nuit.

Après quelques semaines et fidèle au poste, vos films m'ont soudainement parlé. Ils ont éveillé en moi une direction à entreprendre dans mes futurs projets. Dans ce temps de reconstruction physique, j'ai réfléchi à ce que j'aimais et ce qui me poussait à vouloir faire des films. J'ai découvert à travers les œuvres que vous produisez que j'aimais les beaux cadrages, la belle lumière, la musique douce et chaude, le saxophone, les belles femmes, les beaux hommes et l'amour sous toutes ses formes. Tous ces éléments seront désormais à la base de mon identité artistique et des films que j'aimerais laisser au monde (Je vous en remercie).

J'ai tenté de partager mon engouement avec mes proches et amis qui, malheureusement, n'apprécient pas vos films à leur juste valeur. La critique que j'ai le plus entendue est que vos films ont très peu d'action et aucun élément de science-fiction. Je dois être honnête et vous dire que je partage un peu ce commentaire étant moi-même un amateur de ce genre. Cela étant dit, ces critiques m'ont fait réfléchir. Et si j'utilisais mon talent pour vous aider à rejoindre ce public difficile et exigeant?

Dans le plus grand des secrets, je vous confie que je suis en train développer le projet du film *Platoon 2*. Mais je suis prêt à le laisser tomber pour travailler jour et nuit à un projet de film *Bleu nuit* qui ralliera les amateurs de films de tout genre et vous ouvrir la porte à une nouvelle clientèle.

C'est avec détermination et volonté que je vous écris pour vous proposer mon projet de film. Un film novateur et audacieux. Je me répète, je suis fan de vos productions et ce serait un immense honneur de réaliser un film *Bleu nuit*.

Je vous propose donc mon projet de thriller sensuel : *Erotic Detective Ninja 2*.

Je suggère de commencer avec une suite, de cette façon, le spectateur pensera dès le départ que c'est un bon film parce que c'est une suite. Si *Erotic Detective Ninja 2* est un succès, il sera plus facile de tourner plus tard *Erotic Detective Ninja 1*.

LE RÉSUMÉ DU FILM

C'est l'histoire de Steven Steve Stevenson, un détective qui enquête sur le suicide de Grace Lebrock, une top model à succès. Au fil de l'enquête, Steven Steve découvrira que Grace à été tuée par Benson Travis, un scientifique qui a créé une mini micro puce augmentant les sensations érogènes lorsqu'elle est insérée dans le corps.

Grace avait demandé les services de Benson parce qu'elle éprouvait depuis plusieurs années des problèmes de sensation qui l'empêchait d'atteindre l'orgasme. Malheureusement, l'expérience tourna au drame et l'effet de la mini micro puce tua Grace.

C'est avec l'aide de Mindy, la sœur de Grace, que Steven Steve enquêtera sur la mort de Grace. À travers son enquête, le détective Stevenson vivra de grandes aventures dans le monde scientifique et celui de la mode avant de résoudre l'énigme et traîner les coupables en justice.

LES PERSONAGES

STEVEN STEVE STEVENSON

Steven Steve Stevenson est un vétéran de la guerre du Vietnam. Lors d'une embuscade le 3 mai 1974, un éclat de mine pénétra sa colonne vertébrale, causant ainsi la paralysie et la perte de toute sensation aux jambes et au bas du corps. Jeune loup solitaire, il refusa de retourner au Massachusetts et quitta le Vietman pour la forêt d'Aokigahara, au Japon, où il retrouva l'usage de ses jambes, mais non de ses sensations, grâce aux techniques ancestrales d'Umetaro Tsatsuki un vieil ermite ninja maître des arts martiaux.

De retour aux États-Unis, Steven Steve décide de refaire sa vie dans la grande ville de Cincinnati où il est policier pendant 10 ans. Cette incapacité à retrouver les sensations dans le bas de son corps le fait sombrer dans l'alcoolisme. Sa dépendance à l'alcool l'oblige à démissionner des forces policières de la ville. Seul et au bord de la faillite, il décide de s'ouvrir un cabinet de détective pour arrondir ses fins de mois. Steven Steve est beau, intelligent, perspicace et dépressif.

MINDY LEBROCK

Mindy est la sœur cadette de Grace. Elle a eu une enfance particulièrement facile. Elle a toujours eu ce qu'elle voulait. Très jeune, elle était entourée d'amis. Elle a toujours été une femme souriante débordant d'énergie. On dit d'elle qu'elle avait le don de chasser les nuages lors de grosse journée de pluie. Elle est belle et sa peau de satin s'illumine comme la lune d'automne sur les plages de South Beach. Elle n'a jamais eu de problème d'argent ou de quoi que ce soit. Son seul problème est de n'avoir jamais eu de problème à l'exception d'aujourd'hui. Mindy vient d'apprendre le décès de sa sœur. Mindy a commencé à fumer.

BENSON TRAVIS

Benson est un jeune scientifique prodige de 28 ans. Passionné pour la technologie et l'électronique, il obtient son doctorat en nanotechnologie à l'âge de 21 ans. Enfant d'un père philosophe, Benson s'éprend rapidement d'amour pour l'humanité. Cependant, après un accident d'hélicoptère à l'âge de 14 ans, Benson développe des troubles de la personnalité caractérisés par des «crises de méchanceté sporadique» qu'il contrôle avec une médication qu'il a lui-même inventée. Benson est un homme gentil, colérique, sage, violent, calme et agité. Il est aussi compréhensif et borné.

VEEKY KYLE

Veeky Kyle est l'assistante de Benson Travis. Elle l'assiste dans ses expériences. Elle l'assiste aussi lors de ses conférences internationales. Veeky assiste Benson lors de longues réunions et l'assiste lors de ses cours de natation. Elle l'a assisté lors de ses grosses rénovations à sa deuxième maison dans le Nantucket et a déjà assisté à une lecture de ses poèmes au Bodel Air Café à New York. Mais dernièrement, Veeky assiste à la dégringolade de Benson, impuissante.

GRACE LEBROCK

Grace Lebrock est une top model.

J'ai joint trois scènes du film pour vous donner un avant-goût de l'intensité dramatique et des rebondissements.

DÉTAILS TECHNIQUES

Avant de vous présenter quelques scènes pivots de *Erotic Detective Ninja 2*, j'aimerais m'attarder sur certains aspects techniques de la production ainsi qu'au choix des comédiens pressentis.

Après avoir regardé plusieurs de vos films, je ne compte pas trop changer votre façon de les réaliser. Je tiens quand même à y apporter ma touche artistique ainsi que mon style, mais je tiens à faire comme vous en tournant le film en anglais et le traduire en français par la suite.

Étant donné que ce sera la première fois que je dirigerai des femmes nues, je suggère d'aller chercher des comédiennes qui ont l'expérience. Tout comme les cascadeurs qui m'aideront à chorégraphier les scènes d'action, je crois que des comédiennes chevronnées dans les scènes d'amour pourront m'aider à chorégraphier l'intimité et la sensualité recherchées dans l'ensemble du film. C'est pourquoi je voudrais demander à Deidre Holland et Jeanna Fine, deux excellentes actrices que j'ai vues dans le film *City of Sin*, de participer à l'aventure de *Erotic Detective Ninja 2*. Venant de l'industrie de la pornographie, elles auront l'aisance d'être nue sur le plateau, ce qui facilitera ma tâche et me permettra de me concentrer sur l'histoire et le jeu des comédiens.

Pour le rôle de Steven Steve, j'aimerais l'offrir à Steve Guttenberg, que l'on connait grâce à *Police Academy* et *Cocoon*. Premièrement, il correspond physiquement au personnage et deuxièmement, il porte presque le même nom que le personnage. Je crois que ces deux facteurs lui donneront l'aisance d'être nu sur le plateau, ce qui facilitera ma tâche et me permettra de me concentrer sur l'histoire et le jeu des comédiens. De plus, je crois qu'*Erotic Detective Ninja 2* est une belle opportunité pour relancer la carrière de Steve Guttenberg et du fait même obtenir les services d'une Star Hollywoodienne à prix modique.

Sans plus tarder, voici les trois scènes clés du film qui vous donneront un aperçu du Big Picture.

EROTIC DETECTIVE NINJA 2

EXT. VILLE DE CINCINNATI – NUIT

Plan aérien de la ville de Cincinnati. La ville est active et bruyante.

La caméra parcourt la ville à vol d'oiseau sillonnant les édifices. Son parcours s'arrête sur le plus haut building de la ville, la caméra s'avance vers lui lentement jusqu'à une fenêtre du 58e étage.

***NOTE DU RÉALISATEUR: Prévoir un hélicoptère pour tourner l'ouverture.*

À travers la fenêtre, la caméra nous dévoile une pièce remplie d'ordinateurs et d'appareils scientifiques et électroniques. Au centre de la pièce, un homme vêtu d'un sarrau s'apprête à faire une incision dans la nuque d'une femme couchée à plat ventre sur ce qui ressemble à une table d'opération scientifiquement modifiée.

La caméra entre dans le laboratoire.

***NOTE DU RÉALISATEUR: Prévoir un effet spécial qui fait passer la caméra à travers la fenêtre sans couper le mouvement.*

INT. LABORATOIRE CLANDESTIN – NUIT

Benson Travis, le scientifique, tranche légèrement le derrière de la nuque de Grace Lebrock à l'aide de son scalpel scientifiquement modifié.

> **BENSON**
> *Est-ce que je t'ai fait mal? Tu as senti quelque chose? J'ai eu de la difficulté à doser la quantité d'anesthésie, je n'ai pas l'habitude de travailler sur des sujets au corps parfait...*

> **GRACE**
> Ton dosage est parfait, je n'ai rien senti. J'ai si hâte de sentir Benson...

> **BENSON**
> Bientôt Grace, bientôt. Si tout va selon mes calculs, tu retrouveras des sensations insoupçonnées d'ici quelques minutes. Ne bouge surtout pas.

Grace reste immobile et sereine.

Benson dépose son scalpel sur le plateau à ses côtés, on peut y voir d'autres outils scientifiquement modifiés. Il s'empare ensuite d'une boite métallique et électronique qu'il ouvre. Une fumée blanche et cryogénique s'échappe de la boîte. À l'aide d'une pince qui ne réagit pas au froid, il sort une mini micro puce de la boîte. Il met la boîte de côté et contemple la mini micro puce. Benson sourit.

BENSON
(à lui-même)
Dix-huit années de travail dans un si
petit objet...

Benson insère la mini micro puce dans la nuque de Grace. Rapidement, il referme l'incision et la cicatrise à l'aide d'un scalpel au laser. Il s'empare ensuite de ce qui ressemble à un défibrillateur électroniquement modifié et l'active en l'appuyant sur la cicatrice de Grace.

Soudain, une étrange décharge électrique traverse le corps de Grace.

Son corps parfait entre en convulsion. Elle frétille sur la table d'opération pendant 30 secondes sous le regard attentif de Benson. Grace cesse brusquement de trembler. Elle reste immobile, les yeux fermés.

Inquiet, Benson la retourne sur le dos et lui donne de légères tapes au visage.

BENSON
(inquiet)
Grace? Grace? Reviens-moi bon sang!

Les yeux de Grace s'ouvrent.

GRACE
(faible)
Benson... Est-ce que l'expérience a réussi?

BENSON
Dieu du ciel Grace, tu m'as fait peur.

Grace est soudainement paniquée.

GRACE
C'est étrange, je ne sens plus mes épaules et...
je ne sens plus mes seins...

BENSON
Ne t'en fais pas, je crois que c'est normal.
La mini micro puce est en train de
reprogrammer certains tissus de ton système
nerveux. Allez, assois-toi, je vais t'examiner.

Benson aide Grace à se relever, elle s'assoit sur la table d'opération modifiée.

Benson retire ses gants de chirurgie. Il se place face à Grace et lui
bande les yeux. Il pose ensuite sa main sur sa nuque.

BENSON
Est-ce que tu peux tourner ta tête?

Grace s'exécute, elle y va d'un mouvement de tête de gauche à
droite.

BENSON
Tu sens une douleur?

GRACE
(inquète)
À vrai dire, je sens peu de choses.

Benson descend sa main sur son épaule et la caresse.

BENSON
Tu sens ma main sur ton épaule?

GRACE

Ta main est sur mon épaule? Je ne sens rien!
Je ne sens pas mon cou, je ne sens pas
mes épaules. On dirait que ma tête
flotte dans le vide.

BENSON

Cesse de t'inquiéter, tu ne fais qu'empirer
les choses. Détends-toi et laisse la
mini micro puce faire son travail.

Benson descend tranquillement sa main sur le sein gauche de Grace.

BENSON

Tu sens ma main sur ton superbe
sein gauche?

Grace s'effondre en larmes.

GRACE

NON! NON! JE NE SENS RIEN!!! Pourquoi je
t'ai fait confiance? Je n'avais aucune
sensation érogène et maintenant je
n'ai plus aucune sensation de mon corps.
Tu es comme Terry, tu n'es qu'un CHARLATAN,
UN CHARLATAN, UN CHARLA-

Benson réalise que Grace est en panique. Il laisse le sein gauche de Grace et empoigne vigoureusement son sein droit. Grace arrête de crier subitement. Elle fige.

BENSON

Grace? Que se passe-t-il?

Grace ne répond pas.

BENSON

Grace, réponds-moi!!!!

Grace ne répond toujours pas. Elle est figée comme une statue de marbre.

> **BENSON**
> GRACE!!!!!!!!!!

Grace lèche soudainement ses lèvres avec sa langue.

> **GRACE**
> ... Benson... je sens. JE SENS! Je sens mon sein comme je ne l'ai jamais senti. Laisse-moi te regarder.

Grace retire le bandeau de ses yeux.

> **GRACE**
> Touche-moi, parcoure mon corps et active tout le potentiel de cette mini micro puce miraculeuse...

> **BENSON**
> Mais je ne peux pas, c'est contre mon éthique scientifique.

> **GRACE**
> Je me fous de l'éthique, je veux jouir. Je veux connaître l'orgasme.

Grace embrasse goulûment Benson qui tente de résister. Grace dévoile sa poitrine et Benson flanche. Ils se déshabillent rapidement, la passion est palpable, elle envahit le laboratoire comme une fumée sensuelle.

Benson carésse le corps chaud de Grace, elle gémit à chaque toucher. Benson lui ouvre les jambes et insère son membre robuste dans la chatte de Grace. Sans prévenir, elle pousse un cri de plaisir. Benson embrasse le corps de Grace tout en continuant un va-et-vient du bassin. Grace est enivrée de cette douce et enveloppante sensation de jouissance. Une forte présence monte soudainement en elle, une force qu'elle n'a jamais ressentie.

GRACE

Benson... Je... Je crois que je... Je vais jouir.

Grace pousse un cri, elle rugit de plaisir.

GRACE

JE JOUIS BENSON! JE JOU-...

Benson remarque un tremblement qui parcourt le corps de Grace, elle fige soudainement comme si la foudre venait de la frapper. Grace est tendu comme une barre de fer. Benson devient inquiet.

BENSON

Grace...?

Le corps de Grace se ramollit subitement comme si on avait coupé les cordes d'une marionnette. Elle s'effondre sur la table d'opération scientifiquement modifiée.

Paniqué, Benson appuie ses doigts sur le cou de Garce et vérifie son pouls.

BENSON

Merde...

Benson remonte ses pantalons et va à son bureau, il s'empare du téléphone et appuie sur l'intercom.

BENSON

Veeky, viens me rejoindre on a un problème!

Benson retourne à la table d'opération scientifiquement modifiée. Il pose son oreille sur la poitrine de Grace, attentif à un battement de cœur.

Rien.

BENSON

Je suis désolé Grace, je ne voulais que t'aider.

La porte du laboratoire s'ouvre avec fracas. Veeky l'assistante de Benson entre en catastrophe.

> VEEKY
> Que se passe-t-il?

> BENSON
> Elle est morte.

EXT. TOIT DU BUILDING DU LABORATOIRE – NUIT

Benson et Veeky transportent le corps de Grace. Ils sont seuls.

> BENSON
> Tu as retiré la puce?

> VEEKY
> Qu'en penses-tu? Tu me prends pour une
> idiote?

> BENSON
> Désolé, je n'ai pas l'habitude de voir mes
> patientes mourir nues devant moi.

> VEEKY
> Tu crois qu'on va s'en tirer?

> BENSON
> Je crois que oui, Grace est une top model et le
> suicide est courant dans ce milieu.

Benson et Veeky arrivent sur le bord du toit. Ils lancent le corps de Grace dans le vide. Ils regardent ce splendide corps s'enfoncer à grande vitesse dans l'abîme de cette longue chute.

BOOM.

Des cris.

INT. BUREAU DU DÉTECTIVE STEVENSON – MATIN

Steven Steve Stevenson est à son bureau. Il a mauvaise mine. Il a passé une autre soirée à boire le mal de vivre qui le ronge. Il a mal à la tête.

Il ouvre son tiroir et prend deux aspirines qu'il envoie dans le fond de sa gorge. Il avale les comprimés avec un fond de Jack Daniels qui traîne sur son bureau.

On cogne à sa porte.

> **STEVEN STEVE**
> Putain, tu parles d'une heure. ENTREZ!

La porte s'ouvre. Une grande brune plantureuse entre dans le bureau. Elle est bien mise et porte de beaux bijoux.

> **MINDY**
> Monsieur Stevenson? Je me présente, Mindy
> Lebrock.

> **STEVEN STEVE**
> Qu'est-ce que je peux faire pour vous miss
> Lebrock?

> **MINDY**
> Vous avez entendu parler du suicide de
> Grace Lebrock?

> **STEVEN STEVE**
> Bien sûr, la top model qui s'est jetée en bas
> du Crown Building?

Mindy s'assoit sur le bureau de Steven Steve et s'allume une cigarette.

> **MINDY**
> Grace était ma sœur et elle ne s'est pas
> suicidée. Elle a été tuée et j'ai besoin de
> vous pour le prouver. Votre prix est le mien.

Steven Steve regarde Mindy, il est perplexe.

DEUXIÈME SCÈNE

L'enquête avance. Steven Steve croit à la théorie du meurtre de Grace, mais il est encore incapable de le prouver. Steven Steve développe un lien intime avec Mindy. Les pistes de l'enquête mènent à Veeky l'assistante de Benson Travis. Steven Steve est sur ses traces.

INT. LUXUEUSE MAISON DE VEEKY KYLE – JOUR

Veeky verse deux verres de martini et se dirige vers le divan. Elle donne un verre à Clara et s'assoit à ses côtés.

> CLARA
> Merci.

> VEEKY
> Je te l'ai fait dirty, tu me diras s'il est
> trop fort.

> CLARA
> Un martini n'est jamais assez dirty.

> VEEKY
> Santé.

Les deux femmes prennent une gorgée.

> CLARA
> Il est parfait.

> VEEKY
> Comme toi ma chère.

Clara rougit.

VEEKY
Alors, tu connais les tarifs, mais je dois
t'avertir qu'il peut y avoir certains risques
à la procédure.

CLARA
Je suis au courant des risques de la mini micro
puce, j'ai parlé au Docteur Travis.
Quand peut-on procéder?

VEEKY
Tout dépend des disponibilités de Benson. Mais
avant, pour minimiser les risques, je dois
te passer un examen sensoriel et de sensibilité
afin de calculer ton manque de sensation.
Tu permets?

Veeky débarrasse Clara de son martini et s'approche. Elle commence à l'embrasser.

CLARA
Est-ce que c'est le début de l'examen?

VEEKY
Oui et de bien d'autres choses...

Les deux femmes commencent à se dévêtir tout en s'embrassant et se caressant.

À l'extérieur, dans la fenêtre, Steven Steve espionne la scène. Il s'empare de son appareil photo et prend quelques clichés. Il laisse sa caméra de côté et continue à observer la scène discrètement sans se faire voir.

Veeky et Clara sont maintenant nues. Clara mordille délicatement les épaules de Veeky, ce simple geste la plonge dans un état d'extase profond. Veeky gémit de plaisir.

VEEKY
Tu vois ce que tu me fais ? Je porte la
mini micro puce en moi et ce simple geste
réveille des sensations d'une incroyable
intensité.

CLARA
Je t'envie.

VEEKY
Ton tour arrivera, mais pour l'instant, c'est
moi qui ai envie de toi.

Veeky allonge Clara sur le divan et lui lèche délicatement ses jolis seins pointus.

Steven Steve, fasciné par la scène, ressent une excitation. Il détache sa ceinture et sort son long membre. Avec douceur, il commence à se caresser.

Au loin, dans la voiture de Steven Steve, Mindy attend son retour. Elle regarde en direction de la maison et remarque que Steven Steve se caresse. Outrée, elle détourne le regard. Elle tente de résister à l'envie de regarder Steven Steve se donner du plaisir. Mais l'envie est plus forte que la raison. Mindy, fascinée, observe Steven Steve se masturber.

Une bouffée de chaleur torride envahit son corps. Elle caresse ses seins, mais la barrière de ses vêtements fait obstacle au plaisir recherché. Elle retire sa brassière et laisse respirer sa somptueuse poitrine. Elle empoigne son sein gauche avec ardeur tout en mouillant avec sa langue son index droit qu'elle glisse sous sa robe dans son sexe mouillé.

Elle se tortille dans la voiture en ne lâchant pas du regard Steven Steve.

Au loin, la voiture de Benson se stationne dans la rue en face de la luxueuse demeure de Veeky. Benson s'apprête à sortir, mais quelque chose attire son attention. De l'autre côté de la route, il remarque Mindy en extase dans la voiture de Steven Steve.

Benson reste dans la voiture et observe Mindy se caresser. Mindy approche son sein gauche à sa bouche et lèche son mamelon tout en continuant de caresser son clitoris.

Benson est ébloui de la beauté du visage de Mindy en extase. Il contemple ses seins blancs et bien ronds. Benson déboutonne son pantalon et commence à caresser son membre robuste.

De l'autre côté de la rue, une voisine s'apprête à laver les fenêtres de son salon, mais quelque chose attire son attention. Elle remarque Benson dans sa voiture qui caresse son sexe gorgé de sang et bien dur. Elle laisse de côté son plumeau et plonge sa main dans ses jolis pantalons serrés. Elle se touche tout en fixant Benson et son membre. Sa respiration monte, elle est très excitée. La cadence rapide de son souffle crée une buée dans la fenêtre.

Dans la cuisine, le mari de la femme surprend sa femme qui se masturbe dans la fenêtre. Il baisse son maillot de bain. Il est déjà en érection, le membre bien haut. Il s'approche de sa femme et la surprend en la prenant par l'arrière. Elle agrippe la main de son mari et la colle contre ses seins. Le mari lui détache sa brassière et commence à lui mordiller les épaules. La femme soupire de plaisir et accélère le rythme de la pénétration.

Steven Steve regarde toujours Veeky et Clara faire l'amour tout en se caressant. Cependant, après tant d'effort, l'excitation fait place à la déception. Steven Steve réalise que même ce spectacle abondant de sensualité et d'érotisme n'arrive pas à donner quelconque sensation à son membre. Il repense au Vietnam, à son accident qui l'a privé de toute sensibilité au bas du corps. Triste et défait, il relève son pantalon et quitte les deux femmes en pleine jouissance.

TROISIÈME SCÈNE

Steven Steve a résolu l'enquête, mais à quel prix : Mindy est morte dans un échange de coups de feu entre lui et le frère de Benson Travis. Steven Steve vient de se venger.

INT. LABORATOIRE CLANDESTIN – SOIR

Steven Steve envoie un violent coup de pied au visage de Benson qui le propulse sur la table d'opération scientifiquement modifiée. Le crâne de Benson s'écrase sur le coin de la table. Le sang gicle dans le laboratoire et Benson s'écroule par terre.

Veeky court vers Benson.

> **VEEKY**
> BENSON !!

Elle s'agenouille à ses côtés et tente de le réanimer, sans succès. Le coup a été fatal. La rage envahit Veeky.

> **VEEKY**
> TU L'AS TUÉ ! Tu as tué le plus grand
> scientifique que la terre n'ait jamais
> porté.

> **STEVEN STEVE**
> Ce n'était pas une scientifique, c'était
> un meurtrier, un cinglé !

> **VEEKY**
> NON ! C'est la mini micro puce qui tue,
> pas l'homme.

> **STEVEN STEVE**
> Et qui a créé la mini micro puce ? Elle ne
> s'est pas créée d'elle-même !

VEEKY
Tu as raison, l'homme peut tuer... ET LA FEMME
AUSSI !!

Veeky se jette sur Steven Steve. Elle saute dans les airs et lui envoie un coup de pied japonais. Steven Steve esquive le coup. Il est totalement surpris. Veeky connaît elle aussi les secrets des combats ancestraux japonais. Serait-elle ninja ?

Steven Steve y va d'un petit kata et se place en position d'attaque.

Nos deux experts en arts martiaux s'affrontent dans un combat sans merci.

> **NOTE DU RÉALISATEUR :** Il est important de demander l'aide d'un cascadeur qui se spécialise en combat de karaté. Nous devons créer une scène de combat inoubliable basée sur les films de Jackie Chan (comme La Hyène intrépide) ou Bloodsport de Jean-Claude Van Damme. J'entrevois la scène d'une durée de 12 minutes bien chorégraphiée.

À la fin de la bagarre :

Steven Steve tombe par terre, épuisé. Veeky s'empare du fameux « teaser-inséreur de mini micro puce scientifiquement modifiée » et saute sur Steven Steve. Elle le chevauche et le poignarde d'un coup de « teaser-inséreur de mini micro puce scientifiquement modifiée ».

Steven Steve pousse un cri de douleur. Dans le coup, une mini micro puce s'insère par erreur dans le corps de Steven Steve qui tombe en convulsion.

Les tremblements cessent. Il ouvre les yeux. Veeky par-dessus lui le regarde.

VEEKY
Tu as deux secondes pour faire tes adieux.

STEVEN STEVE
ATTENDS!!!!

VEEKY
Attendre quoi?

STEVEN STEVE
Est-ce que tu peux remuer ton bassin s'il
te plaît?

VEEKY
C'est ta dernière volonté?

STEVEN STEVE
Oui...

Veeky remue son bassin et frotte son entre-jambes sur le sexe de Steven Steve.

STEVEN STEVE
JE SENS! JE SENS LE BAS DE MON CORPS!
JE SENS MON SEXE.

Steven Steve agrippe Veeky par les bras, pivote et la cloue au plancher. Veeky est prise au piège sous le poids de Steven Steve. Steven Steve la regarde et sourit.

VEEKY
Allez, finissons-en! Qu'est-ce que tu attends?

STEVEN STEVE
À quoi bon en finir quand tout ne fait
que commencer.

Steven Steve embrasse Veeky. Elle se laisse faire.

VEEKY
Que fais-tu?

STEVEN STEVE
Tu sais ce qu'on dit ? On doit garder nos amis
proche et nos ennemis encore plus proche.

Steven Steve déboutonne la chemise de Veeky.

STEVEN STEVE
Très très proche...

Steven Steve embrasse Veeky. Ils commencent à faire l'amour
jusqu'à l'apparition du générique.

FIN

J'espère que ce document vous convaincra de l'efficacité du film que je vous propose.

Erotic Detective Ninja 2 est une incursion dans le mystère, l'action, la sensualité des corps, l'érotisme. Mais avant tout, c'est une histoire humaine sur le besoin et le désir de l'homme de ressentir les sensations de la vie… au maximum.

Je le redis et le répète : je tiens vraiment à réaliser un de vos films pour *Bleu nuit*. Si vous avez des questions, n'hésitez pas à me les partager.

Jean-François Rivard
Réalisateur de films

Le téléthon, cet autre type d'orgasme ESSAI

Hélène Laurin

Les téléthons ont été, au fil des ans, l'une des seules seules émissions capables d'annuler la diffusion de *Bleu nuit* à Télévision Quatre Saisons. J'imagine que, pour ces téléspectateurs (et probables téléspectatrices) qui s'étaient préalablement dit « C'est ce soir le grand soir! J'écoute *Bleu nuit*! », la déception devait être particulièrement vive. Parmi ces événements, le *Téléthon des étoiles*, qui n'est plus diffusé même si la Fondation des étoiles existe toujours, servait à amasser des fonds pour la recherche sur les maladies infantiles. Il y avait une masse de téléthons québécois de la fin des années 80 jusqu'au début de la décennie 90: Opération Enfant Soleil (toujours en vie), *Téléthon de la paralysie cérébrale* et probablement plusieurs autres. J'avais à peu près 10 ans lors du *golden age* du téléthon québécois; j'ai souvenir qu'il y en avait bien quatre ou cinq par année. Je me souviens particulièrement de l'un d'entre eux, et je crois justement qu'il s'agissait du *Téléthon des étoiles.* J'ai regardé, avide, ces chanteurs chanter, ces donneurs donner, ces animateurs animer, mais surtout: *ce décompte décompter!* Le décompte! Je pouvais enfin appliquer de manière concrète mon savoir nouvellement acquis de lire des nombres à plusieurs chiffres! Quelle joie de voir le décompte augmenter de fois en fois! Quelle joie aussi de voir le nom de ma banlieue défiler dans la barre des villes et villages suivi d'un numéro de téléphone unique, comme si Boucherville n'existait pas vraiment avant de le voir apparaitre à l'écran de la télévision!

Je n'ai jamais réécouté de téléthon. Je n'ai jamais été happée par un autre décompte larmoyant. Un autre souvenir marque ce changement d'attitude. Dans un *7 Jours* ou un *Lundi* qui traînait dans une salle d'attente quelconque, dans le même Boucherville mais quelques années plus tard, j'ai lu une entrevue avec Audrey Laurin (aucun lien de parenté avec l'auteure de ces lignes), l'interprète oubliée d'Alys Robi adolescente dans la minisérie

oubliée *Alys Robi*. On l'interrogeait à propos de «son rêve». Eh bien, son rêve était de participer à un téléthon, ce qui constituait à ses yeux une confirmation qu'elle avait réussi. J'étais complètement abasourdie. À l'âge tendre de 14-15 ans, il faut croire que j'étais déjà imbibée d'un sain cynisme. Comment peut-on rêver de participer à un téléthon? Ce cimetière de *has-been* et de *never-been*? Sérieux? «Je veux vraiment qu'on me confirme que je sers de bouche-trou dans une programmation impitoyable qui dure 24-25 heures!» Personne n'a jamais dit cela (sauf apparemment cette adolescente).

L'autre élément qui m'a graduellement, sinon soudainement, fait décrocher des téléthons est l'évident, quoique toujours étrange, étalage de pitié qui leur est propre. Une contradiction des téléthons, voire de toute œuvre caritative, est de démontrer que tout va mal, tout en clamant que, grâce aux dons, tout va mieux. S'il y a un besoin urgent d'argent, c'est que le diable est dans la cabane, non? Mais si le petit Jean-François est maintenant capable de marcher sans l'aide de son défibrillateur purificateur sanguin (genre), c'est que Jé$us a fait son œuvre, non? Preuve ultime, le petit Jean-François pousse une petite chansonnette, de type *Si Dieu existe* ou *La vie est si fragile* (pourquoi personne ne choisit jamais «Livin' La Vida Loca» dans ces cas-là?), introduit à sept heures et quart du matin par deux animatrices aux visages graves et à court de synonymes pour l'épithète «extraordinaire», attestant ainsi de la disparition de ses stigmates. Miracle! J'ai toujours eu cette évidente manipulation émotive là où il fait noir comme chez le loup. Elle me laisse néanmoins perplexe. La dernière édition du téléthon Opération Enfant Soleil a amassé un peu plus de deux millions de dollars (et la campagne totale, un peu plus de 18 millions). Deux millions en 25 heures de petits Jean-François qui viennent chanter des chansons à vous fendre l'âme et d'artistes qui essaient de se convaincre que leur participation à un téléthon est une bénédiction. Ma question est simple: qui? Qui écoute le téléthon, alors qu'on a 522 postes de télévision, internet, des bibliothèques remplies de DVD? Qui n'est pas importuné par ces sentiments dégoulinants? Qui va au-delà de cette manipulation pour ouvrir son portefeuille? Alors que les itinérants de la ville ont de la misère à dormir la nuit, que les animaux de compagnie se font abandonner lors de déménagements? Comment, et pourquoi, cette glorification de la pitié peut-elle fonctionner autant?

Ah oui, c'est vrai : les enfants. Malades, de surcroît. Cette abomi-
nable et malheureuse réalité qui ne devrait pas en être une. Je les
avais oubliés, ceux-là. Ils sont puissants, les enfants malades. Ils
ont réussi à tasser *Bleu nuit* de la case horaire. Ils réussissent à faire
amasser 18 millions en dons. Justement, il y a quelque chose d'extraordinaire (ça y est, je l'ai dit) chez les personnes qui viennent
porter leurs chèques géants aux téléthons, apex de leur campagne
annuelle de financement. La maladroite inhabileté médiatique
de ces personnes, conjuguée à leur poitrail gonflé, trahissant leur
confiance à *faire une différence*. Cet aboutissement qu'inspirent
les enfants malades est si émouvant (je cherche des synonymes)
qu'il serait malhonnête de ne pas le reconnaître. Et même si je
peux faire preuve d'une sale désillusion devant la manipulation
émotive crasse déployée lors de ces événements, qui suis-je pour
condamner cette jouissance altruiste ? Qui suis-je pour désavouer
l'apothéose collective que constitue le décompte ? Qui suis-je pour
nier les yeux brillants, les mains moites, le respire rapide ? Si *Bleu
nuit* pouvait engendrer des orgasmes onanistes, le *Téléthon des
étoiles* a très certainement pu engendrer des orgasmes de fierté.

— III —
REVOIR
BLEU NUIT

Autour de *Deux femmes en or*

Rencontre avec Claude Fournier

Entretien réalisé par Éric Falardeau

Deux femmes en or est, avec *Comment faire l'amour avec un nègre sans se fatiguer* (Jacques W. Benoît, 1989), le seul film québécois à avoir été présenté à *Bleu nuit*. Considérant ce statut particulier, nous sommes allés à la rencontre de son auteur, Claude Fournier. Une occasion en or pour échanger avec un pionnier du cinéma populaire d'ici.

Deux femmes en or est un film très important dans l'histoire du cinéma québécois. Il a un statut particulier puisqu'il s'inscrit dans le mouvement de la comédie érotique d'ici. Comment se sent-on quand on a réalisé un film culte ?

C.F. : Un film ne devient pas culte du jour au lendemain. À l'époque, le marché n'était pas saturé aussi rapidement avec des centaines de copies. *Deux femmes en or*, avait pris l'affiche dans deux salles : le Bijou et le St-Denis, mais avec une seule copie. L'horaire était fait de telle façon, que quelqu'un à bicyclette pouvait faire la navette d'un cinéma à l'autre et aller porter les bobines au fur et à mesure. Le film est resté à l'affiche près d'un an. Mais, je n'ai pas eu immédiatement connaissance du succès de *Deux femmes en or*, parce que tout de suite après la première du film, je suis parti en Italie. C'est en revenant un mois plus tard à la douane, où tout le monde, même le douanier, m'arrêtait pour me dire : « C'est extraordinaire votre film ! » En revenant de l'aéroport, je suis passé devant le St-Denis. C'était un soir de semaine, il y avait une queue qui faisait trois coins de rue. À cette époque, il n'y avait pas de courriel. Quand tu partais en vacances, tu étais vraiment en vacances. Donc, ça été la surprise de ma vie. Mais un film devient culte lorsque presque quarante ans plus tard, des gens en parlent encore.

Le désavantage de récolter autant de succès avec un premier film, c'est qu'il faut le répéter, ce qui ne m'est jamais arrivé. J'ai sûrement fait une erreur lorsque j'ai refusé de tourner une suite appelée *Deux hommes en or*. Mais je ressentais une sorte de répugnance à l'idée d'exploiter ce que je venais de faire. Avec la sagesse que j'ai maintenant, probablement que je l'aurais fait. Ç'aurait probablement marché juste à cause de son titre, probablement beaucoup plus que *Les chats bottés*, qui était finalement l'histoire de deux hommes en or. Ça me gênait énormément de miser sur mon succès précédent, ce que tout le monde fait pourtant sans trop se gêner.

En cette ère de *remakes*, il n'est peut-être pas trop tard pour remettre le projet sur les rails…

C.F. : Quand *Deux femmes en or* a eu 25 ans, il y a des distributeurs qui m'ont demandé de faire une suite. J'étais très tenté, mais j'étais trop occupé. J'ai même imaginé ce que serait la suite. Comme Monique Mercure et moi nous entendons plus ou moins bien, c'est bien évident que le film commençait par les funérailles de son personnage.

Est-ce que les producteurs vous approchent encore pour faire des comédies érotiques?

C.F. : Je n'aurais pas fait cette suite de la même façon, ça n'aurait pas été le même érotisme. Il ne faut pas oublier que lorsque j'ai réalisé *Deux femmes en or* en 69, nous vivions les premiers moments d'érotisme dans le cinéma mondial. Après cela, il n'y a pas eu un film où il n'y avait pas de nudité. Maintenant, il n'y a plus grand monde qui me demande conseil, mais à l'époque, j'avais eu tellement de succès, que des amis comme Claude Jutra m'ont dit : « Est-ce que tu viendrais voir *Mon oncle Antoine* et me dire s'il y a assez de nudité? Est-ce que tu penses que je devrais en mettre plus? »

Avant la sortie de *Valérie*, le précurseur de *Deux femmes en or*, est-ce que le cinéma canadien était timide dans sa représentation du sexe à l'écran?

C.F.: Il l'était, à cause de la censure. Ça a débloqué rapidement après les années 60, mais quand tu penses que *Les Enfants du paradis* était interdit... C'est évident que Denis Héroux est arrivé à un moment où les amateurs de cinéma québécois avaient été privés de bien des choses. À l'époque, il n'y avait pas de scènes d'érotisme, elles étaient toujours coupées. Tout à coup, tu avais *Valérie* et *Deux femmes en or*. De la nudité frontale en cinémascope. C'est certain que ça donnait un choc.

Est-ce que le fait de déshabiller la Québécoise, pour reprendre un terme d'Yves Lever, a été d'une certaine manière un acte politique?

C.F.: Non, j'ai souvent inséré dans mes films des allusions politiques, mais je ne me suis jamais servi de la nudité à des fins politiques. Dans *Deux femmes en or*, tout comme dans *Les chats bottés*, c'était plutôt bon enfant.

Comment êtes-vous passé du documentaire à la comédie érotique?

C.F.: Quand j'ai commencé à faire du cinéma, c'était impensable de débuter avec un long métrage. Je me souviens qu'à mes débuts à l'Office national du film, j'étais très ami avec Claude Jutra. Nous avions entamé la rédaction d'un scénario, mais nous écrivions ça un peu de la main gauche parce que nous nous disions que ça ne se ferait jamais. Ensuite, j'ai quitté l'Office, je suis allé à New York, je suis revenu et j'ai fondé une compagnie. Nous faisions de la publicité. Au même moment, Jutra avait commencé à tourner *À tout prendre*. Je me disais, maintenant j'ai une compagnie, j'ai un peu d'équipement, éventuellement, je vais pouvoir faire un film. À la suite d'une fusion avec Onyx, nous sommes devenu rapidement une très grosse compagnie et là, quand j'ai vu que Gilles Carle prenait congé de commerciaux pour faire *Le viol d'une jeune fille douce*, je me suis dit qu'il était temps pour moi de passer à l'action.

Ça faisait longtemps qu'en passant sur un viaduc à Brossard, je me demandais constamment ce que faisaient les femmes dans cette banlieue-là. Je me disais qu'elles devaient s'emmerder à mort. Je parlais de cela avec Marie-José Raymond et c'est elle qui a eu l'idée : «Peut-être qu'elles baisent les livreurs?» Donc nous nous sommes mis à élaborer le scénario. Nous l'avons écrit en trois semaines et nous l'avons envoyé à Georges Arpin chez France Film. Il nous a appelé en disant : «J'ai lu votre scénario en fin de semaine, j'ai beaucoup aimé ça, ça m'a beaucoup excité. Même que je n'osais pas en parler à ma femme.» Nous nous sommes rencontrés le lendemain et il m'a expliqué qu'il y avait un problème avec notre scénario : «Vous faites mourir les femmes à la fin. C'est vous les artistes, mais il me semble que ça n'a pas de bon sens. Parce qu'on les aime ces femmes-là.» C'est vrai que ce que nous avions imaginé comme fin, ne fonctionnait pas. Originalement, un homme venait émonder les arbres à la *chainsaw*, et tuait les deux héroïnes. Un *chainsaw massacre*.

Ç'aurait été une rupture de ton...

C.F. : Oui, mais il ne faut pas oublier que je ne pensais même pas que *Deux femmes en or* était si drôle. On riait sur le plateau de tournage, mais faire rire un public, c'est une autre affaire. La première fois que nous avons visionné le montage, nous avions fait venir tout le monde. Il y avait quarante personnes dans la salle. Ils étaient tous mort de rire. Robert Charlebois m'avait alors dit qu'il voulait absolument en composer la musique. C'est là que j'ai pris conscience que j'avais peut-être réalisé un bon film.

Plusieurs grands noms comme Gilles Latulipe, Donald Lautrec, Janine Sutto et Paul Buissonneau font des apparitions dans votre film.

C.F. : C'était tous des amis. Ils avaient envie de jouer dans quelque chose de drôle. Je leur envoyais les scènes et souvent, nous les retravaillions ensemble. Ça a été le cas avec Yvon Deschamps. Pour le rôle du juge, je n'avais pas de comédien en tête et j'ai croisé Michel Chartrand. Je lui ai demandé s'il voulait interpréter un juge dans mon film et il m'a répondu : «Ben oui! Pour une fois que je vais aller au palais de justice pis que je serai pas accusé. Je vais être ton juge!» J'ai toujours aimer choisir des gens de mon entourage pour interpréter des rôles.

Les blagues sur les tensions entre le Québec et le Canada anglais surprennent encore. Ce ne serait pas possible de faire ça aujourd'hui.

C.F. : Probablement pas. Canada Life qui change de nom pour Canada-Vie, c'était un très bon gag et pourtant, nous n'avions rien inventé. Quand j'avais vu que la compagnie venait réellement de changer de nom pour Canada-Vie, je me suis dit que c'était complètement débile. Nous l'avons intégré au film. Aujourd'hui, nous ne pourrions pas faire ça, nous nous ferions poursuivre. C'est un peu triste que cette liberté-là n'existe plus. Il n'y a pas de raison au fond, c'est en grande partie à cause de l'argent gouvernemental. Plus personne ne veut prendre de chance. C'est ce qui est arrivé avec *La pomme, la queue et les pépins*, j'ai eu toutes sortes de poursuites qui m'ont enlevé le goût de la comédie. Je me suis dit : on n'a plus de liberté. J'ai été obligé d'enlever plusieurs scènes.

Croyez-vous à un retour de la comédie érotique à la québécoise ?

C.F. : Je pense qu'elle gagnerait à revenir. C'est un peu triste qu'il n'y en ait pas eu plus. Des fois, je m'en veux de ne pas avoir poursuivi dans ce genre-là. Parce qu'au fond, j'avais plus de succès en comédie que je n'en ai jamais eu dans un autre genre. Je rêve de faire une satire politique. S'il y a un pays qui en mériterait une c'est bien ici. J'ai 82 ans et j'aimerais ça encore. C'est un des sujets qui m'intéresse le plus. Mais je ne sais pas comment je le ferais. D'abord, il ne me reste plus assez d'énergie pour faire cela sans argent et je ne vois pas comment la SODEC et Téléfilm Canada pourraient financer ce type de film. Ce n'est malheureusement pas possible.

Dans le cinéma québécois actuel, le sexe a tendance à être triste. Dans *Deux femmes en or*, au contraire, le sexe est réjouissant parce que ludique.

C.F. : Je trouve ça un peu triste. Au fond, est-ce que les jeunes qui vont au cinéma de nos jours ont eux-même du plaisir à faire l'amour ? La frivolité sexuelle de *Deux femmes en or*, n'a rien à voir avec ce que les jeunes vivent présentement. Le sexe n'a plus la même liberté. Il y a quelque chose de dramatique rattaché à ça. La décontraction des années 60 et 70 a disparu.

***Bleu nuit* a joué un rôle important dans la sexualité d'une génération de Québécois. Êtes-vous surpris que *Deux femmes en or* soit l'un des seuls films québécois à y avoir été diffusé ?**

C.F. : Je ne suis pas surpris que le film y ait été présenté. Ce qui me dérange un peu, c'est quand *Deux femmes en or* est considéré seulement comme un film érotique et qu'on n'y voit rien d'autre que cela. Sur le plan de la nudité, c'est complètement dépassé. On va bien plus loin que ça maintenant. Je continue à penser qu'il y a, dans *Deux femmes en or*, une espèce d'étude sociologique. Ce n'est pas un film qui est totalement anodin et ce n'est pas qu'un film érotique.

Montréal, le 6 mars 2014
Transcription : Claudine Viens
Édition : Éric Falardeau, Simon Laperrière et Renaud Plante

«Ça sent l'trouble à Brossard»

Alexandre Fontaine Rousseau

(6) Deux Femmes en or 35 5

Can. 1970. Comédie de Claude Fournier avec Monique Mercure, Louise
Turcot, Marcel Sabourin. - Deux femmes de banlieue négligées par leurs
maris décident d'inviter le plus de livreurs possible chez elles. - Grosse farce
gaillarde. Effets faciles et répétitifs. Rythme incertain. Interprétation faible.

© Mediafilm

Première diffusion: 14 novembre 1987, 23 h 30

Si la diffusion d'un film tel que *Deux femmes en or* à *Bleu nuit* a
pu satisfaire le CRTC, le public de l'émission a-t-il quant à lui pu
vraiment jouir de cette sélection? Car ce portrait de «la femme
d'ici», s'il est indéniablement audacieux pour le Québec de 1970,
n'est pas particulièrement érotique pour autant. Quelques images
possèdent, certes, une qualité onirique qui relève de la mise en
scène du fantasme. On pense, par exemple, à cette scène où
Louise Turcot batifole nue dans les bulles de savon, l'air enjoué,
tandis que Robert Charlebois chante «Doux printemps quand
reviendras-tu faire pousser les feuilles pour me cacher la vue?»
Ironiquement, se dit-on, les bulles s'acquittent déjà assez bien de
cette tâche…

Deux femmes en or, d'ailleurs intitulé *Deux filles perverses* au moment
de sa distribution en France, multiplie les situations dignes du
plus calamiteux des films pornos. Les réparateurs de téléphone,
les nettoyeurs à domicile et les livreurs de lait font la file pour se
glisser dans le domicile de nos femmes au foyer insatisfaites, multipliant les calembours douteux. «J'ai un spécial sur les œufs», dit
le laitier avant de comprendre dans quel plat il a mis les pieds.
«Oh! Pas de p'tit yogourt.» Le plâtrier aussi en sort des vertes et
des pas mûres: «En vingt ans de métier, j'en ai bouché des trous
et des fissures…» *Deux femmes en or*, c'est un film de fesses que l'on
écoute pour les blagues. Parce qu'au moment où l'action se corse,
un encart affublé d'une jolie vache rose nous rappelle que «du
lait, c'est vachement bon».

Gageons que le public de *Bleu nuit* ne l'a pas trouvée drôle. Pas
plus qu'il n'a apprécié le défilé de la Coupe Grey, ou encore le
match de football subséquent. «J'connais pas ça, le football»,
admet Marcel Sabourin à Donald Pilon qui lui répond: «M'as

t'expliquer tout ça... tu vas voir, c'est bin l'fun pis *excitant*.» À la maison, le cinéphile nocturne ne partageait sans doute pas l'enthousiasme de Pilon. On l'imagine aisément, entre deux soupirs, passer le commentaire suivant: «Qu'est-ce qui se passe dans ma tévé?» Il y a notamment Yvon Deschamps, déguisé en gars de Bell, qui vient faire quelques farces sur la banlieue et le monopole qu'a cette compagnie sur le marché canadien de la téléphonie.

Entre un discours du maire de Brossard, des p'tits gars qui jouent au hockey dans la rue et Gilles Latulippe qui parle de la difficulté de repasser des draps contours, on s'imagine mal le téléspectateur trouvant ici de quoi se satisfaire. Peu d'érections pourraient survivre à un *insert*, aussi court soit-il, de Pierre Elliott Trudeau. «Y'est-tu beau», soutient Louise Turcot. «As-tu vu son béret blanc? On dirait que c'est sa mère qui lui a crocheté.» Monique Mercure semble pour sa part moins convaincue: «Ç'a l'air anglais...» C'est presque aussi inspirant que Marcel Sabourin se faisant masser dans un vibro-divan tandis que sa femme lui parle d'excision du clitoris. Plus tard, Sabourin recevra de ses patrons torontois un beau portrait de Sa Majesté la reine Élisabeth II. Ça, ça vous coupe dans votre élan.

N'empêche qu'il n'est pas mauvais, le film de Claude Fournier. Un peu bancal, mais pas mauvais pour autant. Son discours politique quelque peu bordélique tire dans toutes les directions à la fois, mais c'est au fond ce qui fait son charme. Entre la satire de la banlieue, les commentaires un peu flous mais, bien sentis au sujet des tensions entre le Québec et le Canada, de même qu'un discours plus soutenu sur la libération sexuelle, *Deux femmes en or* a des allures de fourre-tout broche à foin. Mais le simple fait qu'une comédie populaire tente d'aborder de front tous ces enjeux, entre deux parties de jambes en l'air, a de quoi commander le respect. On sent à l'œuvre une véritable volonté de capter l'air du temps pour le canaliser sous la forme d'un récit rassembleur.

Le récit en question sera celui de deux pauvres ménagères, voisines l'une de l'autre et meilleures amies de surcroît, qui ne sont pas comblées par leurs hommes respectifs: celui de Louise Turcot passe son temps entre les bras d'une midinette (Suzanne Côté), tandis que celui de Monique Mercure s'occupe de ses plantes en buvant du lait chaud. Pis le lait chaud, c'est un peu plate, on s'entend? Alors lorsque Mercure est exposée à des idées féministes, il est évident qu'elles feront leur petit effet. « On parle de nous autres dans un livre que je lis. Les femmes de banlieue, oui. » Puis elle en récite à voix haute un extrait : « Frappez à n'importe laquelle de ces portes – c'est chez nous ça –, les femmes exploitent leurs dons, mais c'est une voie sans issue. Il vient un moment où une femme si elle veut vivre en harmonie avec elle-même doit trouver sa propre individualité. »

« C'pas extraordinaire, ça ? » s'exclame-t-elle avec enthousiasme. Cette prise de conscience de son aliénation se traduira, bien entendu, par un épanouissement sexuel frénétique qui finira par être contagieux. Nos deux héroïnes ont tôt fait de devenir de véritables machines de séduction, ajoutant rapidement des représentants d'à peu près toutes les professions possibles à leur tableau de chasse. Tout cela paraît évidemment un peu con, avec le recul. Résumer le féminisme à cette libération fort relative, c'est sans contredit en réduire la portée. L'idée, ainsi caricaturée, relève de la blague. Mais les curés de la province, à la sortie du film, n'ont pas dû la trouver drôle, et faire chier monsieur le curé, à l'époque, tenait encore de l'acte (tranquillement) révolutionnaire.

Entre deux références à la crise d'Octobre, Michel Chartrand lui-même vient d'ailleurs faire une brève apparition dans le rôle d'un juge qui absout Mercure et Turcot, accusées d'avoir procuré un degré de plaisir s'étant avéré fatal à un sympathique petit vieux au cœur fragile. Son jugement est sans équivoque : « Mesdames, vous êtes exonérées de tout blâme. Vous êtes libérées. Partez la tête haute… vous êtes deux femmes en or ! » Il n'y a rien de mal à vouloir se libérer et le sourire de la victime atteste très clairement le fait que tout le monde a quelque chose à y gagner. Tout le monde est content et même les Américains, débarquant à l'improviste pour un épilogue des plus saugrenus, sont bien obligés de l'admettre : « These girls from Quebec are really something ! »

Autour du square Saint-Louis:
le cul un peu, beaucoup, passionnément
Éric Falardeau

35 **5**

(5) Comment faire l'amour avec un nègre sans se fatiguer
Can. 1989. Comédie satirique de Jacques W. Benoît avec Isaach de Bankolé, Maka Kotto, Roberta Bizeau. – Le défilé de jolies femmes dans l'appartement de deux Noirs oisifs suscite l'envie et la suspicion d'un trio de revendeurs de drogues. – Suite de vignettes au contenu plus ou moins satirique. Intrigue vague. Mise en scène assez colorée mais superficielle. Interprétation ne manquant pas d'aisance. © Mediafilm

Première diffusion: 8 avril 1995, 0 h 45

Adaptation du premier roman de Dany Laferrière, *Comment faire l'amour avec un nègre sans se fatiguer*[1] raconte les aventures de Vieux (Isaac de Bankolé) et de Bouba (l'humoriste et politicien Maka Kotto) qui habitent un petit appartement miteux en plein centre de Montréal. Vieux rêve de devenir écrivain tandis que Bouba écoute du jazz et lit Freud. Entre-temps, nos deux séducteurs multiplient les conquêtes, toutes des femmes de race blanche. Leurs charmes exotiques ne tardent pas à susciter la colère d'une bande de vendeurs de drogue racistes (Julien Poulin, Roy Dupuis et Denis Trudel) qui ne voit pas d'un bon œil la présence de ces deux Don Juan des Antilles.

Le long métrage de Jacques W. Benoît (scénariste de quelques films de Denys Arcand, dont *Réjeanne Padovani* en 1973 et *Gina* en 1975) conserve l'humour provocant, mais rafraîchissant, du récit pseudo-autobiographique de Laferrière (qui coscénarise et apparaît le temps d'un caméo). Plus qu'une banale succession de blagues faciles sur la taille des pénis, les dialogues révèlent adroitement les préjugés raciaux entretenus sur le sexe. De la qualité des amants en fonction de la couleur de leur peau à la supposée plus grande liberté sexuelle des étrangers, le film propose une réflexion toujours d'actualité sur la séduction et la rencontre avec l'autre. En dépit des nationalités ou des statuts sociaux, *Comment faire l'amour avec un nègre sans se fatiguer* porte bien candidement sur la rencontre de deux éternels inconnus: l'homme et la femme. Comme le résumera Bouba, ce grand sage des jeux de l'amour et

---

1   Le succès du roman, en grande partie dû à son titre provocateur, a fait de Laferrière une *vedette*. Il est par la suite engagé comme chroniqueur et journaliste à TQS, chaîne qui a d'ailleurs contribué au financement du film (une coproduction France-Canada).

de la séduction, un mâle est un mâle : « Quand vous bandez, vous le faites avec votre vision du monde, les fantasmes de votre adolescence, le temps qu'il fait… la beauté n'a rien à voir avec ça. »

Étonnamment, le film est assez pudique et, malgré le fait qu'il se déroule en pleine canicule, les rares scènes torrides ne sont pas assez bien tournées pour être érotiques. La rencontre du noir et du blanc nous laisse de marbre. « Mais qu'importe, comme dirait Vieux, puisque c'est l'été, qu'il y a beaucoup de bière, de Blanches et pas de dictateur. » C'est qu'en fin de compte, Laferrière ne s'intéresse pas tant au sexe qu'à la ville de Montréal, ce territoire encore vierge autant pour le Québécois de souche que pour le nouvel arrivant. Comme une femme, la ville est à conquérir. Bien qu'il soit pauvre et peu éduqué, Vieux séduit aisément toutes ces « Miz », de Miz Littérature interprétée par Roberta Bizeau à Miz Rousse jouée par Isabelle L'Écuyer, qui sont de jeunes intellectuelles, universitaires, bourgeoises ou artistes résidant pour la plupart dans les quartiers cossus d'Outremont et de Westmount. Par-delà les rencontres sexuelles, *Comment faire l'amour avec un nègre sans se fatiguer*, c'est un peu, beaucoup, la mise à nue de Montréal et des corps qui l'habitent. C'est, somme toute, l'ivresse du possible d'une nouvelle terre d'accueil. Et s'il y a bien une chose qui peut prétendre à l'internationalité, qui peut réunir les gens, faire tomber les frontières et briser les tabous, c'est le cul !

Alice au pays de la perversion
Éric Falardeau

(6) Joy
Fr. 1983. Drame de mœurs de Serge Bergon avec Claudia Udy, Gérard
Antoine Huart, Agnès Torrent. – Un mannequin de renom mène une vie
luxueuse et volage jusqu'au jour où elle rencontre le grand amour. –
Scénario alambiqué inspiré d'une biographie de J. Laurey. Production
prétexte à scènes sensuelles. Réalisation fort conventionnelle. Interprétation
rudimentaire. © Mediafilm

Première diffusion: 7 octobre 1995, 0h20

Joy est mannequin. Entre les séances photo et les défilés de mode,
elle jouit des plaisirs qu'offre la vie des gens riches et célèbres : le
glamour, le luxe, la drogue, les voyages, les soirées mondaines et
le sexe. Elle embrasse cette existence avec toute la désinvolture et
la naïveté d'une jeune femme d'à peine vingt ans. Elle est belle,
talentueuse et, surtout, disponible. Délurée, elle ne refuse aucun
des délices que les sens peuvent lui apporter, s'abandonnant sans
discrimination aux hommes et aux femmes qui croisent son chemin. Lors d'un vernissage, elle rencontre Marc, un architecte quadragénaire, et en tombe follement amoureuse. Malheureusement,
il aime une autre femme et pour lui Joy n'est rien d'autre que sa
« petite salope », sa chose, son jouet, son plaisir. De Paris à New
York, en passant par le Mexique, Joy vivra une série d'aventures
qui l'obligeront à confronter son passé et à s'en affranchir. Car
sous une façade de jeune demoiselle volage et indépendante, Joy
cherche à combler un vide que ni Marc ni le plaisir charnel ne
peuvent combler. L'amour physique n'est pas l'issue.

Comme son personnage principal, *Joy* est constamment tiraillé
entre l'insoutenable légèreté de l'être et l'écrasante lourdeur
de l'existence. Adaptation du premier tome – publiée en 1981
– de la prétendue autobiographie érotique d'une mannequin
franco-américaine[1], le principal défaut du film est d'essayer de
concilier le ton sombre du roman éponyme à celui plus insouciant
du cinéma érotique. Hormis l'abjecte scène pivot du donjon où

---

1   Joy Laurey était le nom de plume du romancier français Jean-Pierre Imbrohoris (décédé
    dans le sud de la France dans un accident de voiture en décembre 1993) qui a fait de son
    alter ego féminin la protagoniste principale d'une série de romans érotiques par la suite
    adaptés au grand et au petit écran.

Marc offre «sa» Joy terrifiée en pâture à cinq hommes[2], le travail d'adaptation transforme heureusement les scènes glauques, voire misogynes, du livre en épisodes sans conséquences. C'est cette bicéphalité, cette hésitation constante entre le divertissement ludique et la gravité du récit, qui donne à *Joy* son charme mélancolique. Jamais aussi amer et désenchanté que le roman, il n'en demeure pas moins que sous ses apparences frivoles, le récit fait état d'une véritable détresse émotive. Plus ou moins consciemment, Joy multiplie les expériences sexuelles pour apaiser son angoisse. Joy (se) cherche, oui, mais aux mauvais endroits, devenant aux yeux de tous un simple objet sexuel. Comme elle le dira dans le roman, «je ne vois pas au loin et je confonds mes rêves avec la réalité[3].»

2   Cette scène dérangeante et tout sauf titillante réfère directement à celle du «viol collectif» par les boxeurs thaïlandais dans le *Emmanuelle* de Just Jaeckin. Le personnage de Marc, tout comme Mario, y va des mêmes explications pseudo-philosophiques sur la vie, l'amour et le sexe, expliquant de manière paternaliste et autosuffisante à Joy qu'ils sont dans «le temple de la femme», que l'on ne quitte pas tant que les plaisirs féminins ne sont pas assouvis. En se laissant prendre de force par plusieurs hommes, elle lui prouve son amour puisqu'elle est totalement soumise.

3   Joy Laurey (Jean-Pierre Imbrohoris), *Joy*, Paris, Éditions Robert Laffont, 1981, p. 15.

Le film s'ouvre d'ailleurs sur un souvenir. Ou est-ce un rêve? Après un rapide gros plan sur un tigre rugissant, une gamine en proie à un cauchemar se réveille apeurée. Elle descend lentement au salon où elle surprend un couple en plein ébat sexuel. Après le coït, le regard de l'homme croise celui de la jeune fille. Il la fixe un instant avant qu'une bûche tombant en dehors du foyer détourne son attention. Il est déjà trop tard. Pour la petite Joy, le temps s'est arrêté. Depuis ce jour, elle cherche ce père disparu, un mystérieux Américain, qu'elle croit retrouver dans les bras de Marc. Joy est hantée par ce traumatisme de la scène originaire[4] et ne sortira jamais réellement de son complexe d'Électre.[5] Sa solution sera de passer d'un homme à un autre, goûtant bien entendu à quelques reprises aux charmes de Lesbos, à la recherche de l'amour paternel. C'est son malheur et son refuge. Comme lui dira Alain, son amant musicien qu'elle plaquera assez rapidement dans les premières minutes du film, «Je sais, les autres hommes de ta vie sont tes couplets. Moi je suis ton refrain. Tu me reviens toujours.» Elle devra plutôt apprendre à revenir vers elle-même. En ce sens, *Joy* est un récit initiatique.

De toute évidence, *Joy* est une tentative de créer une nouvelle Emmanuelle pour les années 80. En achetant les droits du contro-versé roman, le producteur Benjamin Simon espérait sûrement un succès commercial similaire. Avec son budget de 15 millions de francs[6], l'équipe de production avait les coudées franches et ils s'en sont visiblement donnés à cœur joie. Le film est ambitieux à tous les niveaux. La musique est particulièrement recherchée (la bande originale est d'Alain Wisniak[7] et la trame sonore inclut même une chanson de Brian Eno et Jon Hassell[8]) et les lieux de tournage sont spectaculaires – le tournage s'est déplacé dans

---

4 «Scène de rapport sexuel entre les parents, observée ou supposée d'après certains indices et fantasmée par l'enfant. Elle est généralement interprétée par celui-ci comme un acte de violence de la part du père», Jean Laplanche et Jean-Bertrand Pontalis, *Vocabulaire de la psychanalyse*, Paris, PUF-Quadrige, 2002, p. 432.
5 Le complexe d'Électre est un terme utilisé par Carl Gustave Jung, et réfuté par Freud, pour désigner la version féminine du complexe d'Œdipe. Le complexe d'Œdipe désigne «un ensemble organisé de désirs amoureux et hostiles qu'un enfant éprouve à l'égard de ses parents. [...] Le complexe d'Œdipe joue un rôle fondamental dans la structuration de la personnalité et dans l'orientation du désir humain», *Ibid.*, p. 78-80.
6 Christophe Bier (éd.), *Dictionnaire des films français érotiques & pornographiques en 16 et 35 mm*, Paris, Serious Publishing, 2011, p. 595.
7 Wisniak est un auteur-compositeur et arrangeur de musique pour le cinéma, la radio et la télévision. Il a entre autres composé la musique de *La femme publique* (Andrei Zulawski, 1984).
8 *Chemistry* de l'album *Fourth World* (1980).

plusieurs pays : Mexique, France, États-Unis et même à Montréal. Clairement, il s'agit d'un long métrage érotique à gros budget et tous les prétextes sont bons pour nous le rappeler. Prenons par exemple ce *photoshoot* dans des ruines mayas qui fait de *Joy* une icône de la révolution sexuelle (les photos se retrouvent sur une affiche publicitaire ayant pour slogan « Les droits de la femme : l'orgasme ») ou encore ce tournage américain d'un film d'action de série B[9] dans les rues de la Grosse Pomme (épisode également présent dans le roman) !

Joy applique également toutes les conventions de l'érotisme chic établies par le *Emmanuelle* de Just Jaeckin (1974) : exotisme, lesbianisme, chanson thème sulfureuse composée par François Valéry[10] et interprétée par Debbie Davis[11], homme mûr agissant comme une sorte de Virgile de l'éducation sexuelle et sentimentale, pratique sexuelle « en marge » dont une séance de tantrisme *new age*. *Joy* contient tout cela. Mais il serait faux de voir le film comme étant uniquement une pâle copie d'*Emmanuelle*. Oui, *Joy* aspire au succès de son prédécesseur, mais le long métrage de Serge Bergon[12], transfuge du domaine publicitaire, étonne par ses nombreuses trouvailles du côté de la mise en scène.

À ce titre, revenons sur cette superbe scène pendant laquelle Joy, accompagnée de Marc, se retouve dans un manoir où elle est filmée pour le plaisir d'excentriques milliardaires. Assise sur une table d'examen au centre d'une pièce entourée de miroirs semi-réfléchissants et ressemblant à un plateau de télévision, elle se donne à voir par l'entremise des caméras et d'un électrocardiogramme enregistrant les battements de son cœur. Présente dans

9   Cette séquence anticipe de manière assez amusante un film d'action français ayant également joué à *Bleu nuit, L'exécutrice* (Michel Caputo, 1986), dans lequel la star du X Brigitte Lahaie, qui tient le rôle-titre dans la suite de *Joy*, joue une policière dure à cuir qui cherche à venger la mort de sa sœur.

10 De son vrai nom Jean-Louis Mougeot, Valéry est un producteur et un auteur-compositeur-interprète surtout connu pour ses nombreux *hits* dans les années 70 et 80. Il a aussi collaboré à la trame sonore de la suite de *Joy* intitulée *Joy et Joan* (Jacques Saurel, 1985).

11 Debbie Davis est une chanteuse américaine, naturalisée française, qui a connu un certain succès dans les années 80 et 90.

12 De nombreuses sources dont IMDB attribuent plutôt la mise en scène au cinéaste italien Sergio Bergonzelli, mais une entrevue avec Bergon pour *Star Ciné Vidéo* en octobre 1983 prouve qu'il a bel et bien réalisé le film. Voir Christophe Bier, *op. cit.*, p. 596.

le roman[13], cette scène prend ici tout son sens puisqu'elle profite des possibilités de l'image. Bergon utilise les réflexions dans les miroirs, les nombreux écrans ainsi que l'image vidéo captée par les caméras pour établir un parallèle entre les regards voyeurs des personnages et celui du spectateur dans la salle de cinéma. Plus encore, en présentant en surimpression deux visages et le graphique des battements du cœur de Joy, Bergon résume la quête de son personnage principal et suggère que l'amour, le cœur, est essentiel au sexe.

Notons finalement la présence de Claudia Udy dans le rôle-titre. Née aux États-Unis, mais élévée au Canada, son jeu approximatif et son visage enfantin empêchent le film de sombrer dans le mélodrame érotique. Sa joie de vivre crève l'écran et elle apporte un côté bon enfant, naïf, qui sied à merveille au personage, à tel point qu'il devient difficile de départager Joy de Claudia. Deux actrices incarneront le personnage par la suite : Brigitte Lahaie dans *Joy et Joan* et Zara White, vedette pornographique néerlandaise, dans la courte série de téléfilms où le personnage part littéralement en vadrouille à travers le monde[14]. Ni une ni l'autre ne dégage cette énergie contagieuse propre à Udy. Probablement qu'elle s'amusait à imaginer « l'homme solitaire assoiffé par ma nudité, mes seins trop fermes et la toison dorée de mon sexe[15]. »

13 Joy Laurey, *op. cit.*, p. 50 : « Il appuya sur un bouton et un écran de télévision géant apparut. Une image grise vacilla, brouillée, puis le gros plan de mon sexe éclata dans toute son indécence. Démesurément agrandie, l'image montrait un relief rose, reluisant qui se perdait dans l'ombre d'une profondeur mauve. Sur le haut de l'écran, une excroissance luisante tremblait comme une fleur vivante... »

14 La série intitulée *Joy in Love* comporte cinq titres : *Joy en Afrique* (Bob Palunco, 1992), *Joy à Moscou* (Jean-Yves Pavel, 1992), *Joy à Hong Kong* (Leo Daniel, 1992), *Joy à San Francisco* (Jean-Pierre Garnier, 1992) et *Joy et Joan chez les pharaons* (Jean-Pierre Garnier, 1993). Contrairement à la série *Emmanuelle*, ces téléfilms n'ont pas été présentés à *Bleu nuit*.

15 Joy Laurey, *op. cit.*, p. 185.

Conséquences et récompense de la cinéphagie

Simon Laperrière

(7) Recherche comédiennes déshabillées (Nudity Required)   35 5
É.-U. 1990. Comédie de mœurs de John Bowen avec Julie Newmar, Brad
Zutaut, Troy Donahue. – Deux adeptes du surf se font passer pour des
producteurs de films érotiques afin de rencontrer de belles jeunes filles. –
Thème connu traité sans aucune imagination. Scénario inepte. Mise en scène
fort limitée. Interprétation inconsistante. © Mediafilm

Première diffusion: 26 septembre 1992, 22h50

Réalisé par John Bowen, un prolifique pornographe américain, *Recherche comédiennes déshabillées* fait partie de ces films qui ne surgissent sur petit écran qu'après minuit. Abandonné sur une case horaire de faible écoute, il sert principalement de veilleuse à un public peu exigeant. Il vient cette heure où même le plus difficile des télévores abandonne son jugement critique à la clémence de la fatigue.

Le titre français de l'œuvre ressemble à une requête du spectateur nocturne: «Si je suis resté debout aussi tard, c'est pour voir des paires de seins. Je ne demanderai rien de plus.» Le problème avec cette production au budget microscopique c'est qu'elle refuse de se limiter à une simple succession de *stripteases*. Au contraire, elle tente de dissimuler son exploitation du corps féminin derrière une prémisse de mauvais goût qui nécessite des scènes de nudité. L'hypocrisie de la série Z a parfois son charme, mais dans le cas présent, elle ennuie. Les actrices dévêtues sont bien là, mais pour les voir, il faut endurer les aventures affligeantes de deux idiots se faisant passer pour des producteurs afin d'auditionner des actrices dans leur plus simple appareil. Se greffent à leurs péripéties une intrigue criminelle parfaitement inutile ainsi que l'arrivée en scène d'une embarrassante caricature de femme soviétique interprétée par la pauvre Julie Newmar.

Les corps siliconés – nous sommes au début des années 90 – sont la seule raison pour demeurer à l'antenne. À notre grand malheur, ceux-ci s'avèrent peu nombreux. Une fois les auditions terminées, les jolies filles retrouvent leur bikini et *Recherche comédiennes déshabillées* n'a plus grand-chose à offrir, mis à part une pudique scène de douche et une incursion tardive dans un donjon SM. Par contre, nous avons droit à d'innombrables scènes de remplissage truffées de gags machistes prévisibles et de ces étranges moments propres au *sexploitation*. Que penser, en guise d'exemple, de cette propriétaire d'un python qui croit bon de laisser son reptile en liberté dans une piscine où se trouvent déjà plusieurs baigneuses ?

Nous pourrions peut-être pardonner au film sa mièvrerie si, comme certaines comédies figurant dans le catalogue de Troma[1], elle se trouvait mise à distance grâce à un quelconque second degré. L'autodérision est cependant absente de cette tache dans la filmographie de Newmar. Gageons que cette ex-Catwoman devait regretter ses belles années auprès d'Adam West lors du tournage.

Pourquoi rire de sa triste fin de carrière ? Parce que les cinéphages sont de nature moqueuse et qu'ils prennent un malin plaisir à ridiculiser ces idoles déchues qui ont honteusement échangé leur dignité contre un rôle dans un film alimentaire. C'est bien la seule récompense qu'ils tirent de leur régime de navets.

Mais alors que nous nous apprêtons à éteindre le téléviseur, *Recherche comédiennes déshabillées* réussit à avoir le dernier mot. Sans crier gare, il nous surprend avec une finale complètement farfelue où nos héros sont poursuivis dans un studio de film d'horreur par un mitrailleur déguisé en tacos. Du jamais vu ! Il y a une leçon à tirer ici. Quant à savoir laquelle...

---

1   Fondé en 1974 par Lloyd Kaufman et Michael Herz, ce studio américain est principalement connu pour sa série culte *Toxic le ravageur*. Fier représentant du cinéma indépendant, il se démarque par ses productions à l'humour crade et au *gore* granguignolesque. Troma œuvre également dans le domaine de la distribution en faisant l'acquisition de films à petit budget.

Faut-il assagir les poètes macabres ?

Frédérick Durand

(6) Miel du diable, Le (Il Miele di diavolo) 35 5
It. 1986. Drame psychologique de Lucio Fulci avec Bianca Marsillach, Brett Halsey, Stefano Madia. – Après la mort subite de son ami lors d'une opération chirurgicale, une femme enlève et séquestre le médecin qu'elle juge responsable du décès. – Traitement peu subtil. Déséquilibre psychologique à base d'érotisme abordé avec lourdeur. Mise en scène emphatique. Interprétation peu convaincante. © Mediafilm

Première diffusion : 14 décembre 1991, 23 h 30

Mais tu succomberas de bonheur
parce qu'elle est le miel du diable
tu t'enivreras à sa source

Le *miel du diable* (Lucio Fulci, 1986)

Surtout connu pour ses films d'horreur, l'Italien Lucio Fulci semble a priori éloigné de *Bleu nuit*. Pourtant, à la toute fin de 1991, son thriller érotique *Le miel du diable* y fut diffusé. Ce choix constitue-t-il un exemple représentatif d'une programmation plus diversifiée que pourraient le laisser croire certaines préconceptions ?

Situons le contexte. Au début des années 90, beaucoup de longs métrages de Fulci étaient difficiles à trouver. Certes, ses classiques *Frayeurs* (1980), *L'enfer des zombies* (dans des versions censurées, 1979), *La maison près du cimetière* (1981) ou *L'au-delà* (versions complètes, mais dont la qualité d'image est pour le moins discutable, 1981) pouvaient être dénichés dans quelques clubs vidéo, où ils s'empoussiéraient sur les étagères du bas. Mais qu'en était-il des œuvres plus récentes du *maestro* ? Certaines d'elles avaient fait l'objet d'éditions VHS, mais parfois, celles-ci étaient plus rares que ses vieux films, à tout le moins dans la région de Trois-Rivières.

C'était le cas du *Miel du diable*. Imaginez l'aubaine que pouvait constituer cette diffusion à *Bleu nuit*: découvrir un «Fulci» que je n'avais jamais vu! Évidemment, il faudrait subir les interruptions publicitaires, mais la génération VHS à laquelle j'appartenais appréciait les avantages de la touche «avance rapide». C'était l'époque où, au lieu des infopubs auxquelles sont habitués les spectateurs contemporains, des chaînes comme CFCF-12 programmaient toute la nuit des séries B ou Z improbables, tels les films mexicains de Boris Karloff, des Mario Bava rebaptisés (*Shock* devenant *Beyond the Door 2*, 1977), l'époque où WCFE présentait un festival d'horreur pendant l'Halloween à l'occasion d'un téléthon de financement. Ère révolue, pourtant pas si lointaine, qui semble aujourd'hui quasi invraisemblable.

Retour à aujourd'hui. En quête d'un angle d'attaque original pour cet article, je me suis souvenu de ce *Miel du diable* enregistré jadis sur une cassette vidéo, puisque j'étais absent au moment de la diffusion. La question qui se posait était simple : avais-je encore cette VHS ? Depuis une quinzaine d'années, je me départis de ces objets au gré des parutions Blu-Ray et DVD, qui offrent généralement des copies de loin supérieures. Ce thriller érotique étant sur le marché en DVD, je n'avais guère de raison de l'avoir conservé, a fortiori dans une version télévisée enregistrée en mode EP.

Je me suis armé de patience en trouvant dans une boîte plusieurs cassettes non identifiées. Qu'allais-je y dénicher ? Je n'eus pas l'occasion d'approfondir la question, car je découvris – à ma grande surprise – *Le miel du diable* « bleu-nuité » sur la première VHS du lot.

Grâce à ce document d'archives inespéré, j'allais donc pouvoir revoir le film « tel quel », avec ses pauses publicitaires d'époque, de manière à rendre compte, plus de 20 ans après, de l'expérience *Bleu nuit*.

Quelques mots sur *Le miel du diable*, d'abord. En 1986, au moment où Fulci se consacre à ce projet, sa carrière n'est pas à son apogée. Après le flamboiement du début des années 80, le parcours du réalisateur sème la confusion chez ses défenseurs. La dérive prend d'abord la forme du contesté *L'éventreur de New York* (1982), *giallo* sanglant et malsain qui divise la critique. Ce n'est toutefois rien en comparaison avec *Manhattan Baby* (1982), suspense fantastique marquant une régression par rapport aux œuvres antérieures, voire avec *Conquest* (1983), dont la photographie brumeuse laisse plus d'un aficionado perplexe. Fulci poursuivra sa descente aux enfers avec *Les centurions de l'an 2001* (1984), science-fiction routinière en dépit de touches personnelles (surtout visibles au début) et *Murderock* (tiède *giallo* dont l'action prend place dans une école de danse, 1984). C'est, pour le cinéaste, le moment où des ennuis de santé commencent hélas à le miner.

Peu avant de tourner *Le miel du diable*, il coécrit un scénario qui donnera lieu à *L'enchaîné*, réalisé en 1985 par Giuseppe Patroni Griffi, lequel présente certaines similitudes avec *Le miel du diable* (son statut de thriller érotique, la présence au générique de la comédienne Blanca Marsillach, le thème des relations sadomasochistes, etc.).

S'il aurait pu être l'un des nombreux érotiques *soft* européens des années 1980, *Le miel du diable* se démarque du lot entre autres grâce à une trame narrative plus originale que nombre de ses semblables.

L'émission *Bleu nuit* commençait par une brève animation pendant laquelle une *voix off* résumait le scénario du film. Dans ce cas-ci, on pouvait entendre : «Une jeune femme séquestre un médecin qu'elle juge responsable de la mort de son ami. Voici le drame psychologique *Le miel du diable*». Cette mise en contexte était suivie d'un avertissement écrit : «Le film que vous allez voir comporte des scènes d'érotisme et de violence qui peuvent offenser certains téléspectateurs. Nous préférons vous en avertir.»

En revoyant ce thriller, il est aisé de constater pourquoi il fut programmé dans le contexte de *Bleu nuit*: *Le miel du diable* offre une expérience cinématographique judicieusement calibrée. D'une part, il garde une tenue et une classe évidentes du début à la fin (récit complexe jouant sur deux temporalités, sur des nuances psychologiques et sur un drame humain, abondance des dialogues, comédienne principale à la plastique agréable et naturelle, suspense maintenu jusqu'à la fin, brièveté des scènes érotiques justifiées par les enjeux narratifs, etc.) ; d'autre part, il parvient à manifester une audace indéniable au sein d'un genre souvent plus timoré qu'on pourrait le croire. Comme l'indiquait la *voix off* qui résumait le film, *Le miel du diable* réunit des éléments propres au récit criminel : à cause d'une querelle qu'il a eue avec son épouse, un médecin s'avère incapable de se concentrer lors d'une opération délicate. Blessé à la tête, son patient meurt à l'hôpital. La veuve aura une idée fixe, soit kidnapper le médecin et se venger de lui en le faisant souffrir avant de le tuer.

L'entrée en matière du film en condense les caractéristiques. La musique d'ouverture (saxophone et synthétiseur très années 80) a plutôt mal vieilli, et elle donne un aspect quelque peu kitsch au générique. On se souviendra à quel point l'érotisme « de bon ton » de cette décennie allait de pair avec le saxophone, le musicien Kenny G. ayant bâti sa carrière sur ce principe. Très classique, la police de caractères employée ennoblit le propos à sa manière : il s'agit de ne pas effaroucher les spectateurs plus timides, mais de ne pas perdre non plus un public qui cherche une forme d'intensité dans ce cinéma.

La scène d'ouverture pose les jalons de ce qui suivra. Pendant une session d'enregistrement, Gaetano[1], saxophoniste séduisant, polarise l'attention. Objet du désir, il provoque des réactions physiques qui ne laissent aucune ambiguïté : langue qui se glisse sur les lèvres avec appétit, expressions soutenues, regards alanguis ou passionnés des êtres qui se trouvent à proximité, sourires plus ou moins subtils... Les thèmes ressortent de façon claire – l'antagonisme, la solitude, la fantasmatique, la communication qui n'a souvent lieu qu'avec soi-même. Les rapprochements (lorsqu'il y en a) ne seront que temporaires, décalés, ce qui correspond au pessimisme caractéristique des œuvres de Fulci.

Une fois l'enregistrement terminé, la nature érotique du film s'affirme : le saxophoniste et sa compagne, Cécilia s'embrassent, sous l'œil désapprobateur de l'équipe de production. Celle-ci prétexte une pause pour quitter les lieux et laisser s'ébattre les amants. Le dernier thème sera introduit : les rapports de domination et de soumission. Seul avec Cécilia, Gaetano joue un morceau langoureux à sa compagne, qui presse le pavillon de l'instrument contre son sexe. L'expression de la comédienne véhicule des sentiments contradictoires partagés entre plaisir, douleur et résignation. Les amoureux se rejoindront rarement sur le même plan – elle rêve « d'une affection vraie qui ne soit qu'à [elle] », il semble a priori plus brut avant de révéler un secret à la toute fin du film. Par ailleurs, chaque protagoniste sera tour à tour dominant ou dominé.

1 On notera que la version française garde les noms italiens, alors que la version anglophone rebaptise les personnages Johnny, Jessica, Wendell, etc.

Puisque Fulci installe cette scène dans la durée (le morceau est interprété au complet), l'émotion a le temps de s'établir, de même que la dynamique du couple en question. Les dialogues se feront plus tard explicites en faisant référence à l'esclavage et à la docilité.

C'est à la huitième minute du métrage qu'arrive l'acteur américain Brett Halsey, interprète de Guido, médecin d'abord présenté comme rassurant et en parfaite maîtrise de son métier. Malgré cela, l'homme est rongé par des démons intérieurs, ce que révélera une scène lors de laquelle il est troublé par le vernis rouge (symbolique du sang chère à Fulci) qu'applique l'une de ses maîtresses sur ses bas qui ont filé.

Doté d'une construction originale, le film alternera dès lors – et jusqu'à sa conclusion – les *flash-back* et les retours au présent. Plutôt que de souligner ces sauts temporels à l'aide de gadgets de mise en scène, le cinéaste se fie à l'intelligence de son spectateur, qu'il juge apte à reconstituer le puzzle sans devoir le guider de façon trop évidente.

À plusieurs reprises, le penchant de Fulci pour l'horreur et le thriller se fait sentir, ce qui permet au récit de délaisser les lieux communs bourgeois et les clichés de certaines œuvres érotiques. Ce n'est assurément pas dans tous les films du genre qu'on peut voir une jeune femme démolir une voiture à coups de hache pendant qu'un berger allemand agressif menace un homme enchaîné! Et que dire de la réplique : «Je crois que c'est la mort qui t'a offert à moi?»

Bref, l'ambiance pesante s'éloigne de la routine des *softcore* de la série. Différentes stratégies contribuent à accentuer cette charge émotive, que ce soient les dialogues, souvent l'occasion de confrontations tendues (les insultes fusent : «porc», «putain», «salaud», «ordure», «assassin», «Je veux que tu sois beau avant de mourir... aujourd'hui»), les diverses techniques cinématographiques (travail sur le montage, notamment lors de scènes qui utilisent le berger allemand, emploi de gros plans révélateurs des tourments des personnages), le positionnement de la caméra, la bande-son métaphorique (tonnerre, etc.). Notons enfin que l'œuvre se conclut de façon satisfaisante grâce à son sens des nuances.

La subversion du *Miel du diable* réside plus dans sa violence que dans son érotisme, somme toute retenu : quelques étreintes, des nudités féminines et des torses masculins, une certaine élégance et un lyrisme indéniable dans le traitement du sujet... Il convient par ailleurs de signaler qu'au moment où *Le miel du diable* fut diffusé à *Bleu nuit*, le thriller érotique était en vogue. Son appartenance à un genre devenu familier en facilitait l'assimilation puisque la plupart des spectateurs avaient déjà été exposés à des œuvres de ce type.

Pour terminer, qu'en est-il de « l'expérience *Bleu nuit*» ? J'avoue avoir été surpris. Je m'attendais à voir le film entrecoupé de publicités pour des boutiques érotiques, des lignes 1-976 et tout un folklore représentatif de l'érotisme commercial. Ce que j'ai découvert était différent.

Une précision s'impose avant de poursuivre : la copie visionnée rendait compte de la diffusion sur la chaîne locale (Trois-Rivières) de TQS, soit CFKM. Plusieurs publicités régionales s'inséraient donc dans les blocs, distinctes de celles que les spectateurs montréalais virent à l'époque. En outre, le film ayant été programmé pendant la période des Fêtes, plusieurs réclames soulignaient ce contexte.

Sept blocs interrompirent le film. Leur durée moyenne était d'environ quatre minutes. Certains messages ne furent diffusés qu'une seule fois, d'autres sont revenus fréquemment (je me suis rappelé pourquoi je trouvais si agaçant de regarder un film en direct à la télévision). Quelques exemples en vrac : exposition d'un peintre régional, beaucoup de boutiques de vêtements, pubs de bière dont l'une, consacrée à Black Label, m'a remémoré à quel point cette marque essayait alors de séduire une clientèle gothique/ alternative (orgue, noir et blanc, monochrome rouge, etc.).

En matière de désamorçage érotique, difficile de battre la publicité du restaurant La Torpille, qui remplissait l'écran de sous-marins et de pizzas après l'un des moments clés du film. Un anti-érotisme absolu émanait aussi de mascottes dansantes de tortues qui

THE DEVIL'S HONEY

CORINNE CLERY · BRETT HALSEY · BLANCA MARSILLACH
directed by LUCIO FULCI

se trémoussaient pour vanter les mérites des chocolats Turtle. Parmi d'autres concurrents de taille dans l'annulation de l'effet érotique de *Bleu nuit*, signalons un rappel de l'émission *La fourchette d'aujourd'hui* animée par Sœur Angèle, de même que le restaurant Le Bingo ou la Boucherie du Terroir.

Seule exception à cette déferlante, la publicité récurrente des films «Double défi», entreprise située à Saint-Hubert, spécialisée dans la vente de vidéocassettes érotiques. Cette fois, l'annonceur n'a pas hésité à plonger dans le vif du sujet, à grand renfort de phrases-chocs comme: «Quand le cinéma n'a plus rien à cacher», «Un érotisme sans limites», «La tentation la plus suave, celle de l'amour» ou «Attention, c'est chaud».

Stratégiquement placées durant le film, les publicités survenaient pendant ou après une scène dramatique. Elles créaient un sentiment de frustration qui visait probablement à maintenir le spectateur captif. Les romanciers populaires du XIXe siècle utilisaient souvent cette tactique. L'un des plus célèbres d'entre eux, Ponson du Terrail, auteur de la série *Rocambole*, l'avouait en ces termes: «Le jour où j'ai lu cette phrase: "Quelle était cette main? Quelle était cette tête? *La suite au prochain numéro*", j'ai compris que ma voie était trouvée.» Ce procédé, souvent repris de nos jours dans les séries télévisées, n'échappa pas non plus aux réalisateurs de serials américains, qui utilisèrent à foison la technique dite du *cliffhanger*.

Bref, s'il est plus approprié de regarder *Le miel du diable* sans publicités et dans un format qui en respecte la composition originale, *Bleu nuit* aura quand même permis à maints téléspectateurs de TQS de découvrir ce film qu'ils n'auraient sans doute jamais vu dans d'autres circonstances. On peut considérer ce choix audacieux comme représentatif de la diversité des œuvres présentées à *Bleu nuit*. S'il est permis d'en tirer une conclusion, on remarquera que, loin de diffuser à la chaîne des *softcores* insipides, l'émission confrontait parfois son public à des œuvres inattendues, situées hors de la zone de confort de l'érotisme bourgeois ou codifié. Cinéaste radical qui se réclamait d'Artaud et de Brecht, Fulci aurait sans doute été satisfait d'apprendre qu'il marqua de sa griffe sauvage la programmation – et peut-être les spectateurs – de TQS.

À la recherche du papillon CRITIQUE

Éric Falardeau

(6) Gwendoline   35 5

Fr. 1983. Aventures de Just Jaeckin avec Tawny Kitaen, Brent Huff, Zabou. – Une jeune fille s'enfuit du couvent avec son amie pour aller au secours de son père, entomologiste aventureux disparu en Orient. – Scénario tiré de bandes dessinées clandestines des années 30. Traitement parodique. Nombreuses scènes érotiques. Réalisation laborieuse. Interprétation maladroite. © Mediafilm

Première diffusion: 6 juin 1987, 23h30

Je suis de la génération MTV, un pur produit des années 80. Cela signifie que deux choses ont égayé les interminables journées de mon enfance et ont marqué de manière indélébile ma vie, teintant par le fait même ma perception du monde. D'un côté, il y avait le cinéma qui était aisément accessible par l'entremise de la télévision et du providentiel magnétoscope, cet appareil divin qui m'a permis de revoir – trop – souvent les films que j'aimais. De l'autre, la musique, qui à cette époque était indissociable du pouvoir d'attraction de son nouveau véhicule de mise en marché, le révolutionnaire vidéoclip.

Dans ma famille, il y avait deux chaînes que nous affectionnions particulièrement et à partir desquelles mon père nous a rapidement bâti une gigantesque vidéothèque : Super Écran et Much Music. Pour le jeune garçon que j'étais, d'un naturel solitaire, définitivement plus intello que manuel et sportif, habitant la campagne, mais peu enclin à jouer dehors, notre vidéothèque était à la fois mon meilleur ami, un refuge réconfortant et une fenêtre sur le monde. Principalement constituée de films de genre étrangers (science-fiction, horreur, érotique et même pornographique, du *Suspiria* d'Argento [1977] au *Caligula* de Brass [1979] en passant par *Skintight* de De Priest [1981] et *L'Empire contre attaque* de Kershner [1980]) et de vidéoclips *hard/glam rock* ou *hair/heavy metal* (Mötley Crüe, Poison, Iron Maiden, Anvil, Killer Dwarfs, Guns N' Roses, etc.). Cette vidéothèque m'offrait librement un amalgame à la fois fascinant et troublant de sexe et de violence. Bref, tout ce dont j'avais besoin pour combler les longues heures d'ennui caractéristiques de l'enfance.

Parmi nos nombreuses cassettes VHS, il y en avait une sur laquelle se trouvait un long métrage qui m'a longtemps intrigué. Deux titres étaient identifiés sur le boîtier : *Gwendoline* (Just Jaeckin, 1983) et *Mad Max 2* (George Miller, 1981). Comme presque toutes les cassettes de notre vidéothèque, ces deux films étaient suivis de quelques vidéoclips destinés à maximiser la durée de la bande magnétique.

Ce qui m'agaçait avec l'enregistrement de *Gwendoline*, c'est qu'il débutait en plein milieu d'une scène pour se terminer une vingtaine de minutes plus tard, me laissant pantois en compagnie de *Mad Max*, avec pour seule béquille mon imaginaire trop fertile de gamin d'à peine dix ans. Cela était d'autant plus déroutant que la scène présentait plusieurs magnifiques jeunes femmes combattant jusqu'à la mort dans une arène. Bien entendu, elles étaient vêtues d'armures légères révélant plutôt que protégeant leurs corps souples et fermes. Les dialogues de la scène suivante permettaient de déduire grossièrement les événements précédents et de saisir l'enjeu de la joute : la guerrière sortante remportait le rare privilège de connaître le sexe en s'accouplant avec un prisonnier condamné à mourir une fois l'acte terminé. Aidée de son amie Beth, Gwendoline remporte les honneurs. Mais elle n'est pas l'une des femmes de ce peuple d'Amazones et sa participation au combat n'a qu'un but, soit de sauver le prisonnier qui est en fait leur partenaire d'expédition. Ce sauvetage in extremis se révèle également être un prétexte pour perdre sa virginité avec cet homme duquel elle est tombée amoureuse. L'union est consommée lors d'un étrange rituel présidé par la reine de cette cité souterraine. Ce faisant, ils déjouent les plans de cette dernière, détruisent la cité et capturent un mystérieux papillon. Fin de l'enregistrement.

C'est ainsi que j'ai rencontré pour la première fois Gwendoline. Du moins, c'est ce que je croyais, car sans le savoir je la connaissais déjà...

Je me suis souvent imaginé par la suite le reste de l'intrigue, espérant un jour découvrir les aventures complètes de la charmante brunette et enfin confronter ma version de l'histoire à celle réellement racontée (un moment rarement à la hauteur des attentes). Ce n'est qu'adulte que j'aie finalement pu visionner le film en entier. Le récit est simple: Gwendoline (Tawny Kitaen) et sa bonne, Beth (Zadou), débarquent en Asie afin de retrouver le père de notre héroïne, un explorateur renommé parti à la recherche d'un rare spécimen d'une espèce légendaire de papillon. Chemin faisant, elles rencontrent Willard (Brent Huff), un mercenaire rustre et solitaire, émule d'Harrison Ford façon Indiana Jones et Han Solo. Leurs aventures les mènent à la citée perdue de Yik-Yak, une ville peuplée uniquement de femmes et dirigée par une reine excentrique et cruelle interprétée par l'égérie de la nouvelle vague Bernadette Lafont. Malheureusement pour le spectateur, Gwendoline n'est pas Leia et encore moins Marion!

Adaptation libre du *comic strip* sado-masochiste *Sweet Gwendoline* de John Willie[1], le long métrage de Just Jaeckin ne conserve rien du caractère SM de la bande dessinée, si ce n'est certains costumes, essentiellement ceux des guerrières de la cité de Yik-Yak[2], et quelques moments où notre héroïne se retrouve prisonnière et ligotée. Très peu érotique au final, le récit correspond plutôt au modèle typique du film d'aventure des années 80, s'écroulant sous les nombreux emprunts aux *Aventuriers de l'arche perdue* (Steven Spielberg, 1981), mais également sous l'ambition démesurée du cinéaste qui tente, contre son propre sujet, de se la jouer grand public et référentiel. En témoigne cette décevante course de chars à la *Ben-Hur* (William Wyler, 1959) où les chevaux sont remplacés par des amazones attelées et fouettées.

Cela dit, un réel potentiel de film culte traverse le long métrage de Just Jaeckin qui est ici au sommet de sa forme. Car, si du point de vue érotique, il n'arrive pas à livrer la marchandise, la beauté des comédiennes, l'exotisme des lieux, les décors à la facticité assumée, la plasticité des images et un scénario qui enchaîne rigoureusement les péripéties sans laisser de temps mort parviennent à faire oublier le manque d'originalité de l'intrigue. *Gwendoline* bénéficie également de la musique hypnotique et éthérée, faite de cordes, de voix et de synthétiseurs, composée

---

1 Gwendoline est un personnage mythique auprès des amateurs de *bondage*. Ses aventures ont été publiées entre 1935 et 1958 dans différents magazines spécialisés. En français, elles ont été rééditées en deux volumes aux éditions Delcourt.
2 La cité et les costumes ont été imaginés par deux bédéistes belges: Claude Renard et François Schuiten. Leurs esquisses ont été réunies et publiées dans une étrange BD mélangeant anecdotes de tournage et récit fantaisiste. Voir Claude Renard et François Schuiten, *Les machinistes. Images pour le film Gwendoline*, Paris, Les Humanoïdes associés, 1984.

par l'incontournable Pierre Bachelet, collaborateur régulier de Jaeckin depuis *Emmanuelle* (1974), qui ponctue admirablement les moments clés du récit et s'incruste facilement dans la tête du spectateur. Notons finalement l'interprétation déjantée de Lafont qui prend un malin plaisir à jouer un monarque cruel et voyeur. Et que dire de l'interprète principale, la pulpeuse et sensuelle top modèle Tawny Kitaen !

Ah, Tawny, Gwendoline. Ce n'est qu'adulte, lorsque j'ai revu le film, que j'ai compris que ma fascination envers elle dépassait la simple frustration découlant d'un enregistrement incomplet sur une vidéocassette. Enfant, je n'avais pas réalisé que chaque jour je voyais Kitaen dans des vidéoclips. Et, même si je ne comprenais pas tout à fait cette sensation, elle m'excitait.

En 1987, Kitaen a tourné dans deux vidéoclips cultes et extrêmement érotiques du groupe Whitesnake[3]. Ses apparitions dans le sulfureux *Still of the Night*, où elle joue la femme fatale, cheveux en bataille et chemisette semi-transparente collant sur son corps moite, ainsi que dans l'excitant *Here I Go Again*, où elle danse lascivement sur les capots de deux voitures, ont suffi à faire d'elle un *sex-symbol*. Ces deux vidéoclips étaient étonnamment aguichants pour l'époque et ils ont accédé au panthéon restreint du vidéoclip sexy au côté du *Girls Girls Girls* de Mötley Crüe et du *Hot for Teacher* de Van Halen (qui sont – coïncidence ou signe d'une érotomanie précoce ? – deux autres de mes vidéoclips favoris).

Bref, Kitaen m'avait marqué au fer rouge avant même que je ne rencontre son alter ego Gwendoline, provoquant chez moi ce désir trouble, diffus et incompréhensible à la source de tout éveil sexuel. Elle n'était pas la seule à susciter ces émotions, mais elle a toujours occupé une place indétrônable au sommet de mes fantasmes de jeunesse. Je réalise aujourd'hui que son importance dans ma vie réside dans le fait qu'elle est une figure cristallisant une part de mon enfance, représentant tout ce qui m'a influencé, tous ces souvenirs qui font de moi l'homme que je suis.

---

3 Whitesnake est un groupe de *hard rock* britannique fondé par le chanteur David Coverdale (anciennement de Deep Purple). Kitaen était la femme de Coverdale. Le groupe a connu un énorme succès en 1987 avec leur huitième album qui les propulsa en tête de tous les palmarès. Ancienne petite amie du guitariste Robbin Crosby du groupe Ratt, Kitaen s'est retrouvée associée à la scène rock en posant pour la couverture de deux albums du groupe et en étant la figurante sexy près du jukebox dans l'ouverture du vidéoclip *Back for More*.

Gwendoline/Kitaen, ce n'est pas uniquement la découverte de l'érotisme et de la beauté mystérieuse et sensuelle de la femme, ni la nostalgie d'une époque où je découvrais le cinéma par l'entremise des enregistrements de mon père, période révolue où la vie semblait plus facile puisque pas encore affectée par les déceptions de l'âge adulte. Non. Pour moi, *Gwendoline*, c'est la rencontre du cinéma, mon grand amour, et de la musique, ma maîtresse. Comme le papillon du film qui est un prétexte narratif, la métaphore grossière de la virginité imprenable de Gwendoline, cette dernière demeure pour moi une énigme, un symbole, une excuse pour retrouver à chaque visionnement ce gamin naïf et innocent qui n'est jamais caché bien loin sous la carapace de l'homme. Si certains sont à la recherche du temps perdu, de mon côté, je suis toujours à la recherche de Gwendoline. Contrairement à elle, le papillon restera pour toujours insaisissable…

Choses secrètes
Simon Laperrière

35 **5**

(6) Tendres cousines
Fr. 1980. Comédie dramatique de David Hamilton avec Thierry Tevini, Anja Schüte, Macha Méril. – À l'été 1939, les expériences amoureuses d'un adolescent de quatorze ans en vacances à la ferme familiale. – Plaisanteries lourdes. Réalisation maniérée et prétentieuse. Interprétation fort inégale.
© Mediafilm

Première diffusion: 7 novembre 1987, 23h30

Pour Ingrid

Ai-je déjà vu *Tendres cousines* à *Bleu nuit*? Ma mémoire me dit que non. Un coup d'œil à la programmation de la série m'indique cependant qu'il est vraisemblable que j'aie pu assister à l'une de ses nombreuses diffusions au début des années 90. À l'époque, je passais des soirées entières à regarder des vidéocassettes dans le sous-sol d'un de mes amis. Nous avions la permission de dormir dans cette pièce à condition d'éteindre les lumières à 22 heures. Le téléviseur demeurait secrètement en marche après ce couvre-feu. Quelques centimètres nous séparaient du poste dont le volume était baissé au minimum. Ces circonstances m'ont fait découvrir *Bleu nuit* et possiblement quelques extraits du long métrage de David Hamilton.

Un visionnement de l'œuvre n'éveille en moi aucun souvenir. Le film m'est tout de même familier. J'y reconnais sur-le-champs quelques éléments propres au cinéma que TQS présentait le samedi soir. Image vaporeuse, jeu stoïque des acteurs et décors grandioses sont tous présents dans *Tendres cousines*. Ce film ne se démarque nullement d'*Emmanuelle* (1974), se fondant dans la masse des productions à grand budget ayant suivi à la lettre l'exemple esthétique du succès de Jaeckin. Son respect de conventions aujourd'hui ringardes en fait un artefact d'une période révolue de l'érotisme à l'écran.

Un film de son temps. Il n'y a pas de meilleur qualificatif pour décrire *Tendres cousines*. En cette ère de *remakes*, j'ai peine à croire qu'un investisseur oserait financer une nouvelle mouture de ce long métrage[1]. Le récit incestueux d'un gamin de quatorze ans espérant coucher avec sa cousine également mineure ne ferait pas bon ménage avec les agents de la morale d'aujourd'hui. Seul le respectable cinéma de festival peut aborder le thème du sexe entre adolescents. Tout autre traitement serait condamné pour sa perversité.

Cette accusation, David Hamilton l'a entendue tout au long de sa longue carrière. Photographe britannique de renom, ses portraits de jeunes filles en fleur dans leur plus simple appareil ont fait l'objet de maintes controverses. Aux yeux de plusieurs critiques, la frontière entre art et «pornographie enfantine à peine voilée[2]» semble mince dans certains de ses clichés. La question se pose, mais je ne tenterai pas d'y répondre. Bien que j'apprécie le travail d'Hamilton, je conçois qu'il puisse déranger. J'avoue avoir moi-même été choqué par certains passages de *Tendres cousines*, où Julien, le héros épris de sa cousine Julia, partage son lit avec des femmes matures. Considérant l'âge de l'acteur et le caractère étonnamment explicite de ces scènes[3], je ne peux nier que pareil spectacle, malgré son ton naïf, provoque le malaise. Difficile de ne pas y voir la concrétisation de fantaisies dépravées. Hamilton, cinéaste vicieux, fait de Julien son double afin de vivre les rendez-vous manqués de son adolescence.

Pareille réflexion me mène à en formuler une autre. Peut-être que mon regard d'adulte m'empêche d'interpréter *Tendres cousines* convenablement. Dans ce cas, reprenons du début et suggérons une nouvelle perspective. Julien habite une villa dans la campagne française avec sa famille. Son entourage se compose des locataires de sa résidence et de jolies servantes. Amoureux de sa cousine, il est naturellement obsédé par le sexe. À bien des égards, Julien représente le public de *Bleu nuit* que nous avons été à son âge. Alors qu'il épie une baigneuse dénudée, Poune, la sœur de Julia, lui demande : «Quel effet ça te fait de voir une femme toute nue ?» J'imagine sans mal la résonance que cette question a pu avoir sur un jeune spectateur curieux. Le parcours de Julien est celui que nous voulions connaître. Nous rêvions constamment

1 Quoique la possibilité soit évoquée dans un épisode de la série *Arrested Development*.
2 Britt Nini, «Tendres cousines», *Dictionnaire des films français pornographiques & érotiques 16 et 35 mm*, Christophe Bier (éd.), Paris, Serious Publishing, 2011, p. 964.
3 L'une d'elles nous montre les poils pubiens d'une femme de chambre, ce qui était rarissime à *Bleu nuit*.

d'expériences similaires avec nos voisines et nos enseignantes. *Tendres cousines* transpose donc à l'écran ces idées qui traversaient nos esprits pubères, ce qui fait de lui un rare cas de drame érotique s'adressant spécifiquement à des jouvenceaux.

Il est temps de me rendre à l'évidence : je n'ai jamais regardé le film de Hamilton à TQS. Si ça avait été le cas, le choc de son visionnement aurait été si fort qu'il aurait laissé en moi une marque indélébile. Je me serais immédiatement identifié à Julien, dont j'aurais évidemment envié les aventures. Outre la jalousie, j'aurais ressenti envers lui une véritable empathie. J'aurais tout compris de ses frustrations, mais également de la maladresse qui l'habite une fois qu'il se trouve seul dans une grange avec Justine, une ouvrière splendide. Dans cette scène immensément tendre, la brunette se montre clémente envers son cadet, elle lui dicte les gestes à suivre tout en lui pardonnant sa gaucherie. S'abandonner à une femme d'expérience est un fantasme juvénile répandu. À quatorze ans, je n'aurais rêvé d'une plus belle initiation. Autant dire que *Tendres cousines* aurait été responsable de bien des insomnies ! En effet, le personnage de Justine me rend nostalgique. Pas d'un événement – pardon de vous décevoir – mais plutôt d'une ancienne collègue de travail dont je souhaitais secrètement qu'elle interprète le rôle de mon éducatrice…

À cause de son sourire, de ses cheveux bruns… Et de ce que je garderai pour moi.

En regardant la scène de la grange dans *Tendres cousines*, j'ai découvert un sentier vers un monde possible. La fiction m'a projeté quelque part entre le souvenir et l'imaginaire. Je suis spectateur et vedette de mon propre film érotique. Me voilà enfin face à elle. Un désir ardent se lit sur ses lèvres frémissantes. Le soleil brille, mais je sais très bien qu'il est minuit.

L'instinct du plaisir
Éric Falardeau

(6) Fanny Hill   35   5

G.-B. 1983. Comédie de mœurs de Gerry O'Hara avec Lisa Raines, Shelley
Winters, Wilfrid Hyde-White. – Au XVIIIᵉ siècle, une jeune provinciale qui
s'est installée à Londres se livre à la prostitution pour gagner sa vie. –
Adaptation d'un roman de Cleland. Scénario prétexte à scènes érotiques.
Style assez plat. Interprétation faible. © Mediafilm

Première diffusion : 6 août 1988, 23 h 30

*Haïssant, comme je le fais, les longues et inutiles préfaces, je vous en
épargnerai l'ennui; je vous avertis seulement que ce récit de ma vie sera
aussi libre que l'a été ma vie elle-même.*

John Cleland, Fanny Hill

Ainsi débute l'autobiographie de la jeune et ingénue Fanny Hill.
Chef-d'œuvre de la littérature libertine du XIIIᵉ siècle, considéré
comme étant le premier roman pornographique de langue
anglaise, le sulfureux livre de John Cleland[1] raconte les infor-
tunes de Fanny, une orpheline âgée d'à peine quatorze ans
qu'une série de revers du destin feront fille de joie. Censuré et
interdit de publication dans sa version intégrale jusqu'au milieu
du XXᵉ siècle (il a été jugé non obscène aux États-Unis en 1966 et
l'interdit de publication pour atteinte aux bonnes mœurs a été
levé au Royaume-Uni en 1970), ce «roman-mémoires» a maintes
fois été porté à l'écran. Parmi les adaptations les plus célèbres,
notons celle du maître du *sexploitation* Russ Meyer[2] en 1964 (une
production allemande), la minisérie produite pour la BBC en
2007 par James Hawes et la version librement inspirée du livre
réalisée par Tinto Brass (*Paprika*, 1991, qui a lui-même fait l'objet
d'un *remake* pornographique par Joe D'Amato[3]).

---

1   Cleland a rédigé le roman en 1749 pendant un court séjour en prison pour des dettes non
payées. La publication fut un succès immédiat, particulièrement auprès de la gente féminine, mais causa scandale et de nombreux problèmes à son auteur.
2   Russ Meyer (1922-2004) est un cinéaste américain reconnu pour ses films subversifs et
sa fixation sur les poitrines imposantes. Ses longs métrages les plus célèbres sont *Faster,
Pussycat! Kill! Kill!* (1965), *Vixen* (1968) et *Beyond the Valley of the Doll* (1970, coscénarisé
avec le renommé critique Roger Ebert). Son amusante épitaphe est la suivante : «*King of
The Nudies, I Was Glad to Do It*» (traduction : «Roi des *nudies*, je suis heureux de l'avoir
fait»).
3   Sous le titre d'*Anal Paprika, The Last Italian Whore* (1995).

Au-delà de son importance historique dans la culture anglo-saxonne, le texte de Cleland a marqué le lectorat par son exploration d'une sexualité féminine assumée, vécue et célébrée dans toute sa splendeur. Le parcours de Fanny n'est pas dramatique. Il présente plutôt une découverte joyeuse de la sexualité, sans tabous ni jugements moraux ou religieux. Ce ton ludique et décomplexé a été conservé par tous les réalisateurs qui se sont attaqués à la transposition cinématographique des péripéties coquines de Fanny. Coproduction entre l'Allemagne et le Royaume-Uni, le *Fanny Hill* de Gerry O'Hara ne fait pas exception. Malheureusement, sa mise en scène rappelle le mauvais théâtre d'été en multipliant les poursuites grotesques dans les chambres à coucher, les quiproquos douteux, les plans en contre-plongée pendant la baise et le jeu exagéré de ses comédiens. Même les vétérans Oliver Reed, Wilfrid Hyde White et Shelley Winters cabotinent joyeusement. Oui, la comédie se marie bien à l'érotisme (en témoigne le célèbre adage voulant qu'une « femme qui rit est à moitié dans ton lit »), mais elle peut également lui nuire lorsque tout est tourné à la farce.

Le problème est que toutes les adaptations tentent de conserver la prose colorée et vivante de Cleland en utilisant la narration d'extraits du roman en *voix off*. En partageant les pensées et impressions du personnage, déclinées comme une confession, les cinéastes instaurent une distance qui nuit à l'érotisme et réduit le texte de Cleland à de simples parenthèses sentimentales ou comiques.

Fanny Hill[4] surprend malgré tout par sa quantité étonnante de scènes osées. À défaut d'être toutes excitantes, elles sont particulièrement satisfaisantes pour le spectateur à qui l'on offre plusieurs plans de nudité féminine intégrale et, chose très rare à *Bleu nuit*, un plan d'homme nu où l'on entrevoie rapidement un pénis[5]. D'ailleurs, le long métrage de O'Hara semble offrir un récapitulatif des moments de voyeurisme dans le 7e art : espionnage par des trous de serrure, saynètes interprétées par les prostituées et leurs clients ainsi qu'ébats surpris par hasard au détour de couloirs, de

---

4   Le personnage est ici interprété par la petillante Lisa Raines Foster. Il s'agit de l'un de ses rares rôles. Elle a une prolifique carrière dans le domaine des jeux vidéo et des effets spéciaux.
5   La monstration du corps masculin est un problème récurrent dans le cinéma *soft*. Plus encore, l'homosexualité masculine est carrément évacuée du genre. *Fanny Hill* ne fait pas exception avec une scène d'amour homme-homme qui ne se retrouve dans aucune des adaptations.

nombreuses séquences évoquent les classiques du genre érotique. Pensons à cette scène où Fanny et Phoebe s'amusent à regarder par des trous dans les murs les ébats simultanés de toute une maisonnée, se relayant et passant de l'un à l'autre. La naïveté et la retenue typiquement britannique de la mise en scène de O'Hara évoque constamment une frange du cinéma des premiers temps dont *Par le trou de la serrure* (Ferdinand Zecca, 1901) est l'un des représentants les plus célèbres.

L'un des moments clés du roman est sans contredit l'initiation de Fanny aux plaisirs du corps par l'expérimentée Phoebe (Maria Harper). Modèle de la découverte saphique, fantasme masculin par excellence, cet instant fondateur est d'une troublante sensibilité, et ce, à la fois dans le roman et le long métrage. Le véritable pouvoir subversif de l'érotisme s'exprime dans cet «acte défendu», point d'orgue du film qui, par sa délicatesse et sa sensualité, synthétise ce mélange de gêne et de plaisir que nous avons tous éprouvé la première fois où nous avons touché et été touché. Cette séquence s'attarde délicieusement sur ces timides baisers et ces caresses hésitantes indissociables de l'inexpérience. Il est amusant de savoir que cette scène a été censurée dans de nombreux pays et que jusqu'à tout récemment elle n'a été vue dans sa totalité que sur les chaînes télévisées canadiennes[6].

Paradoxalement, c'est le lesbianisme qui prépare Fanny à devenir un objet de plaisir masculin. Cette première expérience avec une femme marquera d'une certaine candeur le reste de ses aventures. Le sexe dans *Fanny Hill* demeure une source constante de surprises au point où on a l'impression que chaque rencontre est une occasion pour Fanny de revivre la perte de sa virginité. Il faut dire que son exploration de la sexualité hétérosexuelle est également marquée au fer rouge par son dépucelage par Charles, l'amour de sa vie, qui disparaît, au grand dam de notre protagoniste. Sa vie de fille de joie n'est qu'une parenthèse entre ce moment et les retrouvailles avec son bien-aimé. Tous les hommes qu'elle rencontrera entre-temps auront l'impression de jouir les premiers de ce «trésor» tant convoité et elle ne se gênera pas pour leur faire croire que c'est le cas (maculant les draps de sang à une occasion afin d'empocher plus d'argent).

---

6 Seul le DVD britannique inclut la version non censurée du film. Outre cette séquence, un épisode sadomasochiste somme toute assez conservateur était aussi coupé.

Finalement, il est impossible d'ignorer le délicat sujet de la prostitution. De nombreux films *soft* reposent sur la figure archétypale de la prostituée, de la femme au foyer en mal d'action (*Belle de jour*, Luis Buñuel, 1967) à la jeune fille au cœur d'or (*Rosa la rose, fille publique*, Paul Vecchiali, 1986). Si plusieurs auteurs, dont Marguerite Duras, ont célébré la prostitution comme étant la prise en charge par la femme de son destin, elle se traduit souvent dans les longs métrages cités plus haut comme étant un désir féminin refoulé, une envie secrète d'être soumise aux désirs d'un autre. Vendre son corps devient un moyen privilégié pour éduquer et épanouir la femme prisonnière des conventions sociales et de son image de « bonne fille ». Ainsi, il est sous-entendu de manière misogyne qu'en chaque femme sommeille une « pute » n'attendant qu'à être réveillée. *Fanny Hill* correspond en partie à ce modèle. La prostitution consentie est présentée comme un moment de découverte où la femme se révèle à elle-même à travers ses nombreuses rencontres. Fanny revendique son statut de femme objet en dehors des impératifs moraux d'une élite bien-pensante. Elle réclame haut et fort son droit de jouir. Par conséquent, son histoire ne peut être qu'une célébration de cet instinct du plaisir à la base même de toute relation amoureuse ou sexuelle.

Cette vision positive du plus vieux métier du monde, envisagé ici sous un angle diamétralement opposé à celui attendu de l'asservissement, révèle tout de même une lourde tendance du *softcore* qui consiste à dédramatiser ou justifier son côté racoleur en encadrant la sexualité dans un discours oscillant dangereusement entre le bon et le mauvais goût. De la femme « objet » (*Histoire d'O*, Just Jaeckin, 1975) à la condamnation pure et simple de la sexualité comme étant quelque chose de potentiellement dangereux (*L'enchaîné* [Giuseppe Patroni Griffi, 1985], *L'escorte* [A.G. Hippolyte, 1994] et *Liaison fatale* [Adrian Lyne, 1987]), le genre se maintient constamment sur une fine ligne entre la vulgaire exploitation et le jugement moralisateur qu'un simple dialogue ou plan de caméra peut faire basculer d'un côté ou de l'autre. Pris entre une banale logique mercantile de monstration des corps et sa volonté de confronter les tabous et d'exalter la sensualité, le *softcore* parvient malgré tout à dépasser ses limites en étant conscient de ce qu'il présente. À l'image de Fanny qui est à la fois soumise et libre, ultimement maître d'elle-même à défaut de maîtriser son destin.

Par conséquent, il se dégage du roman et du film un point de vue plus ironique qu'il n'y paraît. Comme Fanny le dit si bien : « Nos vertus et nos vices dépendent beaucoup trop des circonstances[7]. » Fanny s'amuse et tire profit de sa situation. Dans leur aveuglement à vouloir profiter de la jeune et jolie demoiselle, les hommes apparaissent comme des idiots ou des pervers. Ils croient tous la posséder. Or, il n'en est rien. Ironiquement, notre belle-de-jour fait fortune grâce à son métier de prostituée puisqu'elle épouse un riche vieillard qui meurt peu après et lui lègue l'entièreté de sa fortune. Elle retrouve ensuite, par hasard, l'amour de sa vie, son beau Charles, dans une auberge de passage. En fin de compte, le destin heureux de Fanny, que ses mésaventures et écarts favoriseront, propose une critique du moralisme au profit du sexe dans ce qu'il a de plus simple et de plus festif. C'est peut-être déjà beaucoup pour un film *softcore* que de réussir à ne pas juger ses personnages et à faire triompher le vice en prétendant célébrer l'amour. Et si ce n'était pas assez clair, lorsque Fanny et Charles s'éloignent dans la campagne anglaise vers le bonheur de la vie matrimoniale et de l'amour exclusif, notre héroïne se retourne vers le spectateur, l'air narquois, pour lui envoyer un dernier clin d'œil complice...

7   John Cleland, *Fanny Hill*, Paris, Garnier, 2010, p. 92.

CATHON

Divin marquis!

Éric Falardeau

(6) Petites culottes de la Révolution, Les
Fr. 1988. Comédie de mœurs de Pierre B. Reinhard – Les tribulations du marquis de Sade à la veille de la Révolution française. – Intrigue prétexte à scènes érotiques. Reconstitution d'époque bouffonne. Mise en scène chaotique. Interprétation peu subtile. © Mediafilm

Première diffusion: 10 juillet 1993, 23 h 30

Marseille, 27 juin 1772. Le marquis de Sade et son valet Latour s'amusent avec une jeune demoiselle peu farouche. Ils sont rapidement arrêtés pour sodomie. Après un joli générique illustré, nous passons en 1789 où nous rencontrons nos deux héros: monsieur le marquis et son ami le comte. Marquis de qui? Comte de quoi? Dieu seul le sait! Les écrits de Sade échauffent les esprits de nos deux joyeux libertins qui usent et abusent de leurs «nobles privilèges», donnant par le fait même un nouveau sens à l'expression «position sociale». Le marquis décide de se rembourser la dette d'un paysan en enculant sa femme. Autre temps, autres mœurs. Entre deux coups de reins, les bas de la campagnarde s'enroulent et tombent. C'en est trop! La populace en a assez de ne servir que de vulgaires joujoux sexuels pour l'aristocratie et la royauté française. L'insatisfaction, autant sexuelle que sociale, est à son comble et la révolution gronde…

Si *Bleu nuit* a diffusé et rediffusé son lot de navets, ces derniers étaient généralement suffisamment bien tournés pour susciter l'intérêt, même minimal, du moins attentif des branleurs. *Les petites culottes de la Révolution* est dans une classe à part: il se distingue par sa médiocrité. Réalisé par le cinéaste suisse de série Z Pierre B. Reinhard[1], ce long métrage représente le pire de ce qui a été présenté aux cinévores noctambules. Il est très difficile de trouver une quelconque qualité à ce film outre peut-être son humour grivois (combien peut-il y avoir de blagues de sodomie?) qui le rend un peu plus supportable.

---

1 Pierre B. Reinhard est le réalisateur du film d'horreur culte *La revanche des mortes-vivantes* (1987). Son imposante filmographie comprend *Le diable rose* (aussi présenté à *Bleu nuit*) et une myriade de films pornographiques aux titres rebutants comme *La voisine est à dépuceler* (1983), *Le nain assoiffé de perversité* (1987) et *Le pensionnat des petites salopes* (1982, en 3D!)

Si les filles ont l'excuse d'être jolies et dégourdies, la distribution masculine souffre d'un manque flagrant de charisme et, surtout, de talent. Il faut avouer que le scénario chétif et les dialogues improvisés n'aident pas la cause. Citons le marquis joué par l'acteur porno Piotr Stanislas, qui, après presque toutes ses scènes de baise, se fait rappeler par ses partenaires le rôle qu'il interprète. Allumé, il sait désamorcer la situation à l'aide de fines répliques telles que « Je confonds si je suis marquis ou comte ! »

Le « jeu » des comédiens est néanmoins rehaussé par les innombrables défauts du film. Le plus désagréable exemple est cette insoutenable bande sonore du compositeur Christian Bonneau se résumant à un unique – et imbuvable – morceau pour quatuor à cordes répété *ad nauseam*. Pis encore, ces scènes de guillotinage avec des effets spéciaux rudimentaires dignes d'un court métrage de première année du primaire où les têtes coupées sont de vulgaires boules de papier mâché. En résumé, mis à part les costumes d'époque, chacune des scènes trahit l'amateurisme de la production.

Tout cela serait presque excusable si ce n'était de la piètre qualité technique de l'ensemble. Le problème n'est pas tant l'évident manque de moyens que l'esthétique vidéo rappelant le pire du cinéma pornographique des années 80 : direction photo quasi inexistante, dialogues difficilement audibles, montage approximatif, cabotinage des comédiens... *Les petites culottes de la Révolution* est un condensé de toutes ces caractéristiques s'appliquant à une part importante de la production porno postpellicule et que plusieurs commentateurs associent au déclin du genre. Il n'est donc pas surprenant d'apprendre qu'il s'agit de la version *soft* d'un long métrage *hard*[2].

L'existence de montages différents d'un même film n'a rien d'exceptionnel, spécialement en ce qui concerne le cinéma pour adultes. Comme le note l'historien du X Jacques Zimmer dans son livre sur le cinéma érotique, « De tous temps certaines séquences étaient tournées en deux versions, l'habillée et la déshabillée[3]. »

---

2 Les montages érotiques et pornographiques du film existent sous plusieurs titres dont *Les porte-jarretelles de la révolution, 1789-Les sans culottes* et *Les jupons de la révolution*.
3 Jacques Zimmer, *Le cinéma érotique*, Paris, Éditions J'ai lu, 1988, p. 121, coll. Les grands genres.

Si, à une certaine époque, cette façon de faire permettait de contourner la censure, ce procédé s'est graduellement institutionnalisé. D'une part, les sociétés de production et d'exploitation spécialisées dans le cinéma d'horreur et érotique ont profité de l'opportunité commerciale qu'offrait l'insertion de plans *gore* ou pornographiques pour satisfaire la demande d'un public toujours plus avide de sensations fortes[4], et ce, souvent aux dépens des cinéastes et des stars[5]. D'autre part, l'industrie pornographique a rapidement compris que la production de versions *soft* constituait une manière simple et peu coûteuse d'augmenter ses revenus en s'adaptant à différents marchés (télévision ou cinéma, pays, heure de diffusion, chaîne payante ou généraliste, etc.). Cette façon de faire est extrêmement lucrative puisque deux longs métrages (ou plus encore!) sont produits pour le prix d'un et les opportunités de distribution démultipliées. Encore aujourd'hui, les producteurs et les canaux spécialisés tels que *Penthouse TV*, *Playboy TV* et la chaîne Vanessa au Québec achètent et produisent ces deux types de contenus[6].

Malheureusement, la version érotique de *Les petites culottes de la Révolution* ne semble pas avoir été planifiée et cela est évident lorsque l'on s'attarde au montage. Habituellement, on privilégie pour la variante *soft* des cadrages ou des positions de caméra qui dissimulent les parties intimes, tandis que pour la *hard* on tourne les gros plans de pénétration d'usage. Selon le résultat désiré, on alterne les plans larges – qui ont pour fonction d'unifier les séquences et de positionner les éléments dans l'espace – et ceux rapprochés. Dans le cas de *Les petites culottes*, le montage grossier et peu affiné nous fait constamment sentir l'existence de prises de vue supplémentaires ou manquantes. Certains plans s'éternisent,

---

4 Particulièrement à la fin des années 60 et au début des années 70 avec la libéralisation des mœurs et l'ouverture de la censure qui ont permis à la vague pornographique *hardcore* de balayer les écrans américains en 1972 (*Behind The Green Door* des frères Mitchell, *The Devil in Miss Jones* et *Gorge profonde* de Gérard Damiano, etc.). Toutefois, cette brèche légale a été de courte durée et les gouvernements ont durement légiféré. Voir Christophe Bier, *Censure-moi: histoire du classement X en France*, Paris, L'esprit Frappeur, 2000, et Linda Williams, *Hardcore: Power, Pleasure and the «Frenzy of the Visible»*, University of California Press, Berkeley/Los Angeles, 1989.

5 Outre les problèmes de continuité, l'ajout de plans après le tournage pouvait créer une confusion en suggérant que les vedettes s'étaient réellement dénudées ou avaient participé à des scènes X.

6 Notons que *Bleu nuit* a diffusé la version *soft* de plusieurs films *hard* dont *L'amour aux sports d'hiver* (Michel Lemoine, 1982) avec la pulpeuse Olinka Hardiman et le divertissant *Les aventures érotiques des trois mousquetaires* (Paul Norman sous le pseudonyme de Norman Apstein, 1992) qui met en vedette deux des plus grandes stars du X américain, soit Nina Hartley et Ron Jeremy.

suggérant que l'équipe n'a pas pris le temps de «couvrir» chaque action en les filmant sous plusieurs angles, tandis que d'autres reposent sur des cadrages trop serrés, oubliant que les plans larges facilitent le travail du monteur et la perception du spectateur. Conséquemment, outre les nombreuses erreurs de raccords, les coupes entre les plans et les transitions entre les scènes sont peu fluides et bancales.

Et la Révolution dans tout ça? Il faudrait demander aux six acteurs recréant la prise de la Bastille sous les cris du marquis de Sade hurlant qu'à l'intérieur les prisonniers sont égorgés[7]. De toute façon, leur agenda est ambitieux: «Mais vous allez faire une nouvelle Révolution? Oui, la révolution sexuelle!»

7   Selon les écrits du marquis de Launay, gouverneur de la Bastille, Sade aurait effectivement
    tenu ces propos le 2 juillet 1789.

Chansonnette pour Catherine CRITIQUE
Simon Laperrière

(6) Si ma gueule vous plaît...   35 5

Fr. 1981. Comédie de Michel Caputo avec Valérie Mairesse, David Pontremoli, Bernadette Lafont. – Une jeune coiffeuse tente de résoudre ses problèmes sexuels par diverses expériences. – Plaisanteries grossières. Mise en scène nulle. Interprétation à l'avenant. © Mediafilm

Première diffusion : 16 février 1991, 00h35

Le critique et collaborateur du présent ouvrage Alexandre Fontaine Rousseau conclut son imposant essai sur le *giallo*[8] en décrivant la mémoire filmique comme un grenier obscur. Cet espace mental partagé par une horde de cinéphiles de toutes générations comporte une section poussiéreuse où sont entreposés les souvenirs d'œuvres mineures. Dans ces archives de l'insolite se côtoient les récits d'un chat meurtrier (*The Crimes of the Black Cat*, Sergio Pastore, 1972), d'un saurien de l'Oregon (*The Crater Lake Monster*, William R. Stromberg, 1977) et le film *Si ma gueule vous plaît...*, petite comédie française dont on aurait tort de ne retenir que le titre et la chanson éponyme qui accompagne le générique d'ouverture.

Cette pièce musicale, il faut rapidement apprendre à l'aimer puisqu'on la réentendra à outrance tout au long du visionnement. L'imagination du compositeur n'a aucune limite puisqu'il nous propose des versions pop, jazz, acoustique et même disco de cette ballade interprétée avec un enthousiasme contagieux par Valérie Mairesse, la comédienne principale du long métrage et *sex-symbol* dans les années 80. Ses paroles cocasses anticipent la mince intrigue du film à venir. La narratrice y explique avoir passé l'âge des poupées. Elle désire maintenant vivre des années folles et faire des choses pas très sages.

Profiter des plaisirs de la chair est le souhait de Catherine, mais un handicap empêche cette coiffeuse espiègle de le voir se concrétiser. Une frigidité honteuse lui interdit de connaître toute jouissance. Après s'être débarrassée d'un petit copain coureur de jupons, elle entame un voyage initiatique à travers Paris où elle espère trouver

8   Voir Alexandre Fontaine-Rousseau (éd.), *Vies et morts du giallo : de 1963 à aujourd'hui*, Montréal, Panorama-cinéma, 2011.

l'amant idéal et enfin s'épanouir sexuellement. Se succèdent alors les rencontres embarrassantes avec des individus maniaques incapables de contenir leurs pulsions animales. Ce cirque de lurons sadomasochistes ne démotive nullement Catherine. Son désir de s'envoyer en l'air l'emporte toujours sur son désespoir et sa persévérance sera ultimement récompensée.

La quête de l'orgasme est un thème récurrent dans le cinéma érotique. D'un point de vue scénaristique, elle justifie à merveille l'enchaînement des scènes grivoises essentielles au genre. À cet égard, *Si ma gueule vous plaît...* reprend une structure narrative similaire à celle d'*Emmanuelle* (Just Jaeckin, 1974). Dans les deux cas, le récit est ponctué par les aventures d'un soir d'une héroïne en manque d'amour. Mais au lieu de faire du parcours de Catherine un drame sentimental, le film de Michel Caputo (*L'exécutrice*) a la particularité de l'aborder sous l'angle de l'humour. Cette nuance dissocie les personnages de tout pouvoir de séduction. Alors que la femme chez Jaeckin croise les créatures de ses rêves, elle est ici confrontée à des bouffons maladroits et vulgaires. Motivés par un insatiable appétit sexuel, ces esprits pervers s'avèrent pourtant inaptes à donner plaisir à autrui. L'acte charnel n'est pas libérateur, il est plutôt source d'embarras pour l'homme qui se voit ridiculisé pour ses penchants fétichistes. Les protagonistes féminins apparaissent quant à eux sous les traits d'hystériques à la voix nasillarde ou de gamines nymphomanes prisonnières d'un corps d'adulte. Face à cette galerie d'érotomanes affamés, il devient évident que la frustration de Catherine est collective et qu'elle génère une dynamique sociale chaotique qui anéantit les mécanismes ancestraux du refoulement. Plus rien ne tient en place. Les pires bêtises sont dites à voix haute et le professionnalisme est relégué aux oubliettes. L'hilarité est provoquée par ce démantèlement outrageux des règles de bienséance. À la manière d'Alvaro Vitali et sa bande dans la sexy comédie italienne des années 70, les Parisiens de Caputo « [...] y détruisent, dans le vertige d'un énervement libidineux, toute volonté de civilisation[9]. »

L'intention première du film ne consiste donc pas à titiller son public. Les ébats désastreux de Catherine étant sujets à la rigolade, le spectateur doit trouver la touche d'érotisme qu'il recherche

---

9 Jean-François Rauger, « Éloge de la sexy comédie italienne » *L'œil qui jouit*, Cisnée, Yellow Now, 2012, p. 182, coll. « Morceaux choisis ».

ailleurs. Il la dénichera dans ses rares moments où le récit prend un répit en faisant place à des scènes purement décoratives qui, par la monstration de corps splendides, permettent de se rincer l'œil. Dans l'une d'elles, Catherine vêtue uniquement d'un drap de lit improvise une danse lascive sous le regard attendri d'un copain. Cette vision est tout simplement époustouflante. La comédienne, sourire aux lèvres et bien dans sa peau, semble soudainement abandonner son rôle pour mordre à pleine dent dans l'extase d'un moment de folie imprévu. Rarement a-t-on vu dans le cinéma de fin de soirée une aussi belle capture d'un morceau de réel. La fiction reprend le dessus lorsque l'ami de Catherine lui fait remarquer qu'elle est capable de prendre son pied. Il ne se doute pas qu'il a fait erreur sur la personne puisque c'est Valérie Mairesse et non Catherine qu'il a vue danser.

Si ma gueule vous plaît... est pareil à une chansonnette convenue mais agréable que l'on se surprend à siffloter. Contre la sexualité laborieuse et existentialiste d'un Jaeckin, elle transforme un mal de vivre en une délirante odyssée chez les obsédés. «On parle pas du destin cul à l'air!» affirme fièrement l'un des personnages de Caputo. On ne saurait mieux dire.

L'émir et l'espionne. L'un préfère les blondes, l'autre venait du show.

Christophe Bier

35 **5**

(7) Espionne qui venait du show, L'
Fr. 1979. Comédie de Stromme Zincone avec Ajita Wilson, Sacha Davidof, Erna Schurer. – Une belle espionne, qui mène une enquête sur un produit destiné à robotiser les humains, est vite dépassée par sa mission. – Piètre tentative de pastiche des films d'espionnage. Mise en scène bâclée. Interprétation médiocre. © Mediafilm

Première diffusion: 13 mai 1989, 23h30

35 **5**

(7) Émir préfère les blondes, L'
Fr. 1983. Comédie d'Alain Payet avec Paul Préboist, Jean Tolzac, Roger Carel. – Un émir s'installe avec son harem dans la demeure d'un brave éditeur musical. – Développements laborieux. Comique lourd et vulgaire. Réalisation pauvre. Interprètes laissés à eux-mêmes. © Mediafilm

Première diffusion: 18 juillet 1987, 23h30

Mai 1989, *Bleu nuit* sombre dans les tréfonds de la comédie désolante française, appellation non contrôlée, encore peu répandue, point limite du rire, une sorte de sous-catégorie du cinéma comique à haut risque. Il ne faut pas glisser dans ce sous-genre les nanars, des œuvres réjouissantes à force de gags éculés, de cabotinage outrancier, de situations stupides sauvées par l'improvisation géniale des comédiens. Le nanar amène une transgression jubilatoire, piétinant les codes habituels avec une fureur qui stimule. La comédie désolante désole car elle n'explose pas les bornes.

Elle échoue, souvent dès la première seconde. Elle plonge le spectateur dans des états de colère, d'ahurissement, de stupéfaction, de désespoir. L'honnête homme subit la comédie désolante, terrifié – presque gêné – par le marasme de grands acteurs perdus et confrontés à des « comiques » inconnus et lamentables, propulsés en haut de l'affiche par de très inconscients – ou d'impécunieux – producteurs quand ce ne sont pas eux-mêmes qui s'y sont mis (Georges Clair, en vedette de son affligeant *Clodo et les vicieuses* [1971], dernier film de Bourvil que ses filmographes oublient toujours charitablement).

En France, l'histoire de la comédie désolante se confond avec les origines de la série B comique qui fit les beaux jours du «cinéma du sam'di soir» des années 30-50 jusqu'à l'effritement des salles de quartier des années 90. On subodore un âge d'or dans les décennies 1970-80, grâce à des titres phares comme *La grande Nouba* (Christian Caza, 1974), *La grande Java* (Philippe Clair, 1971), *La brigade en folie* (Philippe Clair, 1973), *Le plumard en folie* (Jacques Lemoine, 1974), *La pension des surdoués* (Pierre Chevalier, 1980), *Superflic se déchaîne* (Jean-Claude Roy, 1983) ou encore *Mon curé chez les Thaïlandaises* (Robert Thomas, 1983). Mais avant même Patrick Topaloff, Sim, Jacques Dufilho, Daniel Darnault ou Paul Préboist, il y eut *La caserne en folie* (Maurice Cammage, 1934), *Ferdinand le noceur* (René Sti, 1935), *Trois artilleurs au pensionnat* (René Pujol, 1937), *Le martyr de Bougival* (Jean Loubignac, 1949), *Pas de grisbi pour Ricardo* (Henri Lepage, 1956) ou encore les sinistres *Gaités de l'escadrille* (Georges Péclet, 1957). Cette longue histoire, déprimante, reste à écrire.

La case *Bleu nuit* fut quelque peu épargnée par la comédie désolante. On note *On n'est pas sorti de l'auberge* (Max Pécas, 1982), *Comment draguer tous les mecs* (Jean-Paul Feuillebois, 1984), *Le facteur de Saint-Tropez* (Richard Balducci, 1985), *Si ma gueule vous plaît...* (Michel Caputo, 1981). Et surtout, il y a ce fatidique mois de mai 1989 qui restera dans les annales de la programmation, avec *L'espionne qui venait du show* présenté le 13 et *L'émir préfère les blondes*, le 27.

Commençons par le plus classique : *L'émir préfère les blondes*. Il est réalisé par Alain Payet, dont la pornographie fut la terre d'élection, dès ses débuts comme assistant vers 1974-75, sous l'impulsion de Lucien Hustaix et jusqu'aux productions numériques Marc Dorcel, en 2007[1]. Sa filmographie doit dépasser les 200 titres classés X, souvent signés John Love, parmi lesquels une pincée infinitésimale de films érotiques produits par la légendaire Eurociné : deux nazisploitations (*Train spécial pour Hitler* [1975] et *Nathalie rescapée de l'enfer* [1976]), *Helga la louve de Stilberg* (1977) et *Les Amazones du temple d'or* (1984). À ces quelques séries Z pas forcément déshonorantes (*Nathalie* et *Helga*), il convient d'ajouter cet *Émir* «tout public» tourné en octobre 1982 entre *Porno's*

---

1 Année de son décès, survenu le 13 décembre à l'âge de 60 ans.

IMPEX FILMS présente

PAUL PRÉBOIST
ROGER CAREL
PIERRE DORIS
KATIA TCHENKO

L'EMIR
PREFERE LES BLONDES

un film de
ALAIN PAYET

avec
FRANÇOISE BLANCHARD
JEAN TOLZAC
LORELLA DI CICCO
NOE WILLER
et

JEAN PAREDES

et JACQUES PRÉBOIST • JEAN CHERLIAN • MICHEL SAINT-CLAIR • FANNY MAGIER • ROBERT CHANDEAU • JACQUES COUDERC
directeur de production MONIQUE SAMARCO • directeur de la photo PIERRE FATTORI • musique de IZZANELLI • BREJEAN éditions HIBOU SYSMO RECORDS
producteur délégué IMPEX FILMS

Girls et *Petits trous vierges à explorer*, les trois constituant la « période Deauville » du cinéaste.

Pornographe sincère, il se montre inspiré par ses comédiennes, une certaine démesure et un sens du grotesque qui le classent parmi les grands noms du porno hexagonal. *Les lolos de la pompiste* (1991), *La comtesse est une pute* (1990), *Nadia la jouisseuse* (1979), *La nymphomane lubrique* (1979) n'ont pas spécialement de scénarios, mais des natures extravagantes autour desquelles Payet construit un écrin. Dans ces dispositifs sans scénario, il donne sa pleine mesure. Il ne lui faut que capter les audaces de Catherine Ringer, Christine de B, Jean-Paul Bride, Carmelo Petix et Marilyn Jess. Ses pornos scénarisés, généralement sur les ruines de la comédie, sont rarement réussis. Qu'est-il donc venu faire dans la galère de cet *émir*, embarquant avec lui quelques figures familières de son univers gaillard (Jacques Couderc, Jean Tolzac, Jean Cherlian, Etienne Jaumillot[2]) ?

Payet se rappelle certainement les pornos franchouillards produits et réalisés par Hustaix sur lesquels il se faisait la main, dirigeant lui-même de nombreuses scènes. C'était l'époque des *Jouisseuses* (1974), des *Tripoteuses* (1975), de *French Erection* (1976). Il en retient un grand benêt dégingandé et toujours *soft*, à la mine ahurie : Jacques Couderc. Il y fait aussi la connaissance d'un second rôle aperçu chez Jean-Claude Biette et Eurociné : Jean Tolzac. *L'émir préfère les blondes* est le choc de la troupe de Payet avec quelques pointures du rire comme Roger Carel (l'inoubliable voix d'Astérix), Pierre Doris et Paul Préboist (vu dans *Hibernatus* d'Édouard Molinaro, 1969). Ils s'escriment tous à sauver un scénario indigent par leur vaine énergie.

Roger Carel dans le rôle d'un éditeur musical, se voit envahi dans sa résidence de campagne par l'émir Ibn Ben Fatal et ses sbires, de passage à Deauville. Ce dernier, joué avec outrance par Jean Tolzac, drague Françoise Blanchard (que l'on a pu voir dans *La morte vivante* de Jean Rollin, 1982), la protégée de Carel, et est espionné par McGorell (Pierre Doris), un épouvantable chef de gang qui veut le détruire. L'érotisme y est minimal :

---

2   Il ne manque que Désiré Bastaraud, son nain favori, et Carmelo Petix qui est ici confiné à un rôle minuscule où il est torturé par Pierre Doris (que l'on a également pu voir dans *Les Rois du gag* [Claude Zidi, 1985]).

quelques danseuses orientales *topless,* Blanchard se déshabillant pour prendre son bain. Les très rares gags sont lamentables : on dégringole des échelles, on s'asperge de champagne, on vomit sur un espion caché derrière un buisson. Jacques Préboist, le frère de, visage triste, s'enivre au whisky. Carel et Tolzac se lancent des « cousins » à tout bout de champ et gesticulent. Doris roule des yeux, furibard, en hurlant sur ses hommes de main. Paul Préboist fait son show avec une certaine légèreté, en revanche, comme Katia Tchenko qui s'amuse en vamp flingueuse. Tout finira par le jaillissement inopiné (mais prévisible) d'un gisement de pétrole dans le jardin de Carel.

La curiosité de la distribution est l'agent spécial et gaffeur Archibald, interprété par un certain Noé Willer, chanteur de variétés qui sera responsable en 1985 du tube *Toi, femme publique.* Il s'est depuis fort longtemps recyclé avec plus de succès dans l'expertise de peinture. À l'époque, il habitait Deauville, ce qui peut expliquer sa présence incongrue dans le film. Les spécialistes de la pornographie française reconnaîtront les ambiances musicales de Philippe Bréjean, ressassées dans un nombre imposant de films *hard.* Il manque à tout cela le je-m'en-foutisme détaché de Darry Cowl (un habitué de Jean-Pierre Mocky), la fureur anarchiste de Daniel Prévost (excellent dans *Le dîner de cons* de Francis Veber, 1998), l'érotisme hautain d'Alice Sapritch et la nature barnumesque d'Annick Berger. Il manque ce vent de folie qui soufflait si librement dans quelques pornos d'Alain Payet, comme *Clinique pour soins très spéciaux* (1980) où sexe et frénésie burlesque se conjuguaient à merveille. Et sur le thème de la crise pétrolière, on préférera le divertissant et très érotique *Couche-moi dans le sable et fais jaillir ton pétrole* (Norbert Terry, 1974).

L'espionne venait du show est sans doute pire. Pire que tout. Peut-être mieux. Aussi connu sous le titre de *Bactron 317,* il est sidérant que ce navet ait pu être diffusé à la télévision québécoise, alors qu'il ne connut jamais les honneurs des chaînes françaises et ne fut probablement exploité que de façon très confidentielle en province. De l'aveu même des producteurs, le film était insortable. Il a seulement bénéficié d'une exploitation vidéo, sous ces deux titres.

Tourné près du lac Majeur, il s'agit d'une coproduction avec l'Italie réalisée par le très curieux Jean-Claude Strömme, acteur et assistant sur les premiers films de Jean-Marie Pallardy (*L'arrière-train sifflera trois fois*, 1975) et réalisateur de nombreux films «invisibles»! Levons déjà un voile. Strömme est bien l'unique auteur du film. Il nous a dit que «Bruno Zincone a cosigné le film parce qu'il avait amené de l'argent et avait tenu à être crédité en tant que coréalisateur alors qu'il n'avait été que le monteur.» Strömme interprète aussi le premier rôle du film : l'espion robotisé de l'aéroport qui fait sauter un avion.

L'élément insupportable de ce film d'espionnage qui relève davantage du cinéma bis européen, est l'ajout d'un dialogue en *voix off*, couvrant tout le métrage, entre le prétendu producteur du film et un comparse du genre acerbe. «L'idée, explique Strömme, m'est venue au moment du montage. On s'est dit que ça apportait une petite touche qui pouvait changer pas mal de choses.» De fait, ces commentaires improvisés par deux pontes de la synchro (Francis Lax et Jacques Ferrière) font basculer l'œuvre maladroite de Strömme dans la pire des comédies désolantes. Les réflexions pleuvent sur les spectateurs, affligeantes de bêtise, accumulant les jeux de mots les plus idiots et les plaisanteries douteuses. Pensons à toutes les vannes débitées sur le nain bossu qui assiste le savant fou : «– Ils ont dû avoir du mal à trouver un nain bossu! – Ah non, celui-là je l'ai eu à moitié prix. – Et ça n'a pas l'air d'être un grand acteur... – Non, mais il bosse!» Ou encore, devant un plan où il n'apparaît pas : «– On ne voit plus le nain! – Il est sous la table, il voulait une rallonge!» On dirait les deux vieux du *Muppet Show*, se moquant des ficelles du cinéma et des carences du film lui-même, allant jusqu'à souligner sa nullité.

Ce sabotage continuel est proprement déroutant et insupportable, entre le cynisme, le masochisme inconscient et la désarmante naïveté. Il serait intéressant d'en faire abstraction et de goûter à ce petit film bis, nappé d'emprunts musicaux aux *krimi* allemands[3] (les mélomanes reconnaîtront Peter Thomas) et hanté par des figures classiques de l'espionnage. On y retrouve une belle Mata Hari (Ajita Wilson, que Strömme venait juste de rencontrer sur

---

3   Sous-genre policier ayant connu un important succès dans les années 60. Plusieurs critiques les considèrent comme les précurseurs, ou du moins l'une des sources majeures d'inspiration du *giallo*.

le tournage de *L'amour chez les poids lourds* de Pallardy, 1975), un savant fou (Giacomo Furia) rêvant bien sûr de dominer le monde, des jumeaux névrosés de sexe opposé (joués par la même Sacha Davidof) et une substance bactériologique (le fameux Bactron 317 « qui annihile toute manifestation de volonté et réduit les êtres humains à l'état de robot »).

Cela dit, même sans ces *voix off*, le film dérape vite dans l'absurde. S'agit-il d'un sauvetage par l'humour d'un film jugé trop mauvais ? Ce mélange des genres était-il prévu dès l'écriture, voire en cour de tournage avec l'arrivée de Jean Luisi ? À partir de lui, second couteau corse, vu chez Lautner et Pallardy, grand comparse de Jacques Dutronc, tout se détraque. La série B portée par la beauté intrigante d'Ajita Wilson laisse place à une comédie incohérente. Mais quel fut donc la réaction des spectateurs de *Bleu nuit* devant cette aberration filmique, seulement pourvue de rares nudités (Ajita) et où se croisent également la starlette Erna Schurer, Sacha Darwin (ou Davidof), la demi-sœur de Romy Schneider, ou Henri Arpurt, écrivain provençal qui rédigea des ouvrages de cuisine en alexandrins ?

Poursuivant ses efforts, Strömme ajoute d'autres titres confidentiels, parfois très mystérieux comme *Une maison bien tranquille* (1980) et *Cet emmerdeur d'ange gardien* (1982). Son *Blaireau s'fait mousser* (1983) est une parfaite comédie désolante avec Daniel Darnault. On peut regretter qu'Eurociné, venue à la rescousse financière du tournage en péril des *Brigades roses* (1980), n'ait pas voulu en achever la postproduction. Au visionnement de l'assemblage conservé dans une cinémathèque, ce *guns and babes* parodique avec Lina Romay, Françoise Blanchard, Jean Luisi et Olivier Mathot, promettait d'être le meilleur film de Strömme, cinéaste quelque peu maudit, qui tient désormais un centre équestre près de Toulouse.

L'émir préfère les blondes est un bon exemple de l'indigence du sous-genre dans les années 80, tourné la même année faste que *N'oublie pas ton père au vestiaire...* (Richard Balducci, 1982), *On s'en fout... nous on s'aime* (Michel Gérard, 1982), *En cas de guerre mondiale, je file à l'étranger* (Jacques Ardouin, 1983), *Le retour des bidasses en folie* (Michel Vocoret, 1983) et *On l'appelle Catastrophe* (Balducci encore, en 1983). La comédie populaire française n'est plus qu'un ersatz sans ressorts, ressassant des formules sans saveur et parodiant les recettes. Les stars des années 60 ont déserté le genre. Francis Blanche est mort en 1974 ; Serrault et Poiret ont changé de registre ; Galabru et Darry Cowl, en invités, ne peuvent rien sauver ; excellents seconds rôles, Jean Lefebvre ou Paul Préboist, ne tiennent guère le rythme ; Raoul André et consorts, au savoir-faire éprouvé, sont remplacés par de piètres Michel Gérard et autres Vocoret. Bref, le genre est lessivé, s'agrippant désespérément à l'impact supposé stimulant de titres à rallonges (le plus éprouvant étant sans doute *Mais qu'est-ce que j'ai fait au Bon Dieu pour avoir une femme qui boit dans les cafés avec les hommes ?*, phallocratique satire de Jan Saint-Hamon avec Robert Castel, 1980).

L'espionne venait du show appartient en revanche au cercle très fermé des aberrations, qu'aucun cycle historique ne peut expliquer, qu'aucune politique d'exploitation ne peut justifier. On en trouvait déjà dans les années 30, comme *Deux chez les nudistes* (Robert Vernay, 1936) et cette énigmatique *Comtesse Haschich* tourné dans le Sud de la France. Dans les années 70-80, il y aura encore *Hippopotamours* (Christian Fuin, 1976), *La guerre des espions* (Jean Louis Van Belle, 1972), *Comment se faire virer de l'hosto ?* (Georges Cachoux, 1977) ou encore *Y flippe ton vieux !* (Richard Bigotini et Patrick Milford, 1982). On aimerait évidemment juger sur pièces du degré d'incongruité de titres comme *Nazis dans le métro* (ou *La face cachée d'Adolf Hitler*, 1977) de Michel de Vidas, dans lequel Pierre Desproges incarnait le fils du Führer, ou de ce *Toborland le robot amoureux* (1976) de Dimitri Karadimos (le récit d'un robot domestique tombant amoureux de la femme du savant qui l'a construit).

Maintenant, quel historien masochiste entreprendra donc l'étude exhaustive de la comédie désolante française ?

Sous le soleil exactement
Simon Laperrière

35 5

(6) On se calme et on boit frais à Saint-Tropez
Fr. 1986. Comédie de Max Pécas avec Eric Reynaud Fourton, Luq Hamet, Leila
Frechet. – Passant l'été à Saint-Tropez, deux copains s'emploient à arranger
les choses dans le ménage des parents d'une amie. – Récit très inégal.
Réalisation quelque peu bâclée. Comédiens laissés à eux-mêmes. © Mediafilm

Première diffusion: 22 décembre 1990, 00h30

Imaginons le contexte idéal pour visionner le tout dernier film de
Max Pécas[1]. Samedi soir, un peu avant le coup de minuit. Dehors,
l'hiver. Il vente et fait atrocement froid. Il n'y a pas âme qui vive
dans les rues du quartier Ahuntsic à Montréal, mis à part ce pro-
meneur solitaire qui affronte les intempéries saisonnières afin de
retrouver son logis. Sa silhouette avance rapidement à travers un
brouillard de flocons. Parfois, il appuie l'un de ses bras contre
son front afin d'empêcher la neige de bloquer sa vue. Il ne garde
cette position que très brièvement. Ne portant pas de gant, il préfère garder ses mains au chaud dans les poches de son manteau.
Arrivé devant l'édifice dans lequel se trouve son appartement, il
grimpe avec les talents d'un acrobate les marches glissantes qui
le mènent à sa porte d'entrée. Enfin à l'intérieur, il pousse un
soupir de répit. Il a survécu à la tempête, défi qui lui paraissait
impossible. Fatigué de sa longue marche, il allume le téléviseur en
espérant trouver une émission qui lui fera oublier la température
glaciale. Il syntonise TQS au moment pile où *Bleu nuit* commence.
Un peu de chaleur ne lui ferait pas de tort. Il enroule une couverture autour de son corps et attend les premières images.

Le générique d'ouverture lui promet déjà l'exotisme qu'il
recherche. Une succession de plans montrant des voiliers flottant sur des eaux tranquilles. Une chanson pop interprétée par
une voix enjouée accompagne cette séquence lors de laquelle

1   Max Pécas est une note de bas de page dans l'histoire du cinéma français. Né en 1925
    à Lyon, il amorce sa carrière en réalisant quelques polars avant de faire un détour vers
    le cinéma érotique, la pornographie et le film pour adolescents. Outre *Brigade de
    mœurs* (1985), on lui doit des comédies franchouillardes aux titres excentriques comme
    Sexuellement vôtre (1974), *Je suis frigide... pourquoi?* (1972), *Mieux vaut être riche et bien
    portant que fauché et mal foutu* (1980), le succès *Marche pas sur mes lacets* (1977), et la
    «trilogie tropézienne» qui se conclut avec *On se calme et on boit frais*. Échec cuisant au
    box-office lors de sa sortie en 1987, ce film ruinera son auteur et mettra fin à sa carrière.
    Pécas meurt à Paris en 2003, emporté par un cancer du poumon. En 2013, le cinéaste
    Antonin Peretjako lui rend hommage avec *La fille du 4 juillet*.

l'œil cinéphile reconnaît à l'écran le nom de Brigitte Lahaie. Ce préambule suffit au spectateur pour situer ce qu'il s'apprête à voir dans un sous-genre précis, celui de la comédie de plage. Ses attentes s'imposent alors d'elles-mêmes. Il n'espère pas voir un chef-d'œuvre, mais plutôt un petit film sans conséquence aussi léger qu'une bulle de champagne. Le titre, *On se calme et on boit frais*[2], confirme ses espoirs. Il ne saurait dire non à cette invitation à la détente.

C'est alors qu'il fait la rencontre de Juliette, une Parisienne jeune et jolie aux prises avec un sérieux problème. Ses parents l'obligent à passer ses vacances d'été dans la morne Bretagne où aucune distraction ne pourra nuire à la préparation de ses examens. Pareil programme n'enchante nullement cette adolescente prête à tout pour profiter pleinement de la belle saison. Une fois dans le taxi la menant vers son calvaire, elle demande à son chauffeur de changer de direction et d'aller vers la gare de Lyon, là où se trouve le train qui l'emmènera vers Saint-Tropez. Bien sûr, elle profite de ce trajet en voiture pour changer de tenue, exhibant ainsi une poitrine superbe et généreuse dont la vision suffit pour troubler l'homme au volant et causer un accident. Le ton est donné, ce gag polisson et bébête indique la direction que le film va prendre.

Saint-Tropez, le cinéma français nous l'a appris, est un lieu de pur prélassement. La météo étant toujours clémente – il n'y pleut décidément jamais – on y passe la journée sur la plage et la soirée sur la piste de danse, entouré de femmes splendides qu'un simple mot doux suffit pour entraîner dans son lit. On ne meurt pas d'amour à Saint-Tropez, c'est ce que nous a dit la célèbre chanson. Tout y semble si paisible que même le gendarme et ses gendarmettes n'ont pas de crimes graves sur lesquels enquêter. Les problèmes, on les laisse dans la capitale grise de Melville. Seules les amourettes d'été font office de drame sur la Côte d'Azur. On se la coule douce entre bronzés. «Les plus belles vacances de votre vie, affirme Patrice, l'animateur de radio dans *On se calme et on boit frais*, vous les passez ici à Saint-Tropez.» On suit avec fébrilité Juliette vers cette station d'insouciance.

---

2   Le titre au générique étant curieusement raccourci.

Une fois arrivés à destination, nous sommes rassurés de constater que rien n'a changé, à un point tel que l'on reconnaît chaque personnage que Max Pécas nous présente. Les dragueurs branchés, le musclé de service, les minettes vouées au mutisme à cause de la barrière de la langue, que des stéréotypes maintes fois croisés dans ces productions tropéziennes montrant des semaines de congé que l'on aimerait connaître en-dehors de la salle de projection. Ce climat chaud de familiarité s'avère d'abord séduisant, nous sommes tout de suite en bonne compagnie, mais il devient rapidement lassant une fois que l'impression de déjà-vu devient s'amplifie.

On se calme et on boit frais à Saint-Tropez est l'un de ses films coupables de ne rien apporter de neuf. Ce n'est pas son intention, mais cela ne pardonne pas sa redondance. Tout ce que l'on demande, c'est de ne pas trouver le temps long au bord de la mer, et pourtant, c'est exactement ce qui arrive lorsque l'on regarde cette succession de mises en situation prévisibles qui échouent pathétiquement à faire rire. Que le récit soit mince, ce n'est pas une surprise, mais il est impardonnable que l'intrigue ait elle-même pris congé en laissant derrière elle des scènes niaises servant d'excuse pour déshabiller la jeune Française (le monokini étant à cet égard utile). Max Pécas démontre malgré lui comment un genre est parfois victime de la fatigue. La comédie de plage a ici épuisé son potentiel humoristique, à un point tel que la nostalgie qu'elle aurait pu éveiller a perdu son sens. Ce type de films devait-il nous manquer ? Si c'est le cas, à quoi bon, sincèrement ?

La monotonie de l'œuvre réussit même à nous déranger moralement. L'idéologie mise de l'avant a fait époque et nous apparaît douteuse puisqu'elle véhicule des propos honteux. En témoigne cette représentation archaïque de l'homosexualité qu'est le personnage de Chouchou, une grande folle dénuée d'inhibition qui se passionne évidemment pour la couture. Cette caricature déplorable a au moins le mérite de nous confirmer que nous avons en quelque sorte maturé, dans la mesure où le caractère adolescent de ces blagues de toilette ne provoque plus l'hilarité. Il ne nous reste plus qu'à bailler aux goélands en attendant que l'une des actrices de Pécas ne nous montre ses seins, ce qui est fréquent, mais d'une gratuité ridicule.

Mais l'ennui au cinéma est parfois un luxe. S'il exaspère, il permet également la rêverie. Ce sentiment, l'amateur de séries B le connaît mieux que quiconque et il le pousse à explorer une impression forte qu'*On se calme et on boit frais* laisse sur lui. Lors d'une scène, quelques fêtards se remémorent autour d'un verre les aventures loufoques qu'ils ont vécues lors d'étés mémorables. Leur passé riche en folies contraste tristement avec leur présent morne. On en vient alors à croire que l'on regarde la suite d'une comédie de loin supérieure que les personnages tentent désespérément de répéter à nouveau. Juliette et ses amis désirent retrouver l'euphorie d'antan, mais ils n'ont plus l'énergie pour y arriver. De ce point de vue, l'œuvre acquiert une curieuse dimension mélancolique qui explique et pardonne sa lassitude. Il s'agit peut-être d'un grand film crépusculaire qui s'ignore. Le dernier des tropéziens.

Le rôle de cette comédie était donc de clore un cycle, de mettre un terme à une série de longs métrages autrefois populaires qui ont au fil du temps perdu leur attrait. Le soleil, le sable et les maillots de bain ne savent plus nous émerveiller, probablement parce que le charme innocent du cinéma d'été ne pouvait être qu'éphémère. Inutile de retourner à Saint-Tropez puisque seule la déception nous y attend. *On se calme et on boit frais* signale donc la fin des vacances. Pour cette raison, on éprouve envers lui, malgré son indiscutable médiocrité, une certaine sympathie.

Préludes à l'amour :
Aveux érotiques
Éric Falardeau

35 **5** Première diffusion : 14 février 1998, 00 h 00

La confession est « l'action d'avouer à quelqu'un les fautes, les erreurs qu'on a à se reprocher[1]. » Elle repose sur un pacte tacite unissant le pénitent et la personne qui reçoit l'aveu, obligeant cette dernière à un mutisme complice. Réalisée par Peter Gathings Bunche et Marcy Ronen, la série *Aveux érotiques*[2] fait de ce serment inviolable son ressort narratif principal. Suivant la formule instaurée par le succès de *Les escarpins rouges* (1992-1999), l'ex-*playmate* Ava Fabian tient le rôle de Jaqueline Stone, une romancière qui reçoit par la poste les nombreuses confessions érotiques de ses lecteurs et lectrices[3]. Chaque lettre est prétexte à un court segment révélant les désirs cachés et les plaisirs coupables de son auteur-protagoniste.

Le générique d'ouverture de la série donne le ton. Derrière des draps semi-transparents, sous un éclairage suggestif aux teintes rose et bleu, des corps se meuvent lascivement, se caressent, se dérobent à notre regard avide de nudité. Déjà, nous sommes face à un écran, à un voile qui sera rapidement levé pour que nous puissions apprécier les témoignages et partager les rencontres interdites d'une kyrielle de personnages aux physiques de rêve. Outre le rythme lent et les plans qui se chevauchent en surimpression, le thème musical de Joseph Williams ajoute une dimension quasi religieuse aux images avec ses voix monastiques et son tempo répétitif.

Chaque sketch d'*Aveux érotiques* prend pour point de départ un dilemme moral opposant les pulsions sexuelles de la narratrice à des comportements jugés inopportuns, inadmissibles, indécents ou immoraux. Mais c'est oublier que l'érotisme et le désir se nourrissent d'interdits. Il n'est donc pas surprenant que plusieurs épisodes explorent certains fantasmes comme la bisexualité (voir

1 *Larousse*, encyclopédie en ligne : www.larousse.fr
2 *Aveux érotiques* est une série télévisée d'une cinquantaine d'épisodes produite et diffusée par *Cinemax*, une chaîne câblée américaine propriété de HBO/Time Warner. *Cinemax* présente encore aujourd'hui des émissions coquines (*Lingerie, The Girl's Guide to Depravity*, etc.) dans le cadre d'*After Dark*, sa programmation de fin de soirée.
3 L'ex-*playmate* Layla Harvest Roberts a remplacé Fabian pour quelques épisodes.

le légendaire et quasi introuvable *Caught Bi Surprise*[4] mettant en vedette Lisa Boyle) ou l'échangisme (*Games People Play* dans lequel une soirée entre amis se termine en partie de *strip poker*). Dans *La Nièce de mon patron*, un jeune cadre est déchiré entre la plantureuse nièce de son supérieur et ses responsabilités professionnelles. *Mon ami, mon amant* nous présente deux copains d'enfance qui emménagent en colocation pour constater que leurs sentiments dépassent la simple amitié platonique.

Les récits s'attardent à détailler les tourments d'hommes et de femmes en proie à des désirs insoutenables qui n'attendent que le moment opportun pour s'affranchir de la conscience morale. À ce titre, l'un des meilleurs épisodes est sans contredit *Le voyage d'affaire* dans lequel la magnifique Monique Parent – une vedette du thriller érotique et de la production *softcore direct to video* – interprète Erica, une scientifique BCBG en congrès. Émoustillée par ses voisins de chambre qui font constamment l'amour, elle ressent un douloureux manque inassouvissable par le simple recours à la masturbation. La tension sexuelle est habilement poussée à son paroxysme par une réalisation insistant sur le regard envieux et lubrique de Parent et sur une succession de scènes extrêmement sensuelles dont une sortie dans une boîte de nuit où la moiteur des corps et leur proximité exacerbent les émois d'Erica. Incapable de contenir son excitation plus longtemps, elle cède à l'appel de ses sens et se joint au couple voisin pour un ménage à trois qui aboutit à un fulgurant orgasme libérant des années de refoulement.

Surprise par hasard ou avidement recherchée, la nudité d'autrui est le déclencheur et le catalyseur d'élans physiques ne pouvant se conclure que par la reddition des inhibitions et l'abandon aux plaisirs de la chair. La série multiplie donc les scènes de douche, d'hommes et de femmes se déshabillant ainsi que d'actes sexuels dans des lieux publics ou sous l'objectif attentif de caméras. Penons par exemple *Surveillance nocturne*, où le gardien d'un immeuble surprend, grâce aux caméras de sécurité, une des jolies locataires en train de se dévêtir dans un ascenseur

---

4 Note de l'auteur : Pardonnez l'absence de titres français pour certains épisodes mentionnés. A défaut de remonter le temps pour revoir la série doublée, il est impossible de retrouver leurs titres. Qui sait, peut-être qu'un jour, telle la copie perdue du *Metropolis* (Fritz Lang, 1927) retrouvée dans les archives d'une cinémathèque en Argentine, nous tomberons par hasard dans un grenier sur une vieille VHS poussiéreuse contenant l'enregistrement intégral de la série en français... Il est toujours permis de rêver.

ou encore *Through an Open Window*, un hommage à *Rear Window* (Alfred Hitchock, 1954), dans lequel un romancier incapable de quitter son appartement à la suite d'un accident en profite pour espionner sa voisine, elle-même déchirée entre son amant et son amante.

Avec sa structure épisodique, *Aveux érotiques* est en quelque sorte un précis d'actes érotiques. Ennuyant pour l'adulte, l'adolescent peut y trouver son compte en explorant cette riche encyclopédie de la sexualité : triolisme, lesbianisme, voyeurisme, onanisme... Tous ces mots se terminant en «isme» et plus encore. Mais l'ennui de l'adulte est en quelque sorte une bénédiction, la raison d'être de cette anthologie qui se voulait davantage un prélude à l'amour que la satisfaction de l'acte consommé. En effet, le public cible d'*Aveux érotiques* n'est pas le jeune homme cherchant un prétexte masturbatoire, mais bien un nouvel auditoire qui n'a plus à subir la gêne de se présenter devant le commis du club vidéo ou le guichetier du cinéma pour avoir accès aux films coquins : les couples[5]. L'anonymat du foyer et une production honteuse désormais disponible en un simple changement de chaîne a mené à une nouvelle forme d'érotisme *soft* s'adressant à monsieur et madame Tout-le-monde. Ce n'est pas une coïncidence si la diffusion de ces compilations à *Bleu nuit* avait presque toujours lieu autour de la Saint-Valentin.

Ainsi, chaque segment est juste assez épicé pour ne pas choquer les bonnes mœurs, servant plutôt d'aphrodisiaque bon marché devant exciter et créer une atmosphère propice à l'acte sexuel. Tout est mis en place pour instaurer une ambiance feutrée. Les éclairages diffus et la musique aguichante donnent du cachet aux images, mais peuvent également servir à envelopper les amants enlacés devant l'écran de leur téléviseur, qui adopte le rôle tenu autrefois par le feu de foyer. Visionner en couple une vidéo érotique est en quelque sorte un préliminaire, les deux partenaires étant conscients que ce ne sera pas une innocente soirée cinéma en amoureux. Il en découle un plaisir ludique provenant autant du jeu de la séduction (Qui fera les premiers pas ? De quelle

---

5 En témoigne la publication dans les années 90 de plusieurs guides destinés aux couples désirant «partager» l'expérience de l'amour à l'écran comme par exemple *The Couples' Guide to the Best Erotic Videos*, *The Good Woman's Guide to Erotic Videos* et *The Good Vibrations Guide: Adult Videos*. Voir Linda Ruth Williams, *The Erotic Thriller in Contemporary Cinema*, Edinburgh, Edinburgh University Press, 2005, p. 259.

façon?) que des images à l'écran (Sommes-nous tous les deux gênés au moment des scènes érotiques? L'un de nous est-il excité en ce moment?). Les couples peuvent donc jouir ensemble du plaisir transgressif de visionner un film sous-entendant explicitement la suite des événements.

Ultimement, cette volonté de plaire aux couples provoque un changement majeur pour une certaine frange du cinéma érotique: les corps en tenue d'Ève et d'Adam sont présentés en quantité presque égale. L'homme nu est finalement objet du regard et du désir au même titre que la femme. Oui, les comédiennes sont interchangeables et choisies en fonction de leurs courbes généreuses, mais l'homme occupe une position similaire en étant lui aussi réduit à un torse musclé et à des fesses fermes. Plus encore, dans *Aveux érotiques*, peu importe le sexe du personnage principal, la femme est presque toujours celle qui initie le contact, qui brise les conventions et rend possible la rencontre érotique. Premiers pas – bien timides, sûrement inconscients et surtout motivés par des considérations économiques, avouons-le – vers un décloisonnement du genre et une lente acceptation de la femme dans le cinéma érotique en tant que sujet et non uniquement en tant qu'objet, pavant ainsi la voie à d'autres séries s'adressant directement à un public féminin, *Sex and the City* (1998-2004) en tête.

À Varennes...

Nicolas Archambault

Parfois, une simple voix peut nous ramener à un moment marquant de notre existence. Le contexte dans lequel ce phénomène se produit peut s'avérer pour le moins inusité. Lors d'un récent repas arrosé entre amis, la voix rocailleuse du protagoniste du film *Raspoutine*, rugissant hors du haut-parleur d'un téléviseur 55 pouces HD, m'a subitement replongé au milieu des années 80... à Varennes.

J'avais 11 ou 12 ans à l'époque. À cet âge de transition où la récente arrivée à l'école secondaire nous avait déjà initiés à un certain rite de passage, beaucoup de jeunes Varennois s'étaient investis d'une quête : louer *Face à la mort* (John Alan Schwartz, 1978). Cela peut paraître absurde, mais il devait y avoir une sorte de logique préadolescente dans ce désir de voir un quidam se faire bouffer par un ours ou un crocodile ou tout autre image funeste que cette VHS proposait. Avant le premier amour, la première relation sexuelle, la première brosse et tous ces autres rites de passage auxquels nous serions conviés dans un proche avenir, peut-être fallait-il inconsciemment dompter la mort.

Ma quête fut un jour couronnée de succès. À genoux devant notre magnétoscope dans le sous-sol qui m'avait vu jouer aux G.I. Joe, au ninja et au petit hockey, je m'apprêtais à insérer la cassette tant convoitée. L'anticipation était à son comble. J'en oubliais que mon frère et ses amis se trouvaient à mes côtés. J'étais seul avec les images qui s'apprêtaient à défiler devant mes yeux. J'avais réussi. Enfin les premières images apparurent.

Et c'est lors de cette soirée entre potes que j'ai réalisé l'ampleur de ce moment marquant dans le sous-sol où j'ai grandi. À l'instant où j'ai entendu la voix de Raspoutine, je me suis exclamé : « C'est le barbu de la bande-annonce qui précédait *Face à la mort* ! »

Cette voix était si imprégnée dans mes souvenirs qu'elle m'avait instantanément ramené à un instant charnière de ma jeunesse. Le genre de souvenir qui, injustement, supplante les funérailles de mon grand-père, la première débarque à bicyclette et la première fois où j'ai «frenché» la fille de Rivière-du-Loup dont le nom m'échappe. L'anticipation m'étreignait tellement au moment où j'ai vu la bande-annonce de *Raspoutine* que ma mémoire l'a entièrement absorbé.

Avec le recul, mettre la main sur la cassette de *Face à la mort* ne fut pas un exploit bien compliqué à accomplir. Mon grand frère l'a tout simplement louée à un club vidéo sur la route Marie-Victorin et m'a permis de la regarder avec lui et ses amis. Je ne garde de ce film que quelques souvenirs flous. C'est sans doute l'effet de surprise (je ne m'attendais certainement pas à voir la bande-annonce d'un porno *softcore* à saveur historique lorsque j'ai inséré la cassette dans le magnétoscope), mais *Raspoutine* a volé la vedette de ce rite de passage.

Il est difficile d'être un dieu
Simon Laperrière

35 **5**

(6) Raspoutine (Rasputin – Orgien am Zarenhof)
All. 1984. Drame de mœurs de Ernst Hofbauer avec Alexander Corte, Sandra
Nowa, Frank Williams. – Un moine débauché acquiert de l'influence à la cour
du dernier tsar de Russie. – Traitement simpliste. Insistance sur les aspects
érotiques. Mise en scène peu rigoureuse. Interprétation sans nuances. ©
Mediafilm

Première diffusion: 29 février 1992, 23h00

No, you're stupid, it's no fun being me.

James Franco, *Palo Alto*

Avant de critiquer, il faut comprendre.

Seulement deux films sont véritablement passés à l'histoire à suite de leur passage à *Bleu nuit*. Le premier, *Emmanuelle* (Just Jaeckin, 1974), doit sa notoriété à la beauté renversante de son héroïne, mais également – peut-être même surtout – à sa surexploitation sur les ondes. Il en est tout autrement du second, *Raspoutine* d'Ernst Hofbauer, qui a la particularité de s'être fait beaucoup plus rare dans la programmation. Ces diffusions ont néanmoins suffi pour qu'il s'impose dans le folklore télévisuel du début des années 90. Encore aujourd'hui, les spectateurs de l'époque se souviennent de ce long métrage comme étant particulièrement déviant, pour ne pas dire carrément sadique. Autant dire qu'il était impensable de ne pas inclure dans le présent ouvrage le compte-rendu d'une œuvre ayant laissé une impression aussi forte.

Or, mettre la main sur une copie s'est montré plus difficile que prévu. *Raspoutine* n'étant pas offert sur DVD en Amérique du Nord, nous avons tenté de retrouver l'une des vidéocassettes éditées par ISV Distribution, une défunte compagnie autrefois localisée à Mont-Saint-Hilaire. L'ère des clubs vidéo de quartier étant tristement derrière nous, ces premières recherches ont été un échec cuisant. Face à cette impasse, nous n'avons pas eu d'autre choix que de nous tourner vers le web et sa baie de pirates. De nouvelles déceptions nous attendaient. Avec l'aide d'un collectionneur, nous avons d'abord mis la main sur une version originale allemande dénuée de sous-titres au son désynchronisé. Impossible de s'en servir comme référence. Quelques semaines plus tard, un amateur de cinéma érotique nous fait parvenir un fichier numérique contenant un montage *soft* de *Raspoutine*[1] doublé en anglais. Comble de malchance, le métrage s'avère incomplet et s'interrompt abruptement à la 45e minute. Alors que nous nous croyons enfin près du but, le film nous échappe de nouveau, ce qui lui confère une aura d'œuvre maudite que l'on tenterait coûte que coûte de nous arracher du regard. Nous sommes alors arrivés à l'évidence que cette conception borgésienne de l'internet comme lieu virtuel où absolument tout s'avère disponible est finalement un leurre. Certains documents y resteront inaccessibles tant et aussi longtemps que personne ne les mettra en ligne[2]. Au moment où nous nous apprêtions à baisser les bras pour de bon, un journaliste de l'Hexagone nous fait don d'un transfert sur DVD-R de la VHS française mise en marché par la boîte René Château. Il prend cependant soin de nous informer qu'il s'agit de la mouture *hard* de *Raspoutine*. Bien que cette version ne soit pas celle ayant été présentée à *Bleu nuit*, nous concluons qu'elle s'en rapproche tout de même, étant donné son emploi du même doublage. Après une longue attente, nous pouvons enfin découvrir ce fameux film qui a tant choqué.

LES NUITS BLANCHES

Alors que la Russie est en proie aux attaques des rebelles, un vent de panique prend d'assaut la cour du tsar Nicolas II. Atteint d'un mal incurable, l'unique successeur au trône se meurt. Le seul espoir du tsar se trouve en Sibérie et porte le nom de Raspoutine. Défendeur de la veuve et de l'orphelin, ce moine au physique colossal possède des dons de guérisseur qui ne le trahissent jamais. Sa soutane ne fait pourtant pas de lui un homme saint. Il aime boire et chanter, mais préfère d'abord et avant tout la compagnie de jolies femmes. Amant hors pair à la verge démesurée[3] («Je n'ai

---

1   Le film de Hofbauer a eu droit à deux versions, l'une *soft*, l'autre *hard*. Nous y reviendrons.
2   Pensons, en guise d'exemple, à ce véritable Saint-Graal des cinéphiles qu'est *The Day the Clown Cried* (Jerry Lewis, 1972), un drame de guerre jamais sorti en salles qui serait si médiocre que le réalisateur garderait honteusement la seule copie existante dans un coffre-fort à Hollywood.
3   Il ne s'agit pas ici d'une invention des réalisateurs. En effet, la légende raconte que Raspoutine était plus que bien membré. Son pénis serait supposément exposé au Musée russe de l'érotisme à Saint-Pétersbourg. Conservé dans le formol, il serait long de 29 centimètres!

jamais rien vu d'aussi gros!» s'exclame l'une de ses amantes), cet ogre au tempérament caligulesque n'obéit qu'à sa soif insatiable des plaisirs de la chair qu'il consomme avec fureur. Ayant comme mission de convaincre Raspoutine de venir au secours du tsar, la comtesse Golovina est envoyée à son village afin de le séduire. Le mystique débauché ne sait résister aux talents sous la couette de cette libertine et accepte de la suivre. Arrivé au Palais, il gagne la sympathie du monarque et de son épouse en sauvant d'un simple toucher leur fils d'une mort certaine. Le règne de Raspoutine ne fait que commencer puisque Nicolas II fait de lui son conseiller. Son influence majeure sur les prises de décision du dirigeant va rapidement déranger certains membres de la noblesse qui vont tout faire pour se débarrasser de cet intrus gênant. Entre-temps, les luxueuses fêtes où la vodka coule à flot vont bon train.

À l'image du marquis de Sade et de l'impératrice romaine Messaline, un personnage historique à la réputation aussi décadente que Raspoutine ne pouvait échapper à d'innombrables représentations médiatiques. D'antagoniste animé chez Don Bluth (*Anastasia*, 1997) à sujet d'une chanson disco (Rasputin, de la formation Boney M, 1978), en passant par antihéros interprété par un inoubliable Christopher Lee dans une production Hammer (*Rasputin, the Mad Monk*, 1966), il occupe une place de choix, quoique peu factuelle, dans ce capharnaüm névrosé qu'est la mémoire culturelle. Devenir personnage principal d'un film érotique lui était donc inévitable, d'où cette relecture sexy d'un chapitre sombre de l'histoire soviétique qui bénéficie d'un budget fort respectable avec des décors magnifiques, des scènes de fusillade aussi prenantes qu'imaginatives et, étonnamment considérant le genre, d'excellentes performances de la distribution d'acteurs. Un porno de luxe digne du mythique starets!

Bien qu'il comporte une intrigue politique plutôt bien ficelée, on retient de *Raspoutine* les scènes de jambes en l'air qui défilent à l'écran à la vitesse de ce train qui mène le moine à Saint-Pétersbourg. Généreuses, au point où elles en arrivent presque à lasser, elles se démarquent par leur caractère hautement explicite qui n'a rien à envier à la production contemporaine. Ainsi paradent sous nos yeux étonnés les plans de pénétration, de fellation et d'éjaculation. Même la sodomie a droit à son heure de gloire lors d'une mémorable scène d'orgie. On en

vient rapidement à se demander ce qui a bien pu être conservé dans la version *soft* du long métrage. Si certaines scènes ont assurément été assagies par le retrait de certains plans trop osés pour les télédiffuseurs, d'autres ont dû être carrément supprimées du montage final. Pensons à ce délectable *trip* à quatre auquel participe la magnifique Golovina ainsi qu'une petite troupe de militaires dénudés. La séquence ayant été filmée principalement en plans large, il aurait été difficile d'en conserver quoi que ce soit de décent. Certes, il n'est pas impossible que Hofbauer ait tourné des plans alternatifs[4], mais tout laisse croire que la version adoucie ait été un brin schizophrénique, ne serait-ce par ce soudain irrespect de l'unité spatiale de l'événement[5] rendant le visionnement du film incompréhensible. Parallèlement, son potentiel érotique se voit peut-être amplifié puisque ces scènes visiblement écourtées indiquent que des images beaucoup plus graphiques existent quelque part, des images qui, à défaut d'être accessibles, deviennent l'objet des fantasmes du spectateur. La réputation houleuse de *Raspoutine* dépendrait-elle tout bêtement de la censure télévisuelle ?

AU PLUS NOIR DE LA NUIT

Quelque chose trouble dans ce long métrage, qui n'est pas tant lié au sexe qu'à la sexualité. Nous avons, au fil de ces pages, démontré comment *Bleu nuit* a généralement dépeint la femme de manière relativement épanouie. Il serait pertinent de se demander ce qu'il en est de l'homme, de ce que nous retenons de sa représentation dans les films diffusés dans le cadre de la série. À cette interrogation, *Raspoutine* apporte un constat des plus terrifiants. En se laissant guider par ses pulsions bestiales, le personnage titre s'accorde le droit d'agir en monstre. Profondément misogyne, il insulte et bat des femmes qui pourtant l'adulent. Raspoutine ne fait pas l'amour, il baise avec violence, sans se soucier du confort de celles, apeurées, qui s'offrent à lui. Toute trace de tendresse est absente de ses gestes féroces. Il n'en a que pour lui-même, se félicitant même avec un narcissisme révoltant de faire jouir ses compagnes, voire même de les déchirer. Raspoutine est cet homme

---

4   Voir à ce sujet dans le présent ouvrage, le texte «Divin marquis !» d'Éric Falardeau (page 237).
5   Voir à ce sujet André Bazin, «Montage interdit», *Qu'est-ce que le cinéma ?*, Paris, Éditions du Cerf, 2002, p. 48-61.

malade et méchant, ce personnage de Dostoïevski ayant quitté le sous-sol où il s'était lui-même enfermé pour aller à la conquête du monde. Après avoir mis un temps sous silence sa voix souterraine, il pousse désormais un cri enflammé capable de faire trembler la Russie entière. Il symbolise également, pour le spectateur mâle du moins, cette part d'animalité primaire qui sommeille en lui et qu'un abandon total à ses désirs libidineux risquerait d'éveiller. *Raspoutine* a été le contre-exemple d'*Emmanuelle*. Tel un miroir déformant, il a scandalisé le Québec en confrontant le public de fin de soirée à sa part d'ombre[6].

---

6   Le film prend néanmoins soin de représenter Raspoutine comme un cas isolé. En témoigne l'une des rares scènes où il n'apparaît pas : une fête est organisée pour de vieux militaires, mais ceux-ci, ayant trop bu, s'endorment ivres morts. Les prostituées invitées pour l'occasion décident alors de s'envoyer en l'air avec le groupe de musiciens également présent. Les ébats se veulent alors profondément tendres, les hommes s'assurant que les femmes prennent autant de plaisir qu'eux. L'un d'eux exige même de la douceur, ce que Raspoutine n'aurait pas toléré. Un contre-exemple bienvenu qui, compte tenu du contexte historique du long métrage, prend la forme d'une improbable victoire du prolétariat.

Mes nuits sont bleues
Karim Hussain

L'adolescence. Ses tout débuts. Une période cruelle débordant d'émotions aussi étranges qu'incontrôlables. Une époque où votre corps change, où votre esprit est comme de la pâte à modeler pétrie d'explosifs, où TOUT est important.

Vous êtes une éponge à subversion, qui n'a besoin que d'un bon professeur.

J'avais le professeur idéal. Il débarquait chez moi, tous les samedis soirs, en provenance de cette ville pas trop lointaine qui s'appelle Montréal.

Car quand vint le temps de pénétrer dans le royaume de l'adolescence... mes nuits furent bleues.

Quand il était question de voir des femmes nues, en cette ère précédant celle d'internet où tout enfant de huit ans connaît toutes les meilleures techniques de sodomie avant d'avoir embrassé quelqu'un, avoir ou non une image en couleurs n'était pas le premier de mes soucis. L'érotisme reposait sur l'imaginaire, l'inconnu, et montrer quelque chose de moindrement « osé » faisait l'affaire. Les poils pubiens étaient tolérés. Ils faisaient même partie intégrante de ce que c'est que le sexe.

Alors quand mes parents ont finalement cédé et accepté que j'installe une minuscule télévision en noir et blanc dans ma chambre, un appareil qui pouvait capter le signal distant et diffus de Télévision Quatre Saisons, poste 49 sur les ondes UHF, une porte merveilleuse s'est ouverte. C'est que, voyez-vous, s'il était parfaitement convenable que je loue un film dans la section « horreur » au club vidéo du coin, le sexe était pour sa part très mal vu par mes parents culturellement confus. Toute séquence de sexe à l'écran qui n'était pas dissimulée sous le voile «acceptable» de la peur et de la violence était, par conséquent, merveilleuse pour moi. Allez savoir : l'horreur et la peur, ça va, mais le sexe entre deux adultes consentants, c'est mal. Merci, l'Amérique du Nord !

Maintenant, les enfants, laissez-moi vous parler un peu de la télévision. Il fallait tourner un gros bouton pour changer de poste et, si on touchait à l'écran, tout ce que ça faisait, c'était laisser une grosse trace de graisse dessus. Pour tenter d'obtenir un meilleur signal, il était nécessaire de manipuler de drôles de tiges de métal. Ces longues tiges étaient parfois dangereuses. Au contraire, on pouvait les trouver érotiques, tout dépendant du type de relation que l'on entretenait avec cette mystérieuse boîte lumineuse. Essentiellement, ces tiges de métal étaient l'équivalent des petites barres de votre signal Wi-Fi – et il n'y avait jamais assez de petites barres. L'image était toujours merdique. Mais peut-être que l'on pouvait voir des poils pubiens se dessiner derrière l'interférence et ça, c'était vraiment *quelque chose*.

Rembobinons un peu, si vous le voulez bien. Rembobiner. Vous savez, les jeunes, «rembobiner» est un terme que l'on utilisait quand il fallait *physiquement* faire reculer la bobine d'une cassette ou de la pellicule pour revenir en arrière dans un film. N'essayez pas de rembobiner votre téléphone ou votre tablette en la faisant tourner vers l'arrière. Ça ne marchera pas. Ceci étant dit, vous êtes en train de lire un livre en papier, un truc que seuls les gens plus vieux comprennent encore, alors vous faites probablement partie de ce club sélect de gens qui peuvent comprendre ce dont je parle. La nostalgie peut être un jeu dangereux de chair et de tristesse.

J'ai grandi dans l'étrange et presque surréaliste ville d'Ottawa en Ontario. Il s'agit, en apparence, d'une ville conservatrice et sans âme, mais elle nous a malgré tout donné quelques artistes dignes d'intérêt possédant un sens aiguisé de la subversion. À l'époque, cependant, c'était un peu comme vivre dans *Blue Velvet* (qui, ironiquement, a déjà été présenté à *Bleu nuit*) sans avoir le plaisir de regarder le film. Il y avait quelques cinémas de répertoire assez bien à Ottawa, et au moins l'un d'entre eux existe d'ailleurs toujours. Mais pour un jeune à l'époque, la meilleure manière d'avoir accès à des films moins convenables, c'était quand même de les louer en VHS ou... de les voir lorsqu'ils passaient à *Bleu nuit.*

Un peu comme l'herpès, c'est sorti de nulle part. Subitement, le samedi, les films de fin de soirée à TQS étaient précédés d'un drôle de petit logo... On y passait des films sans danger tels que *La forteresse noire* (Michael Mann, 1983) ou *Prophecy* (John Frankenheimer, 1979) aux côtés de trucs européens un peu plus salaces comme *Beau-père* (Bertrand Blier, 1981) et de quelques films plus osés, produits par de gros studios, comme *American Gigolo* (Paul Schrader, 1980).

Mais, comme ce fut le cas pour plusieurs autres à la même époque, c'est la série des *Emmanuelle* qui a fait de moi un abonné à *Bleu nuit.*

Parfaitement innocents selon les standards d'aujourd'hui, incroyablement insipides lorsque l'on les compare à la série des *Black Emanuelle* parrainée par Joe D'Amato, les quatre premiers films (auxquels s'ajoutent un cinquième épisode en partie «réalisé» par Walerian Borowczyk de même que d'innombrables suites toutes plus absurdes les unes que les autres) sont de délirantes odyssées dans le monde du tourisme raciste où une sublime Sylvia Kristel baise passivement un paquet de monde dans une variété de décors exotiques sous prétexte qu'elle est une libertine. Une fois de temps en temps, elle agitait la tête en faisant la moue. Mais bon sang qu'elle était belle...

Mes cours d'immersion en langue française à Ottawa furent franchement utiles! Je n'avais aucune idée à ce moment-là que Sylvia Kristel était d'origine hollandaise, qu'elle jouait à peu près aussi bien qu'un verre de styromousse et que cette voix n'était pas la sienne. Elle venait de m'inspirer une passion de longue haleine pour les brunettes françaises, saine obsession s'il en est une, même si elle venait des Pays-Bas. Elle est morte tragiquement jeune et, si l'on se fie à un documentaire tourné quelque temps avant qu'elle ne passe l'arme à gauche, c'était une personne complexe et intéressante.

C'est en syntonisant cette énigme qu'était *Bleu nuit* que j'ai vu pour la première fois le relativement novateur *Emmanuelle 4,* dans lequel Kristel, qui ne voulait pas poursuivre la série, a donné du

A NEW EXPERIENCE IN SENSUALITY

No
one
is
ever
the
same
after...

Black
Emanuelle

Emanuelle in "BLACK EMANUELLE" with Karin Schubert
Angelo Infanti · Don Powell · Isabelle Marchall · Venantino Venantini
and with Gabriele Tinti · Music by Nico Fidenco · Directed by ALBERT THOMAS · Eastmancolor
A STIRLING GOLD PRESENTATION

fil à retordre aux scénaristes qui ont accouché d'un revirement de situation particulièrement saugrenu: après environ une bobine, on procédait à une «transplantation corporelle» de laquelle Emmanuelle émergeait sous les traits de l'infiniment plus jeune Mia Nygren. C'était sans doute plus efficace que la chirurgie plastique, en plus d'être une bonne manière d'éviter une hausse de salaire ainsi que l'utilisation massive de filtres diffuseurs pour masquer les rides de l'actrice vieillissante.

Lorsqu'on la compare à cette marionnette au regard éteint qu'est la Emmanuelle de Kristel, la Black Emanuelle de Laura Gemser était une vraie lumière, une reporter spécialisée dans le journalisme d'enquête, féministe et libertine, qui donnait les ordres et qui obtenait ce qu'elle désirait, quand elle le désirait.

Lorsqu'on les compare aux horribles films dont nous gavent les studios aujourd'hui, comme par exemple *Gravity* (Alfonso Cuarón, 2013), n'importe quel épisode de la série des *Black Emanuelle* de Joe D'Amato est un véritable chef-d'œuvre d'intelligence et d'inventivité. L'Emanuelle de Gemser offrait un bel exemple de ce que c'est que vivre sa vie à sa manière, un véritable modèle d'affirmation de soi. Le personnage de Sandra Bullock dans *Gravity*, qui dépend des hommes et passe son temps à hurler jusqu'à ce que l'un d'eux vienne l'aider ou lui dise quoi faire dans ses rêves, est la Sylvia Kristel du cinéma contemporain. Laura Gemser lui aurait botté le cul avant de lui montrer comment survivre. Elle les aurait baisés, elle et George Clooney, puis elle les aurait sauvés tous les deux. C'était ce genre de femme-là. Le cinéma d'aujourd'hui ne possède aucunement le réalisme de ce que l'on diffusait à la belle époque de *Bleu nuit*.

Une autre héroïne de l'érotisme de fin de siècle qui a marqué *Bleu nuit* se nommait Joy. Coproduction canadienne, *Joy* (Serge Bergon, 1983) était une imitation d'*Emmanuelle* mettant en scène une mannequin qui était obsédée par une ordure de photographe qui ne l'aimait même pas. *Dans le rôle principale,* l'actrice montréalaise Claudia Udy qui, en plus de posséder d'étranges faux seins du début des années 80, minouchait une tortue géante après avoir nagé en sa compagnie. Il s'agissait sans contredit de l'un des moments les plus mémorables du film. Une bien meilleure suite intitulée *Joy and Joan* (Jacques Saurel, 1985) a été réalisée quelques années plus tard. Brigitte Lahaie y reprennait le rôle-titre, et l'ultime réplique, «Après la joie, quoi?», y faisait l'effet d'une révélation. Il y avait des scènes de lesbianisme particulièrement torrides et le type qui jouait le photographe pourri cette fois-ci avait des allures de tortue agonisante quand il baisait. Serait-ce le petit je-ne-sais-quoi de la série, ce truc avec les tortues? *Joy and Joan*, malheureusement, n'a pas joué à *Bleu nuit*. On ne saura jamais pourquoi.

Bleu nuit nous aura par contre permis de découvrir le *Gwendoline* de Just Jaeckin, avec lequel le réalisateur du premier *Emmanuelle* atteignait enfin une certaine forme de maturité artistique. Ce *comic book* sexy à saveur de sadomasochisme mettait en vedette la fille qui jouait dans *Witchboard (Kevin Tenney, 1986)*, Tawny Kitaen. Elle donnait vraiment tout ce qu'elle avait dans ce film qui est bien meilleur que *Les aventuriers de l'arche perdue* (Steven Spielberg, 1981), même si l'on n'y retrouve aucun nazi qui fond. Il contient cependant plein d'autres trucs merveilleux pour pallier à ce manque.

Chaque samedi, quelque chose de magique et de véridique m'attendait. C'était un cadeau merveilleux. J'ai pu y voir *L'enchaîné* (Giuseppe Patroni Griffi, 1985), dans lequel l'acteur principal de *L'oiseau au plumage de cristal* (Dario Argento, 1970) Tony Musante était attaché et torturé par Laura Antonelli et sa fille Blanca Marsillach du début à la fin, la mère et la fille l'utilisant pour jouer à toutes sortes de jeux érotiques et sadiques. Le film ressemble beaucoup au *Miel du diable* (Lucio Fulci, 1986) avec un plus gros budget, ce qui n'a rien d'ironique ou d'étonnant puisque Fulci a coscénarisé *L'enchaîné* et que Blanca Marsillach jouera dans *Le miel du diable*. Question de boucler la boucle, *Le miel du diable* a lui aussi été présenté à *Bleu nuit*. Cette programmation parfaitement cohérente ramenait tout à tout et tout y trouvait un sens. Elle faisait de nous des complices de ce cinéma d'exploitation à la sauce européenne et nous avons tous appris qui était Max Pécas en le voyant déballer sa marchandise devant une foule inconsciente.

Le lundi venu, on discutait tous ensemble de ce que l'on avait vu à *Bleu nuit* durant la fin de semaine et, pour ajouter à notre enthousiasme, certaines filles regardaient elles aussi l'émission. Ça, c'était cool.

Mais bon, comme toute bonne chose, celle-ci a eu une fin. Le temps a passé, internet a détruit tous les tabous possibles et le besoin de se tourner vers *Bleu nuit* pour avoir notre dose hebdomadaire d'érotisme s'est estompé. J'ai arrêté de l'écouter au début des années 90, mais, déjà, je devinais que la qualité du cinéma érotique européen s'étiolait. Je me souviens qu'ils se sont mis à diffuser de nombreux épisodes de *Série Rose*, une émission de télévision qui avait supposément de la «classe». Elle donnait du boulot aux grands maîtres en perdition du cinéma érotique, tels que Walerian Borowczyk et Harry Kümel, mais ce n'était qu'un sous-produit un peu trop dilué de ce que l'on pouvait voir durant les beaux jours de *Bleu nuit*.

Parfois, quand je revenais voir mes parents à Ottawa, après avoir moi-même déménagé à Montréal, je jetais un coup d'œil à *Bleu nuit*... qui avait été envahi par ces émissions de fin de soirée sexy que l'on produisait en Europe et par les horribles *Emmanuelle* des années 90 qui n'étaient que de pâles copies de leurs prédécesseurs.

Je suppose que quand l'émission a disparu au milieu des années 2000, c'était dans l'ordre des choses.

Internet a gagné.

Votre téléphone intelligent a gagné.

De vieux films poussiéreux mais charmants, comme les *Black Emanuelle*, ont été relégués au marché des éditions spéciales en DVD pour faire plaisir à ceux qui étaient assez vieux pour en tirer profit.

L'imagination et l'érotisme ont été supplantés par YouPorn.

Alors c'est cela... La fin d'une ère.

Mais sachez une chose, il fut un temps où nos nuits étaient bleues.

Et le bleu était la couleur de nos rêves.

Traduction : Alexandre Fontaine Rousseau

— IV —
APRÈS
BLEU NUIT

Edouard H. Bond

J'ai jamais couché avec une femme. J'en ai même jamais touché une. Mais j'ai joui avec les plus belles. J'ai bandé solide quand j'ai vu Sylvia Kristel lécher du bout de sa langue pointue les *nipples* dressés d'une blonde anonyme. Je me suis crossé à me donner des rougeurs au gland en regardant Laura Gemser se faire plaisir sous la douche. Pis j'ai éclaboussé l'écran quand j'ai enfin pu voir la touffe de Brigitte Lahaie. J'ai déversé des litres de sperme dans des kilos de kleenex en contemplant les films de fesses que présentait TQS les samedis en fin de soirée.

Le quatorze mars mille neuf cent quatre-vingt-sept, j'avais onze ans pis j'ai appris à me servir de ma graine. J'étais seul dans le salon du sous-sol, installé avec des oreillers pis des couvertures. Mes parents m'avaient donné la permission de passer la nuit en bas pour que je puisse regarder encore une fois *L'Empire contre-attaque* sur VHS. Le magnétoscope rembobinait la cassette quand j'ai syntonisé le trente-cinq, quand j'ai vu ce que j'avais jamais vu : la sexualité. En gros plan. Des doigts glissés dans une petite culotte blanche. Des soupirs sans équivoque. Un frisson fulgurant m'a fait durcir, je me suis chatouillé quelques secondes, une décharge de bonheur a traversé mon corps. Le quatorze mars mille neuf cent quatre-vingt-sept, j'avais onze ans pis *Emmanuelle l'antivierge* m'a déviergé.

À partir de ce samedi soir inoubliable, j'ai jamais manqué une seule présentation de *Bleu nuit*. J'ai d'abord utilisé toutes les astuces possibles pour dormir dans la cave, souillant mes bas sales quand j'oubliais de m'équiper en kleenex. Puis, adolescent, j'ai hérité de la vieille TV pour ma chambre. Je refusais alors les invitations aux partys, c'était trop compliqué de flirter avec les filles, j'allais jamais pogner les boules à Julie Morin, mais j'allais facilement asperger celles d'Emmanuelle et de ses copines. Pis je me suis pris un minuscule appartement, seul, sans coloc. Mon salon était consacré à la masturbation : Lazy-Boy, caisses de kleenex, litres d'huile à massage, pis surtout, une grosse TV. J'enregistrais tous les films de *Bleu nuit* sur VHS pour pouvoir me crosser chaque jour, mais je me crossais aussi en direct chaque samedi soir, ça me réconfortait de pas me savoir seul à ces moments-là, ça m'excitait même un peu, je nous trouvais beaux à jouir aux mêmes scènes en même temps, l'électrochoc n'en était que plus furieux.

Je me souviens avec volupté d'un plan précis d'un film de Joe D'Amato où la toison délicatement écartée dévoilait un bout de chair rosée. Je me rappelle ce plan lorsqu'on me parle de pornographie. Je déteste la pornographie. La pornographie, c'est le sexe à son plus triste. C'est des trous sombres dans la viande, c'est de la barbaque. Les hommes y sont juste des grosses saucisses mauves, pas de visage, juste des tattoos. Les femmes, elles, il faut qu'elles sucent *deep* des battes gros comme des longes de porc pis qu'elles chient trois doubles dildos après s'être fait enculer pendant vingt minutes. J'ai aucun désir à voir des anus dilatés au point où on pourrait y cacher un ballon de football, j'ai toujours préféré me crosser sur les petits seins pis les doux fessiers présentés à *Bleu nuit*.

Nous sommes alors le neuf juin deux mille sept. Il est presque onze et demi. Je m'installe dans mon Masturbodome avec une canne de Pringles, un six pack de Bleue Dry pis trois Aero à la menthe. J'ai pas consulté le télé-horaire, je le consulte jamais, j'aime être surpris, comme si c'était un *blind date*. Fébrile, j'attends avec ma graine molle au creux de ma main moite. Et là, ça commence. Ça commence mal. C'est le film *Le guet-apens* mettant en vedette Alec Baldwin. C'est pas un film de fesses, *Le guet-apens*, je le sais, j'suis un fan des films d'Alec Baldwin, je l'ai vu au cinéma. Je vérifie si j'suis au bon poste, même si je sais que j'suis au bon poste.

Tabarnak, après toutes ses années de fidélité réciproque, TQS m'a finalement posé un lapin.

Ce soir-là, j'ai glissé la VHS de *Goodbye Emmanuelle* pis je me suis crossé pour la dernière fois devant ma télévision. Goodbye *Bleu nuit, Bleu nuit* goodbye…

Et la tendresse? Bordel!

Éric Falardeau et Simon Laperrière

Il fallait bien que ça arrive, *Bleu nuit* devait prendre fin. Dans un paysage audiovisuel de plus en plus explicite, sa programmation a tranquillement perdu sa raison d'être. Inutile d'attendre le traditionnel rendez-vous du samedi quand, tout au long de la semaine, un public adolescent peut contempler les charmes d'une Miley Cyrus ou d'une Katy Perry. La télévision s'est dégourdie en cessant de cantonner la monstration des corps à une case horaire honteuse. Ce dévergondage s'est fait progressivement, allant d'un plan rapide d'une paire de seins dans *Omertà* (1996-1999) au sperme dégoulinant sur la poitrine de Shiri Appleby dans *Girls* (2012-). Sans nous en rendre compte, nous avons assisté à la victoire du *softcore* qui a réussi à contaminer les émissions grand public. Il est désormais un incontournable, essentiel vecteur de la popularité d'une série télé. En témoigne l'intérêt grandissant des spectateurs pour les scènes osées dans *19-2* (2011-) et autres *Game of Thrones* (2011-). Son potentiel jadis transgressif a subi une normalisation si importante qu'il a rendu obsolètes ses formes antérieures. *Aveux érotiques* (1994-1999), qui auparavant troublait nos sens, est désormais dépassé par le vertige obscène de la production contemporaine, d'abord submergé par ces drames érotiques hollywoodiens si chers aux années 90[1] et, ensuite, par leurs éminents successeurs.

Autrefois objet de moquerie, le *softcore* est devenu signe de l'audace d'un réalisateur. Un cinéaste qui filme le sexe est, aujourd'hui plus que jamais, un auteur qui ose. Comme le fait remarquer avec justesse Philippe Brenot: «Les mœurs évoluent et surtout l'acceptation du public quand [...] en juin 2013, *La vie d'Adèle* d'Abdellatif Kechiche remporte la Palme d'or à Cannes en

---

1 Pensons à *Proposition indécente* (Adrian Lyne, 1993) et à *Harcèlement* (Barry Levinson 1994), pour ne nommer que ceux-là

glorifiant très ouvertement l'amour lesbien et la masturbation[2].» Mais cela aurait-il été possible sans Just Jaeckin, Gregory Dark et Joe D'Amato? Le vulgaire cinéma érotique aura finalement été avant-gardiste. Comme l'affirme l'une des figures les plus influentes de l'érotisme *direct to video* Jag Mundhra (*Night Eyes* en *1990, Tropical Heat en 1993*) : «Je fais des films qui sont davantage des fantaisies érotiques avec un message sur la société. La seule différence est que lorsqu'un film similaire met en vedette Sharon Stone ou Demi Moore, le public le catégorise différemment[3].» Hypocrite, la critique internationale a oublié l'apport indéniable de l'érotisme dans les œuvres de créateurs comme François Ozon, Podz, Adrian Lyne, Nic Pizzolatto, Lena Dunham et Atom Egoyan. Peu importe si elle n'a pas su reconnaître son héritage, le genre a finalement obtenu sa légitimation par lui-même. Il a réussi à s'institutionnaliser.

Cette lente mutation a coïncidé avec l'apparition d'une nouvelle forme de voyeurisme au petit écran. Après le «tout voir» que laissait miroiter *Bleu nuit*, la téléréalité a promis l'ère du «tout savoir». Une illusion en a remplacé une autre. Les premiers spectateurs de *Loft Story* ont ressenti une véritable jouissance, avec ce que le philosophe Jean Baudrillard qualifie de «frisson du réel[4]». L'authenticité garantie par le cinéma X ne se limite qu'au physique. Or, cette émission faisait un pas vers l'avant en mettant à nu une intimité différente, celle des sentiments, de la vie intérieure, bref, ce qu'il y a de plus privé. Le trou de serrure du voyeur ne donne plus que sur la chambre à coucher, mais sur l'appartement au complet. L'euphorique sensation de vérité découlant des confessions hebdomadaires de chaque participant et, plus encore, la possibilité de capter l'imprévu ont créé une érotomanie du direct. Selon André Bazin. «Nul doute en effet que la conscience de la simultanéité de l'existence de l'objet et de notre perception ne soit au principe du plaisir spécifique de la télévision : le seul

2 Philippe Brenot, *Nouvel éloge de la masturbation*, L'Esprit du temps, Le Bouscat, 2013, p. 105.
3 «I make movies which are more on the erotic fantasy line with an intrinsic message to society. It's just that when a similare movie has Sharon Stone or Demi Moore in its cast, people grade it as an erotic thriller and categorize it in a different way.» Voir Linda Ruth William. *The Erotic Thriller in Contemporary Cinema*, Edinburgh University Press, Edimbourg, 2005, p. 315.
4 Voir Jean Baudrillard, *Simulacres et simulation*, p. 49.

que le cinéma ne puisse nous offrir[5]. » Il n'y a plus de frontière entre notre quotidien et celui du Loft, ce dernier étant à la merci d'un impitoyable regard narcissique toujours plus avide de révélations. Le destin d'autrui comme plaisir coupable et profondément masturbatoire. *Bleu nuit* ne pouvait pas faire le poids face à cette pornographie des âmes.

D'où la surprise de constater en 2007 que la série était toujours en ondes. « Qui regarde encore ça ? » se demandait-on. Avec internet et, en toute vérité, l'épanouissement de notre propre vie sexuelle, nous n'avions plus besoin de ces leçons particulières. Nous étions passés à autre chose puisque l'obscur objet de notre désir n'était plus le même. Aussi intense soit-elle, la passion ne dure toujours qu'un temps. Tranquillement, telles les dernières mesures d'une ballade jazz de Nina Simone qui s'évanouissent dans le silence, nous avons oublié notre dette envers *Bleu nuit* et l'avons laissé à sa triste disparition.

Mais peut-être l'avons-nous aussi abandonné par vengeance. Jamais nous n'avons su lui pardonner de brusquement nous fausser compagnie chaque samedi soir en nous laissant seuls, confrontés à nos fantasmes non assouvis. Une fois le film terminé, nous n'avions plus que notre mémoire sur laquelle nous rabattre pour revivre des séquences déjà évasives. Le poids de notre triste sort s'imposait alors que se reflétait dans l'écran notre silhouette de spectateur, celle d'un petit garçon qui avait encore un long chemin à faire avant de concrétiser ses rêves. Seul le sommeil pouvait taire cette mélancolie du moment présent. Il ne nous restait plus qu'à retrouver les draps froids de notre lit et à nous perdre dans une nuit dépouillée des promesses de l'aube.

---

5   André Bazin, « Pour contribuer à une érotologie de la télévision », *Cahiers du cinéma*, Décembre 54, tome 7, numéro 42, p. 24.

Laisser à désirer `POSTFACE`
Bleu nuit et la nostalgie du softcore
Samuel Archibald

1. L'INVENTION DE LA MASTURBATION

Il fut un temps où on pouvait être en paix avec soi-même en consommant de la pornographie.

C'est paradoxalement à cette époque qu'on était le plus mal à l'aise d'en regarder. L'époque des revues cachées entre le sommier et le matelas, regardées dans la pénombre lunaire et dont on essayait de tourner les pages glacées sans faire de bruit. En ce temps-là, la pornographie était rare comme l'eau dans le désert et nous étions tous un peu sourciers, fins limiers, gorets à truffes. Voleurs, aussi. Nous savions trouver les *Playboy* dans la bibliothèque de notre oncle et les *Hustler* dans les poubelles en arrière du dépanneur. Nous savions trouver la cassette VHS banale cachée parmi d'autres comme une lettre volée. Nous connaissions par cœur le numéro des canaux avancés où on pouvait attraper, au milieu d'un magma de couleurs et de cris, quelques précieuses secondes de sexe débrouillé.

Je me rappelle être parti, un peu trop soûl et un peu trop gelé, d'un *open house*. C'était chez un ami dont les parents habitaient une maison historique dans le bas Chicoutimi, sur la rue Jacques-Cartier. Moi, j'habitais loin dans les banlieues en haut de la ville. J'avais remonté bien tranquillement la rue Racine jusqu'au stand de taxi à côté du George Steakhouse. Le stand était un vestige des années 50. Tu pouvais rentrer pour commander une voiture directement au *dispatcheur* qui était là, derrière un vieux bureau en bois, à répondre au téléphone. Le stand était au fond d'une impasse où les taxis venaient se stationner. Ça fumait dehors l'été mais il y avait aussi quelques chaises en dedans pour les gens qui ne voulaient pas attendre leur taxi dehors, les insomniaques et les buveurs attardés.

Il pleutassait, ce soir-là. Je suis resté en dedans. Après quelques secondes assis, j'ai levé la tête vers la vieille télé, qui était suspendue dans une cage au coin du mur comme dans un hôpital psychiatrique. D'habitude, elle était branchée sur ESPN ou RDS, mais ce soir-là, le dispatcheur et ses noctambules étaient carrément en train de regarder un film porno. J'ai dit au dispatcheur :

«Vous dirigez un établissement qui a de plus en plus de classe, monsieur Girard.»

Le bonhomme a ri avant de dire :

«Y a un gars au câble qui a fait une erreur. Ça fait deux heures que les films de cul sont débrouillés au Pay-per-View.»

Je suis rentré chez moi à la belle épouvante et je suis descendu dans le sous-sol direct. Mon frère était déjà là. Il écoutait Musique Plus. Je me suis assis à côté de lui devant la télévision. Au bout de deux minutes, j'ai dit :

«Sérieux, t'étais-tu en train d'écouter le film de cul?»

Il a souri.

«Je faisais pas juste l'écouter. Je l'enregistre.»

Mon frère avait pensé à tout. Il avait même appelé quelques-uns de ses chums pour les avertir et, quand je suis parti pour faire la même affaire, il a dit :

«Perds par ton temps pour rien, mon gars. Tout le monde écoute le film de cul.»

Il fut un temps, donc, où on pouvait être en paix avec soi-même en consommant de la pornographie.

En ce temps-là, nous étions une vaste communauté dont les membres ne se réunissaient que très rarement, à la faveur du hasard ou de la nécessité. Des Chevaliers de Colomb sans poignée de main secrète. Après, le déluge est arrivé et les choses n'ont plus jamais été pareilles. Le déluge avait pour nom internet. Ça a commencé lentement, et au début, nous n'avons pas compris l'importance du changement. La même logique de rareté et de difficulté s'appliquait. Il fallait naviguer des heures pour trouver quelques images et attendre très longtemps pour que soit téléchargée la moindre séquence de 17 secondes. La porno sur internet, au départ, c'était chiant. Mais il y avait un avantage : on n'avait pas à vivre ces moments délicats où il fallait affronter le regard de la caissière au dépanneur ou du commis de club vidéo, on pouvait accéder à la pornographie à visage couvert. Internet venait de régler une bonne fois pour toutes l'éternel problème de l'industrie pornographique : la distribution.

Norman Mailer a déjà déclaré en entrevue que, selon lui, internet était la plus grande perte de temps depuis l'invention de la masturbation. Pour toute une génération, ces deux dates coïncident.

2. BIENVENUE DANS LA PORNOSPHÈRE

Nous vivons aujourd'hui à l'âge du déluge de la pornographie.

Je me dispenserai ici d'une réflexion au long cours sur l'influence de la pornographie sur la culture de masse au xxie siècle pour ne souligner qu'un fait essentiel : il est désormais possible d'accéder, en tout temps et en tout lieu, à de la pornographie. Là où les sémioticiens de la culture comme Iouri Lotman parlent de « sémiosphère » et où les médiologues parlent de « médiasphère » afin de désigner l'environnement culturel, social et technologique à l'intérieur duquel nos interactions discursives se produisent, je serais tenté de parler de « pornosphère » pour qualifier ce nouveau contexte médiatique où la pornographie est accessible en continu et produite en quantité industrielle.

Cet accès torrentiel a eu plusieurs conséquences sur les formes dominantes de la pornographie contemporaine, la plus évidente ayant été la disparition de sa variante *douce*. La pornographie *softcore* est disparue de nos vies à toute vitesse, et, au moment d'écrire ces lignes, je me suis aperçu qu'on pouvait difficilement évoquer les années *Bleu nuit* sans éprouver une profonde nostalgie. Une nostalgie qui a pour corollaire un dégoût grandissant pour les visages actuels de la pornographie. C'est sur cette nostalgie et ce dégoût que je voudrais m'expliquer ici. S'il y a manque, s'il y a un sentiment de perte, qu'est-ce que nous avons perdu ? S'il y a dégoût, d'où part-il et quels en sont les motifs, en dehors d'une nostalgie et d'une certaine lassitude de la facilité.

Après tout, si le *softcore* a existé, ce n'est au final qu'en raison de limitations éthiques et technologiques : les organismes de contrôle des ondes télévisuelles ont apposé et apposent encore des restrictions à la monstration de la sexualité au petit écran. Les années *Bleu nuit* sont le fruit de telles restrictions. À l'époque, même les chaînes spécialisées devaient obéir à certaines contraintes. Jusque dans les années 90, par exemple, les films pornos diffusés au Canada ne pouvaient pas montrer d'éjaculation ; les scènes se terminaient donc invariablement sur un anticlimax total : le plan rapproché du rictus de jouissance surjouée d'un Randy West ou d'un Peter North, sans aucun contrechamp. En l'absence d'un mode de distribution aussi redoutable que le web, la pornographie avait à se faire voir sur différents canaux et en des variantes atténuées. Un certain nombre de films présentés à *Bleu nuit* étaient des versions *soft* de films porno *hard* où l'on écartait aux montages les plans montrant des organes génitaux. Au tournant du troisième millénaire, la pornographie *soft* a été en quelque sorte déclassée comme une technologie vétuste : avec l'avènement de la télévision sur demande et d'internet, le pis-aller esthétique qu'elle représentait est tombé en désuétude. Plus besoin de bluettes érotiques sur le câble, la télé et l'ordinateur pouvaient nous livrer de la porno *hard* en tout temps. À propos d'une telle mise au rebut, s'ennuyer d'un état précédent de la technique serait au final comme radoter sur la vertu antique qu'il y avait à marcher 12 kilomètres dans le froid polaire pour aller à l'aréna. Le progrès va toujours dans le sens du plus efficace et du plus facile, et il ne sert à rien de s'en désoler.

Pourtant, la nostalgie demeure et, spontanément, je suis incapable d'envisager un requiem pour le *softcore* qui ne serait pas accompagné d'un certain réquisitoire contre la pornographie *hard* contemporaine. En vieillissant, je me surprends souvent à être d'accord avec des féministes que j'ai toujours trouvées un peu pète-sec sur la question de la porno, comme Andrea Dworkin et

Catharine MacKinnon. Je n'ai jamais pensé que la pornographie était une forme dégradante en elle-même parce que je me méfie de l'essentialisme en toutes choses, mais je suis toujours demeuré très sceptique quant à la capacité de la pornographie, mise de l'avant et espérée par des féministes hétérodoxes comme Virginie Despentes, de produire des représentations subversives. Et je pense que l'histoire est en train de donner raison aux féministes antipornographie.

Il y a de grandes variations qualitatives et quantitatives qui secouent périodiquement l'histoire de la porno. Au niveau des représentations, la pornographie n'a jamais été aussi diversifiée qu'à l'ère de l'internet haute vitesse. Mais la pornosphère est une force principalement centrifuge : peu importe les pratiques alternatives et expérimentations qu'elle permet en sa périphérie, la porno attire toute chose en son sein normatif. Et j'ai souvent l'impression que la désagrégation apparente de sa veine *mainstream* n'est qu'apparat, un masque sympathique placé sur son ultime infiltration de toutes les régions de la pornosphère. Dans les années 90, avant le déluge, la pornographie était traversée d'intéressantes contradictions et probablement à son plus bas niveau de dégradation : c'était l'époque des grandes compagnies de production et des pornstars millionnaires, l'époque où on a imposé unilatéralement le port du condom aux acteurs (quitte à produire de sympathiques anachronismes dans les pornos péplums), l'époque où le milieu de la porno était la seule industrie culturelle où les femmes gagnaient plus que les hommes. Tout n'était pas rose, loin de là, mais c'était quand même, avec le recul, une décennie assez sympathique. La pornographie du numérique a, quant à elle, renoncé presque complètement au récit tout en élargissant considérablement le spectre de ses représentations. Le résultat final est surtout une radicalisation globale de celles-ci : à peu près toutes les pratiques autrefois de niche de la pornographie BDSM se sont frayées un chemin dans la pornographie *mainstream* et rares sont aujourd'hui les scènes entièrement dépourvues de «violences consensuelles», ne serait-ce que dans la substitution généralisée de la fellation au sens strict par une sorte de tentative de meurtre par étouffement à la bite géante.

Le *mainstream* est un ensemble en lui-même de plus en plus flou et traversé de courants de plus en plus extrêmes. Il y a donc, actuellement, un élément d'exploitation renouvelé dans l'industrie pornographique : l'explosion du marché de la pornographie et la démocratisation radicale de sa consommation a permis l'apparition, des deux côtés de l'Atlantique, d'un nouveau lumpenprolétariat du sexe. C'est une équation simple : des candidates chaque jour plus nombreuses se livrent pour de moins en moins d'argent à des activités de plus en plus dégradantes. Un peu comme dans d'autres secteurs de l'industrie culturelle, la pornographie n'est plus un Klondike pour ses artisans de premières lignes. Ce sont les gestionnaires de contenus et les concepteurs d'interface qui se font désormais des couilles en or, bien davantage que les actrices et acteurs qui sont, dans les faits, assez mal payés et jetables après usage.

À cette violence comportementale et économique s'ajoute pour moi une platitude discursive. En renonçant presque totalement au récit, sauf sur le mode de la saynète de plombier ironique, à la faveur d'un réalisme *gonzo*, la pornographie *hard* a renoncé à la fiction et, à travers elle, au discours. L'obsession anatomique de la pornographie l'a fait entrer dans son stade téléréalité : elle est une représentation profondément fausse qui non seulement se prétend vraie, mais nie son propre caractère de représentation en affirmant sans cesse, par l'attestation de la réalité biologique de la sexualité, de son authenticité : la sueur, le sperme, le *squirt* et les sécrétions en tous genres sont censés agir sur les spectateurs comme des sérums de vérité, les gros plans comme des preuves versées au dossier. En s'éloignant ainsi de la fiction, cependant, la pornographie s'éloigne de plus en plus des territoires du fantasme. Elle n'est plus, souvent, que variation sur ses propres possibilités, concours et *performance* – mot à entendre ici moins au sens mélioratif que peut lui donner l'histoire de l'art qu'à son sens techniciste, économique. Les pornstars performent, comme les athlètes d'un cirque dépenaillé, une mascarade qui n'est sexuelle qu'en apparence, ou qui ne produit de la sexualité qu'une manifestation hypostasiée.

Dans la pornosphère, le *hard* est devenu discours hégémonique et c'est un discours extrêmement pauvre. Il est articulé sur la logique binaire du concave et du convexe qui rend tour à tour les partenaires invariablement pénétrants ou infiniment pénétrables. Cette perspective qui distribue de manière très stricte les rôles entre femme (concave) et homme (convexe) n'est pas remise en cause dans la pornographie gai organisée autour de rôles fixes *top/ bottom*. Il s'agit alors moins de recueillir ce que les images auraient à nous dire ou à nous raconter que de mesurer la performance déployée en fonction de la capacité de chacune et chacun à assumer un rôle prédéterminé. L'image pornographique *hard* n'a pas véritablement à réfléchir ou à représenter la sexualité qui est son objet, mais à se produire elle-même, *ad infinitum* et surtout *ad nauseam*. Nous touchons à une mutation de la logique discursive des sociétés face à la sexualité qu'analysait Foucault dans *La volonté de savoir*: il ne s'agit plus de mettre en place les dispositifs nécessaires afin de produire un discours de vérité sur la sexualité (*ars erotica* ou *scientia sexualis*), d'arraisonner les pratiques de la sexualité par le discours et la parole; dans la pornosphère, la connaissance est tenue pour acquise et la représentation vise à tout montrer de la sexualité pour ne plus jamais rien en dire[1].

3. LE DERNIER TANGO À *BLEU NUIT*

J'ai vu à *Bleu nuit*, le 29 février 1992, *Raspoutine* (Ernst Hofbauer, 1984), le dernier film pornographique. Ça fait drôle de l'écrire, et c'est un fait auquel on oublie souvent de penser, mais cette production allemande a marqué l'ultime tentative par des producteurs européens afin de tourner, en 35 mm, un drame historique et pornographique à grand déploiement, comme on l'avait fait en 1979 pour *Caligula* (Tinto Brass). L'idée d'un cinéma pornographique était morte bien avant l'avènement de la pornosphère. Depuis trente ans, nous regardons de la vidéo pornographique et le sexe se fait de plus en plus discret au grand écran.

Ça me fait penser à la légendaire critique qu'a rédigée Pauline Kael après avoir vu *Le dernier tango à Paris* en 1972. Kael avait adoré le film de Bertolucci et y avait vu le héraut d'un cinéma nouveau qui germait depuis les années 60. Elle écrivait:

---

1 Il existe plusieurs manifestations de ce principe, mais aucune n'est plus spectaculaire que ce mouvement par lequel, dans une logique tantôt de puritanisme, tantôt d'austérité, les cours d'éducation sexuelle ont été retirés des cursus un peu partout en Amérique du Nord au fur et à mesure que s'imposait la pornosphère. Nous vivons désormais dans un monde où il est plus facile pour un ado de 14 ans de trouver des images d'une femme avec un bâton de baseball enfoncé dans le rectum que d'entendre parler de sexualité à l'école.

Le dernier tango à Paris, de Bernardo Bertolucci, a été projeté pour la première fois lors de la soirée de clôture du Festival du film de New York, le 14 octobre 1972; cette date devrait marquer l'histoire du cinéma comme celle du 29 mai 1913 - date de la première du Sacre du printemps - a marqué l'histoire de la musique. Il n'y eu pas d'émeute, et personne n'a rien lancé sur l'écran, mais on peut affirmer sans se tromper que le public était en état de choc, car Le dernier Tango à Paris possède le même pouvoir hypnotique que le Sacre, la même force primitive, le même érotisme brutal et insistant. Le cinéma a enfin fait sa révolution[2].

C'est un texte immense que celui-là, qui résonne davantage du fait que sa charge prophétique se soit révélée aussi profondément inexacte. À l'insu de Kael qui voyait dans l'âge adulte du cinéma enfin arrivé, une génération de cinéastes à l'imagination débordante, mais puérile, travaillant à changer le visage du cinéma commercial et à l'éloigner pour longtemps de la maturité formelle et thématique du *Dernier tango à Paris*. Six ou sept plus tard, les distributeurs n'en auraient plus que pour les films de requins géants et de conflits intersidéraux ; quarante plus tard, le *Dernier tango* apparaît comme le vestige d'une époque où le cinéma grand public était plus audacieux et plus libre.

Le dernier tango à Paris relate l'improbable idylle d'une jeune Parisienne avec un Américain exilé qui s'adonnent dans un appartement abandonné à des rencontres purement sexuelles où les amants essayent même de se cacher l'un à l'autre leur véritable identité, comme pour ne jamais aller au-delà de leur corps. À bien des égards, *Le dernier tango* est le film antipornographique par excellence, parce qu'il ne nous dit rien d'autre que l'impossibilité d'isoler la sexualité de la vie et, encore plus gravement, l'impossibilité d'isoler la sexualité de la mort.

Dans sa narrativité résiduelle, la pornographie contemporaine hard ne fait guère que dans le récit d'un châtiment (je vais corriger ma secrétaire idiote/ma patronne arrogante/ma petite amie infidèle avec mon gros pénis) et d'une sorte de séduction-minute

2   Pauline Kael, *Chroniques européennes*, Paris, Sonatine, 2010, p.175.

où les masques du social tombent pour faire place à une animalité foncière. C'est le trait le plus sympathique et parfois drôle de la pornographie, ce fantasme adolescent où tout, du procès à la rencontre avec le banquier au renouvellement du permis de conduire, est toujours à deux doigts de virer à l'orgie ou à la baise folle furieuse. Dans le contexte actuel, cet imaginaire monomaniaque ajoute toutefois au caractère obsessionnel-compulsif de la porno : elle est une forme accessible à tout moment qui répète inlassablement que tout n'est que sexe en ébullition. Avec ou sans récit, elle dresse le portrait d'une sorte de prêt-à-porter relationnel. Le plombier sait toujours spontanément ce que madame aime. La collégienne *barely legal* fait semblant d'être vierge, mais contrôle ses orifices comme un serpent constricteur et *squirt* à volonté. Les deux inconnus engagés dans une scène *gonzo* se baisent comme si leurs corps n'avaient ni limites, ni frontières et comme si leurs pensées et leurs actes toujours coïncidaient. Les corps pornographiques sont toujours prêts à prendre et à être pris, dans une chorégraphie réglée qui interdit autant le faux mouvement que la véritable grâce. Radicalement exclus de cette valse sans hésitation : les thèmes principaux de la pornographie *softcore* que sont l'initiation et l'échange.

Une jeune femme timide explorait sa propre libido au contact d'une amie dévergondée. À travers une aventure avec le beau jardinier, une banlieusarde découvrait qu'elle avait plus à attendre de la vie que son mariage sans amour avec un avocat carriériste. Grâce à ses amies, serviables et portées sur le saphisme, une jeune noble arrivait à éviter un mariage arrangé et initiait à son tour son amoureux secret à des ébats plus *libres*. De la série des *Emmanuelle* aux bluettes sentimentales américaines, le *softcore* était traversé par l'idée, exprimée tantôt avec intelligence, tantôt avec naïveté, que la sexualité peut faire l'objet d'un apprentissage, qu'elle est un lieu de découverte de soi et de rencontre avec l'autre. C'est une idée qui est fille des années 60 et qui a trouvé, grâce au *softcore*, un mode d'expression, fut-il dégradé, jusque dans les années 80 et 90. Les héroïnes du *softcore* n'étaient pas de simples collections d'orifices dont il convenait de tester la résilience et l'élasticité. Libertines suaves ou grandes rêveuses, elles étaient les filles de Jeanne, partie sans le savoir, entre les étreintes peu mièvres de Tom et l'animalité ombrageuse de Paul, à la recherche d'une sexualité qui serait la leur.

Pour un temps, *Le dernier tango* a eu une descendance et, même, de nouveaux publics. Le film de Bertolucci a été diffusé à *Bleu nuit* le 5 novembre 1988.

4. LA NOSTALGIE DU *SOFTCORE*

Ce que je reproche essentiellement à la pornosphère contemporaine, ce sont les cloisons assez étanches qu'elle dresse dans la culture populaire entre les représentations qui ont pour fonction d'attiser le désir et toutes les autres. Dans la pornosphère, la pornographie douce a pratiquement disparu en emportant avec elle beaucoup de formes sympathiques issues du cinéma d'exploitation, comme la scène de baise incongrue dans les films de série B, les thrillers érotiques à gros ou petits budgets et autant de moments dans la culture où le sexe surgissait quand on ne s'y attendait pas.

Ma nostalgie du *softcore* semble être partagée par une partie de la culture contemporaine et il me semble que celle-ci travaille souvent la double exclusion pratiquée par la pornographie *hard*, en produisait une représentation titillante, mais pas brutalement «anatomique», de la sexualité humaine. Cette double exclusion a toujours visé la place de la sexualité dans la vie et les frontières comportementales apposées à l'activité sexuelle.

Je l'ai dit et je le répète, j'insiste: la pornographie raconte de moins en moins d'histoires et celles qu'elles racontent sont très ciblées, concentrées. La pornographie *hard*, contrairement au *softcore*, n'est donc que très rarement un endroit où l'on interroge la place qu'occupe la sexualité dans nos vies. On me dira que ce n'est pas son rôle, mais c'est là, précisément, que le bât blesse. Les puritains, jeunes et vieux, dénoncent volontiers l'influence de la porno sur la culture de masse, mais les apparitions *mainstream* d'une Sasha Grey ne m'émeuvent guère, pas plus que les outrances putassières de Miley Cyrus. Pour rester dans les métaphores aqueuses, je dirais que le véritable problème de la pornographie contemporaine ne réside pas tant dans ses débordements que dans sa capacité d'endiguement. La pornosphère enferme en son sein presque toutes les représentations de la sexualité que produit la culture populaire. Nous avons délégué à une forme particulière le soin de représenter les relations sexuelles, mais c'est une forme qui ne sait rien faire d'autre. Sous des dehors transgressifs, derrière la réclame galvaudée de l'extrême et du sans limites, la pornographie *hard* manifeste dans la vaste majorité de ses représentations un fort courant normatif, non seulement au chapitre des pratiques qu'elle met en scène, mais aussi des usages qu'elle permet. Sous ses airs de *bad girl*, derrière ses dessous affriolants et ses tatouages nombreux, la pornographie *hard* est une invitée très bien élevée, qui arrive et repart toujours à l'heure qu'on veut, et ne fait jamais rien d'autre que ce pour quoi on l'a invitée.

Je me souviens d'un film vu à *Bleu nuit*, dont j'ignore le titre, mais qui m'a laissé une réplique que je n'ai jamais oubliée. C'était un excellent film érotique, allemand, je crois, qui parlait d'un peintre qui habitait avec sa compagne dans un bel appartement berlinois. Comme souvent, dans ces films-là, l'intrigue adoptait assez rapidement les codes du thriller, mais la scène dont je parle était au début. Après une scène saphique entre la femme du peintre et l'une de ses jolies modèles, qui survenait dans la piscine si ma mémoire est bonne, le peintre arrivait sur les entrefaites et saluait les amantes comme si de rien n'était. Un peu plus tard, la femme revenait sur l'incident et insistait pour savoir s'il n'était pas, même un peu, jaloux. Le peintre répondait :

« Pourquoi serais-je jaloux de quelque chose que je ne peux pas te donner ? »

Vu d'ici, ça a peut-être l'air de rien, mais pour un petit gars de 14 ou 15 ans, en plein éveil sexuel, c'était une façon de penser vraiment radicale et neuve, qui ouvrait tout un univers de possibilités. J'ai un bon nombre de « souvenirs pornographiques », mais ils sont rarement associés à des propos particuliers. La dernière fois que j'ai été étonné par une réplique prononcée dans un *gonzo*, c'était celle de Sasha Grey. Dans un entrepôt, elle regardait déambuler devant elle, à hauteur de pénis, les sept ou huit hommes sans visages qui allaient bientôt procéder sur elle à une séance de sexe oral brutal. Elle se tournait vers la caméra pour dire :

« C'est comme si on les objectifiait. »

Ça m'avait beaucoup fait rire, comme toujours le côté *edgy* et pseudo-féministe de Sasha Grey, mais ça n'avait pas ouvert de nouvelles perspectives ou bouleversé comme mon vieux *Bleu nuit.* Je me rappelle surtout d'avoir pensé :

« Celui qui le dit, celui qui l'est. »

Peut-être parce que la sexualité est désormais affaire de petits écrans, c'est dans des séries télé que j'ai surtout vu s'exprimer, dans les dernières années, l'expression d'une certaine nostalgie du *softcore*, qui s'attacherait surtout à cette capacité, partiellement perdue dans la pornosphère, de produire de la sexualité à la fois une représentation et un discours. En reconduisant la sexualité à l'intérieur du destin de leurs protagonistes et en osant souvent en filmer une représentation titillante, la télé parfois rappelle l'*erotica* d'antan et dépasse les cadres discursifs rigides de la porno *hard* contemporaine. J'ai eu du plaisir à voir comment *Queer as Folk* (1999-2000) osait représenter à l'écran la sexualité sulfureuse des habitants de Canal Street et posait, en parallèle, la question de l'amitié et de sa solubilité dans un univers de désir tous azimuts. J'ai eu du plaisir à voir *The L Word* (2004-2009) imposer, lentement mais sûrement, sa propre forme d'érotisme lesbien en marge des formes folkloriques qui font partie depuis toujours de la culture *mainstream*[3]. J'ai eu du plaisir à voir la générosité et l'aplomb avec lesquels, dans *Girls* (2012-), Lena Dunham exposait son corps hors norme et redonnait à la sexualité toute sa dimension dramatique, mais aussi, « comique » ; il m'a d'ailleurs semblé tout à fait cohérent que Dunham ait écrit, pour le 5e épisode de la deuxième saison, durant lequel Anna vit une idylle de quelques jours avec un beau docteur rencontré au hasard d'une querelle de voisins, un *Dernier tango à Brooklyn*.

Si l'homosexualité féminine est la plupart du temps *comodifiée* par la porno *hard*, et si l'homosexualité masculine constitue pour elle un double négatif et très lucratif de la sexualité *straight*, l'extrême périphérie de la pornosphère, son véritable tiers exclu, est la bisexualité masculine. La bisexualité de l'homme est cette singularité que la pornosphère n'admet pas, ou bien malgré elle. Que

---

3   Je veux dire par là, simplement, qu'il existe un fantasme lesbien dans l'imaginaire érotique occidental, un regard masculin qui sert de filtre aux représentations de la sexualité entre femmes. Saint Augustin, par exemple, considérait le saphisme comme l'expression somme toute vénielle de la lubricité féminine. Aujourd'hui, la plupart des agrégateurs de contenus pornographiques considèrent les scènes entre femmes comme une sous-région de la pornographie *straight*.

les *tops* et les *bottoms* se mettent au *switching*, et sa sempiternelle économie, narrative et normative, du concave et du convexe, s'en trouve débalancée. C'est encore ici davantage sur la nostalgie du *softcore* que sur le *hard* qu'il faut compter pour produire des représentations authentiquement subversives.

Au moment d'écrire ces lignes, je viens d'être le témoin d'une énième mort spectaculaire au sein d'une autre série qui flirte avec le *softcore*, mais sur un mode imaginaire : *Game of Thrones* (2011-). La quatrième saison de cette série de *politics fantasy* aura été marquée par la présence brève et éclatante du prince Oberyn, interprété par Pedro Pascal. Oberyn, prince de Dorne, est issu de la seule région du royaume de Westeros où les femmes sont admises à régner et entraînées au combat. Il est lui-même le père aimant de huit filles et doit sa réputation à deux choses : son adresse au combat et son appétit sexuel démesuré. On murmure même autour de lui et de sa maîtresse Ellaria Sand que le couple se livrerait presque quotidiennement à des orgies où madame épancherait son désir pour la chair fraîche des jeunes filles et où monsieur en profiterait pour coucher avec... des hommes.

Ce qui est fortement suggéré dans les livres de George R. R. Martin est confirmé dans la série de Weiss et Benioff. Cette présence en étoile filante d'Oberyn m'a ravi, tout comme j'ai été choqué par sa mort grand-guignolesque. Pendant un temps, au moins, le petit écran aura été marqué par la présence réjouissante et suave d'Oberyn et de sa maîtresse, personnages sexuellement «pervers» mais moralement nobles et vertueux. À travers eux, ce sont tous les citoyens du royaume non patriarcal de Dorne qui étaient montrés comme des êtres plus sains que les habitants des royaumes voisins, où les rapports sexuels, comme tous les échanges sociaux, sont assujettis à des jeux de pouvoir sans merci.

La culture populaire n'a jamais manqué de rôle à distribuer aux pervers et aux déviants, celui de vilain, principalement : les aventures cinématographiques de James Bond sont un long duel entre l'hétérosexualité en *tuxedo* de 007 et un pandémonium de fétichistes, d'asexuels et d'invertis. Lorsqu'une déviance se fait plus acceptable socialement, on accordera volontiers à ses tenants le rôle d'adjuvant et de bouffon, fonctions cumulées par exemple par les meilleurs amis gais attitrés aux héroïnes de comédies romantiques depuis 1992 à peu près. La culture populaire a toutefois produit peu de héros qui n'étaient pas rigoureusement hétérosexuels, alors de voir le prince Oberyn parader à l'écran, pervers et chevaleresque, avait quelque chose de tout à fait réjouissant. Au risque de faire une Pauline Kael de moi-même, j'affirme qu'il y a là un signe parmi d'autres de ce que la culture populaire se décide progressivement à rapatrier, en tant que thème et en tant que motif, une sexualité que la pornographie, malgré tous ses efforts, ne parvient pas à contenir.

5. ADIEU, TORI WELLES

Comparée à la pornographie *hard* contemporaine, le *softcore* du temps de *Bleu nuit* laissait beaucoup à désirer. Cela aura été, historiquement, son talon d'Achille, mais c'est aussi ce qui fonde sa force en une espèce de permanence souterraine. Parce que c'est bien la marque d'une société consumériste et vouée à l'épuisement des formes qu'une expression comme « laisser à désirer » soit fichée d'une connotation négative. En matière d'art et de fiction, en matière d'art et de fiction érotique de surcroît, les choses devraient toujours laisser à désirer, c'est à dire faire une place à l'interprétation, à l'insatisfaction et à l'imagination.

L'horizon de la softcore, à l'époque antédiluvienne, était la relation. Les films qui passaient à *Bleu nuit* laissaient énormément à apprendre et à vérifier. Parfois, on attendait toute la semaine pour regarder un film qui n'était pas véritablement érotique, un polar de série Z avec une demi-scène de cul, ou on se rivait le nez à un téléthon. Il fallait s'arranger avec les souvenirs et les fantasmes qu'on avait. Un ami me confiait l'autre jour qu'il était demeuré convaincu jusqu'à 16 ou 17 ans que les couples baisaient par devant pour pratiquer le coït vaginal et par derrière pour pratiquer le coït anal. J'aurais bien ri de lui, mais il m'a fallu reconnaître que beaucoup de spécificité anatomiques de l'acte sexuel sont demeurées *terra incognita* pour moi jusqu'à ce que j'aie une partenaire pour m'éclairer. Les enfants d'avant le déluge auront connu les dernières années où, globalement, les pratiques de la sexualité outrepassaient ses représentations. L'horizon de la pornographie *hard* contemporaine est la déception. Parce qu'elle ne laisse rien à désirer et que les actes qu'elle met en scène sont produits selon une logique de performance exacerbée, la porno est devenue une sorte de discipline olympique. La plupart de ses épreuves et figures obligées, reproduites par des amateurs, ne sont que sources d'inconfort et de douleur, ce qu'elles sont le plus souvent à l'écran, d'ailleurs, qu'on veuille le reconnaître ou non.

En écrivant cet article, j'ai pensé souvent au producteur Marc Dorcel, que j'avais entendu dire en entrevue, quelque part dans les années 2000, qu'il n'y avait pas de différence fondamentale entre le cinéma dit érotique et le cinéma porno. Lui-même vendait aux chaînes de télé européennes encore preneuses de *softcore* des films proprets à partir des métrages de ses films *hard*, en coupant les plans «génitaux», tout simplement. Ça m'a trotté dans la tête sans doute parce que j'y voyais une sorte de contre-argument terminal à ma nostalgie du *softcore*. Là où je vois dans le *softcore* un lieu propre de l'érotisme qui aurait été anéanti dans notre pornosphère balkanisée, Dorcel affirme que la softcore n'existe pas dans l'absolu, et ne serait qu'une version atténuée de la seule vraie pornographie. Bien sûr, de l'eau a coulé sous les ponts depuis cette déclaration de Dorcel et la grande époque des *majors* pornographiques. On pourrait répondre aujourd'hui, spontanément, qu'en retirant les plans anatomiques ou obscènes d'un *gonzo* contemporain, on n'obtiendrait pas un film «érotique», mais un fichier vide. La pornographie a atteint son expression plénière, *inatténuable*. Cela démontre qu'il y avait encore beaucoup de *soft*, en fait, dans la porno *hard* de cette époque, mais ne nous dit pas grand-chose quant à la spécificité éventuelle du *softcore*.

Mon film préféré des années *Bleu nuit*, d'ailleurs, était l'une de ces versions adoucies : *Des choses dans la nuit*, version française de *Night Trips* (Andrew Blake, 1989) avec la belle Tori Welles. Dans le film, des scientifiques ont développé, on ne sait pas trop comment, une technologie permettant de visualiser les fantasmes d'un sujet en état de demi-sommeil. Cela n'est bien sûr qu'un prétexte pour montrer Tori, cobaye de l'expérience, étendue sur un sofa avec des électrodes aux tempes, se masturbant à l'aide d'un gant de cuir et d'un gode en or plaqué. Le montage fait alterner ces plans de Tori en solitaire avec les plans montrant le contenu desdits fantasmes et d'autres des deux scientifiques qui, parfois, peinent à ramener à la conscience leur sujet nymphomane. Le film, très stylisé, était réalisé avec une bande sonore originale où la musique remplaçait les sons ambiants, des filtres de couleur et des raccords assez volontaires. Le tout avait un côté un peu trop esthétisant, même pour l'époque, mais Tori Welles, performeuse volcanique, donnait un vrai souffle à l'ensemble. Elle a été sans doute la pornstar de laquelle je suis passé le plus près d'être un véritable fan, de ce genre pathétique qui laisse des commentaires sur Pornhub :

« Hey, Tori, great scene. You're just awesome. »

En faisant des recherches sur elle, je me suis rendu compte qu'elle s'était éloignée beaucoup du milieu depuis sa retraite à la fin des années 90 et qu'elle était devenue une quadragénaire intelligente et un peu mal engueulée, qui entretient des vues assez semblables aux miennes sur la pornosphère actuelle :

> J'étais du type missionnaire. J'avais un contrat très prude. Les gens s'en indignent encore, Ron Jeremy a été vraiment fâché lorsqu'il a appris, récemment, que mon contrat stipulait « PAS de Ron Jeremy ». Il disait aussi pas de sexe anal, pas de nains, pas de trucs de cirque, vous savez. J'ai fait des scènes fille/fille, gars/fille et c'était toujours la levrette, le missionnaire et le cheval renversé. C'était un contrat plutôt prude même pour l'époque et plus encore de nos jours. Les filles ont 18 ans et s'enfoncent deux pénis dans le cul en souriant et en suppliant d'en avoir plus. Je ne peux pas me l'imaginer, je ne peux pas le comprendre. [...] Je pense que les gens ont voulu pousser, pousser, pousser. Ils ont voulu aller plus loin, en cherchant toujours la prochaine étape. Voyons voir ce qu'on peut faire à cette fille tout en nous en tirant. Regarde cette jolie fille, on va voir le prochain truc tordu qu'on peut lui faire faire. Je ne sais pas si tout le monde s'est engagé consciemment sur cette voie, mais c'est ce qui est arrivé. Je crois que cette industrie et toutes les industries en général, sont avides. Elles capitalisent sur les extrêmes. Tout le monde aime assister à un déraillement[4].

4   « Adult Hall of Famer Tori Welles gives a very intimate and exclusive interview with LRI », Legendary Rock Interviews, le 15 septembre 2011. http://www.legendaryrockinterviews.com/2011/09/15/adult-hall-of-famer-tori-welles-gives-a-very-intimate-and-exclusive-interview-with-lri/

Ayant eu une pensée émue pour elle, j'ai eu l'idée d'aller me *torrenter* la version *hard* de *Night Trips*, que je n'avais jamais vue. J'ai commencé à regarder le film et j'ai éprouvé un malaise. L'irruption du *hard* brisait la logique du film que j'étais habitué de voir. Au lieu d'un emboîtement éthéré de scènes se superposant parfois les unes aux autres, il y avait là une organisation séquentielle rigide, une marche vers l'inévitable *money shot*, qui minait complètement la dimension onirique du film. On ne comprenait pas pourquoi la protagoniste aurait fait des rêves aussi linéaires, ni pourquoi elle aurait rêvé, tout à coup, à des gros plans de son propre con pilonné. Décision stylistique regrettable, Blake, dans la version *hard* du film, sans doute pour contrebalancer l'esthétique très léchée, avait décidé de filmer les plans anatomiques en très gros plans, stratégie que j'ai toujours détestée.

Entre le moment de mes premiers émois devant Tori Welles et aujourd'hui, j'ai vieilli et développé une certaine pudeur du regard, c'est-à-dire que je ne suis plus un adolescent surexcité à l'idée d'entrapercevoir le moindre petit bout de la chair interdite des femmes. J'ai appris à ne pas faire tout un plat devant une mère qui allaite et à détourner les yeux quand une amie se change à la plage ou se penche en oubliant la grande échancrure de son chandail. Je suppose que, depuis le temps, Tori Welles était devenue quelque chose comme une vieille amie, parce que je me suis aperçu très vite en regardant *Night Trips* que je n'avais pas envie de la voir comme ça. Je la préférais bien au chaud dans mon imagination plutôt qu'annexée rétroactivement à la pornosphère.

Avec cette étrange pudeur de gentleman et de puceau, j'ai mis le fichier à la corbeille et j'ai fermé le capot de mon ordinateur et je me suis dit que celui qui, comme Marc Dorcel, ne voyait pas de différence fondamentale entre ce film-là et celui que j'avais vu à *Bleu nuit*, il y a longtemps jadis, ne comprenait finalement pas grand-chose.

Ni au sexe, ni au cinéma.

— V —

FILMS INSCRITS SOUS TOUTE RÉSERVE

Programmation complète 1986-2007

Ⓡ désigne un film télédiffusé en reprise

1986

13 SEP **Beau-père**, B. Blier, 1981
20 SEP **Canicule**, Y. Boisset,1983
27 SEP **Stryker**, C.H. Santiago, 1983
4 OCT **Meutres à domicile**, M. Lobet, 1981
11 OCT **Malicia**, S. Samperi, 1973
18 OCT **La forteresse noire**, M. Mann, 1983
25 OCT **L'épouvantail de mort**, S. Pillsbury, 1982
1 NOV **Loulou**, M. Pialat, 1979
8 NOV **Les durs**, D. Tessari, 1974
15 NOV **Viol et châtiment**, L. Johnson, 1976
22 NOV **L'exécuteur de Hong Kong**, J. Fargo, 1982
29 NOV **Le gigolo américain**, P. Schrader, 1980
6 DÉC *Bleu nuit annulé : Téléthon des étoiles*
13 DÉC **Prophecy**, J. Frankenheimer, 1979
20 DÉC **Pauline et l'ordinateur**, F. Fehr, 1977
27 DÉC **Et la tendresse? Bordel!**, P. Schulmann, 1978

1987

3 JAN **Et la tendresse?... Bordel! 2**, P. Schulmann, 1983
10 JAN **Légitime violence**, S. Leroy, 1982
17 JAN **Le Phoenix**, D. Hickox, 1981
24 JAN **Cent jours à Palerme**, G. Ferrara, 1984
31 JAN **Butterfly**, M. Cimber, 1981
7 FÉV **La balance**, B. Swaim, 1982
14 FÉV **Partenaires**, C. D'anna, 1984
21 FÉV **Smash**, A. Harvey, 1979
28 FÉV **Dar l'invincible**, D. Coscareli, 1982

7 MAR **Que les gros salaires lèvent le doigt**, D. Granier-Deferre, 1982
14 MAR **Emmanuelle l'antivierge**, F. Giacobetti, 1976
21 MAR **Goodbye Emmanuelle**, F. Leterrier, 1977
28 MAR **California Gold Rush**, J. B. Hively, 1979
4 AVR **Emmanuelle 4**, F. Leroi, 1984
11 AVR **Stryker**, C.H. Santiago, 1983 Ⓡ
18 AVR **Pieds nus dans le parc**, G. Saks, 1967
25 AVR **L'épouvantail de mort**, S. Pillsbury, 1982 Ⓡ
2 MAI **Emmanuelle et les filles de madame Claude**, J. D'Amato, 1978
9 MAI **Le coeur à l'envers**, F. Apprederis, 1980
16 MAI **La dérobade**, D. Duval, 1979
23 MAI **Rue barbare**, G. Béhat, 1983
30 MAI **Malicia**, S. Samperi, 1973
6 JUN **Gwendoline**, J. Jeackin, 1983
13 JUN **Les guerriers du Bronx**, E. G. Castellari, 1982
20 JUN **Glamour**, F. Merlet, 1984
27 JUN **Équateur**, S. Gainsbourg, 1983
4 JUL **Je t'aime moi non plus**, S. Gainsbourg, 1975
11 JUL **Et la tendresse?... Bordel! 2**, P. Schulmann, 1983 Ⓡ
18 JUL **L'émir préfère les blondes**, A. Payet, 1983
25 JUL **Les nuits de New York**, S. Nuchtern, 1983
1 AOÛ **Clémentine Tango**, C. Roboh, 1981
8 AOÛ **Midnight Offerings**, R. Holcomb, 1981

10 SEP **Glamour**, *F. Marlet, 1984* Ⓡ
17 SEP **Slaptsick of Another Kind**,
S. Paul, 1982
24 SEP **Le cercle des passions**,
C. D'anna, 1982
1 OCT **La clé**, *T. Brass, 1983*
8 OCT **Desideria**, *G. Barcelloni,*
1980 Ⓡ
15 OCT **Les caprices d'une nièce**,
A. Bianchi, 1976 Ⓡ
22 OCT **Butterfly**, *M. Cimber, 1981*
29 OCT **Peur bleue**, *D. Attias, 1985*
5 NOV **Le dernier tango à Paris**,
B. Bertolucci, 1972
12 NOV **L'enchaîné**, *G. P. Griffi, 1985*
19 NOV **Fleur du vice**, *G. Angelucci,*
1981
26 NOV **Les branchés à St-Tropez**,
M. Peca, 1983
3 DÉC *Bleu nuit annulé :*
Téléthon des étoiles
10 DÉC **Deux femmes en or**,
C. Fournier, 1970 Ⓡ
17 DÉC **Paco L'infaillible**,
D. Haudepin, 1979
24 DÉC **Tu seras un homme**, *mon fils,*
G. Sidney, 1956
31 DÉC **Les anges se fendent la**
gueule, *J. Uys, 1983*

1989

7 JAN **Gwendoline**, *J. Jaeckin, 1983*
14 JAN **Un amour interdit**,
W. Peterson, 1977
21 JAN **Le gigolo américain**,
P. Schrader, 1980 Ⓡ
28 JAN **Le Phoenix**, *D. Hickox, 1981*
4 FÉV **Desiderio**, *A. Tato, 1983*
11 FÉV **Clémentine Tango**, *C. Roboh,*
1981 Ⓡ
18 FÉV **Rendez-vous**, *A. Téchiné,*
1985 Ⓡ
25 FÉV **Tendres cousines**,
D. Hamilton, 1980 Ⓡ
4 MAR **Captive**, *P. Mayersberg, 1985*
11 MAR **Emmanuelle et les filles de**
madame Claude, *J. D'Amato,*
1978 Ⓡ
18 MAR **Femmes**, *T. Kaleya, 1982* Ⓡ
25 MAR **Gatsby le Magnifique**,
J. Clayton, 1974

1 AVR **La femme flambée**, *R. van*
Ackeren, 1983 Ⓡ
8 AVR **Et la tendresse? Bordel!**,
P. Schulmann, 1978 Ⓡ
15 AVR **Et la tendresse?... Bordel! 2**,
P. Schulmann, 1983
22 AVR **S comme... s comme salaud**,
A. Brunet, 1970
29 AVR **Nijinsky**, *H. Ross, 1980* Ⓡ
6 MAI **Amours de vacances**,
R. Kleiser, 1982
13 MAI **L'espionne qui venait du**
show, *J.C. Stromme et*
B. Zincone, 1979
20 MAI **Court-circuit**, *P. Grandperret,*
1980
27 MAI **L'émir préfère les blondes**,
A. Payet, 1983 Ⓡ
3 JUN **Équateur**, *S. Gainsbourg,*
1983 Ⓡ
10 JUN **La petite**, *L. Malle, 1977*
17 JUN **Comment draguer tous les**
mecs, *J.-P. Feuillebois,*
1984 Ⓡ
24 JUN **Plus rien à perdre**, *D. Hopper,*
1980
1 JUL **Fighting Back**, *L. Teague,*
1982
8 JUL **Quand tu seras débloqué,**
fais-moi signe!, *F. Leterrier,*
1981
15 JUL **Si ma geule vous plaît...**,
M. Caputo, 1981
22 JUL **Malicia**, *S. Samperi, 1973*
29 JUL **L'amour propre... ne le reste**
jamais très longtemps,
M. Veyron   1985 Ⓡ
5 AOÛ **Fanny Hill**, *G. O'Hara, 1983*
12 AOÛ **Les galettes de Pont-Aven**,
J. Séria, 1975
19 AOÛ **Je t'aime moi non plus**,
S. Gainsbourg, 1975 Ⓡ
26 AOÛ **En route pour la gloire**,
H. Ashby, 1976
2 SEP **Le cercle des passions**,
C. D'anna, 1982
9 SEP **Les nuits de New York**,
S. Nuchtern, 1983 Ⓡ
16 SEP **L'exécutrice**, *M. Caputo, 1985*
23 SEP **La clé**, *T. Brass, 1983* Ⓡ
30 SEP **Les caprices d'une nièce**,
A. Bianchi, 1976 Ⓡ

24 NOV **Samanka, l'île des passions**, *J. Régis, 1982* ⓡ

-1 DÉC *Bleu nuit annulé: Téléthon des étoiles*

8 DÉC **Fleur du vice**, *G. Angelucci, 1981*

15 DÉC **Fanny Hill**, *G. O'Hara, 1983*

22 DÉC **On se calme et on boit frais à St-Tropez**, *M. Pécas, 1986*

29 DÉC **Tendres cousines**, *D. Hamilton, 1980* ⓡ

1991

5 JAN **Le bon roi Dagobert**, *D. Risi, 1984* ⓡ

12 JAN **Tarzan, l'homme-singe**, *J. Derek, 1981* ⓡ

19 JAN **L'exécutrice**, *M. Caputo, 1985*

26 JAN **La femme flambée**, *R. van Ackeren, 1983* ⓡ

2 FÉV **L'émir préfère les blondes**, *A. Payet, 1983* ⓡ

9 FÉV **Malicia**, *S. Samperi, 1973*

16 FÉV **Si ma gueule vous plaît...**, *M. Caputo, 1981* ⓡ

23 FÉV **Bolero**, *J. Derek, 1984* ⓡ

2 MAR **Plaisirs de femme**, *G. Soldati, 1985* ⓡ

9 MAR **Les désirs de Mélodie**, *H. Frank, 1978*

16 MAR **Leçons très particulières**, *A. Myerson, 1980*

23 MAR **Nana le désir**, *D. Wolman, 1982*

30 MAR **Emmanuelle 4**, *F. Leroi, 1984* ⓡ

6 AVR **L'été en pente douce**, *G. Krawczyk, 1986*

13 AVR **Gros plan**, *J. Byrum, 1975*

20 AVR **Le gigolo américain**, *P. Schrader, 1980* ⓡ

27 AVR **Emmanuelle et les filles de madame Claude**, *J. D'Amato, 1978* ⓡ

4 MAI **Glamour**, *F. Merlet, 1984*

11 MAI **Quand tu seras débloqué, fais-moi signe!**, *F. Leterrier, 1981* ⓡ

18 MAI **Rosa la rose, fille publique**, *P. Vechialli, 1985*

25 MAI **Screen Test**, *S. Auster, 1985* ⓡ

1 JUN **Et la tendresse?... Bordel!**, *P. Schulman, 1978* ⓡ

8 JUN **L'année des méduses**, *C. Frank, 1984* ⓡ

15 JUN **Clémentine Tango**, *C. Roboh, 1981*

22 JUN **Équateur**, *S. Gainsbourg, 1983*

29 JUN **Deux femmes en or**, *C. Fournier, 1970* ⓡ

6 JUL-14 **Comment draguer tous les mecs**, *J.-P. Feuillebois, 1984* ⓡ

13 JUL **Et la tendresse?...Bordel! 2**, *P. Schulman, 1983* ⓡ

20 JUL **Femmes**, *T. Kaleya, 1982* ⓡ

27 JUL **Les bronzés**, *P. Leconte, 1978*

3 AOÛ **Rendez-vous**, *A. Téchiné, 1985* ⓡ

10 AOÛ **Loulou**, *M. Pialat, 1979* ⓡ

17 AOÛ **On est venu là pour s'éclater**, *M. Pécas, 1979* ⓡ

24 AOÛ **Les caprices d'une nièce**, *A. Bianchi, 1976* ⓡ

31 AOÛ **Les nuits de New York**, *S. Nuchtern, 1983* ⓡ

7 SEP **Samanka, l'île des passions**, *J. Régis, 1982* ⓡ

14 SEP **Si ma gueule vous plaît...**, *M. Caputo, 1981* ⓡ

21 SEP **Desideria**, *G. Barcelloni, 1980* ⓡ

28 SEP **L'amour propre... ne le reste jamais très longtemps**, *M. Veyron, 1985* ⓡ

5 OCT **L'enchaîné**, *G.P. Griffi, 1985* ⓡ

12 OCT **Aldo et Junior**, *P. Schulnann, 1985* ⓡ

19 OCT **Les désirs de Mélodie**, *H. Frank, 1978* ⓡ

26 OCT **La clé**, *T. Brass, 1983* ⓡ

2 NOV **9 semaines ½**, *A. Lyne, 1986* ⓡ

9 NOV **La bonne**, *S. Samperi, 1986*

16 NOV **Emmanuelle 5**, *W. Borowczyk, 1986* ⓡ

23 NOV **Crime et obsession**, *D. Lewiston, 1984*

311

13 NOV **Les amours exotiques d'Emmanuelle**, J. D'Amato, 1980 Ⓡ

20 NOV **Officier et gentleman**, T. Hackford, 1981

27 NOV **L'éveil du démon**, M. Carrière, 1989

4 DÉC *Bleu nuit annulé: Téléthon des étoiles*

11 DÉC **La fièvre du samedi soir**, J. Badham, 1977

18 DÉC **Valentino**, K. Russell, 1977

25 DÉC **Mary Poppins**, R. Stevenson, 1964

1994

1 JAN **Autant en emporte le vent**, V. Flemming, 1939

8 JAN **Love**, K. Russell, 1969

15 JAN **Les séducteurs**, B. Forbes, E. Molinaro, D. Risi et G. Wilder, 1980

22 JAN **Promotion canapé**, D. Kaminka, 1990

29 JAN **Personne n'est parfait**, P. Bogart, 1988

5 FÉV **La bonne**, S. Samperi, 1986 Ⓡ

12 FÉV **Rien que pour vos yeux**, J. Glen, 1981

19 FÉV **La féline**, P. Schrader, 1982

26 FÉV **Delta Force**, M. Golan, 1986

5 MAR **Attraction fatale**, M. Gariazzo, 1987

12 MAR **Le parrain**, F. F. Coppola, 1972

19 MAR **Le parrain 2**, F. F. Coppola, 1972

26 MAR **Top Gun**, T. Scott, 1986

2 AVR **La femme d'affaire**, J. D'Amato, 1989

9 AVR **Crime et obsession**, D. Lewiston, 1984 Ⓡ

16 AVR **Le dragueur**, J. Toback, 1987

23 AVR **Un après-midi de chien**, S. Lumet, 1975

30 AVR **Deux flics chez les folles**, J. Burrows, 1982

7 MAI **La nuit bleue**, P. Raffanini, 1987 Ⓡ

14 MAI **Superman 2**, R. Lester, 1980

21 MAI **Banco**, D.M. Richards, 1985

28 MAI **Obesédé par une femme mariée**, R. Lang, 1985

4 JUN **L'homme au pistolet d'or**, G. Hamilton, 1975

11 JUN **Bolero**, J. Derek, 1984 Ⓡ

18 JUN **Ras-les-profs**, A. Hiller, 1984

25 JUN **Malibu 88**, L. Hobbs, 1987

2 JUL **Chacun ses vacances**, M. Anderson, 1985 Ⓡ

9 JUL **Mo Better Blues**, Spike Lee, 1990

16 JUL **Dr. No**, T. Young, 1962

23 JUL **Le jury du sexe**, M. Schultz, 1989

30 JUL **L'inévitable catastrophoe**, I. Allen, 1978

6 AOÛ **On se calme et on boit frais à St-Tropez**, M. Pécas, 1986 Ⓡ

13 AOÛ **Woodstock**, M. Wadleight, 1970

20 AOÛ **Un homme amoureux**, D. Kurys, 1987

27 AOÛ **Maladie d'amour**, J. Deray, 1987

3 SEP **Intrigues sensuelles**, R. Garrett, 1990 Ⓡ

10 SEP **French Love**, R. Marquand, 1984

17 SEP **La femme de la nuit**, R. Donner, 1985

24 SEP **La filature**, J. Badham, 1987

1 OCT **Plaisirs mortels**, W. Fruet, 1984 Ⓡ

8 OCT **Telle mère, telle fille**, C. Wiseman, 1990

15 OCT **L'été dans le peau**, M. Gleason, 1987

22 OCT **Vertigo**, A. Hitchcock, 1958

29 OCT **Cimetière vivant**, M. Lambert, 1989

5 NOV **Emmanuelle 5**, W. Borowczyk, 1986 Ⓡ

12 NOV **La fleur du mal 2: les nuits de Blue**, Z. King, 1991

19 NOV **Justice sauvage**, J. Flynn, 1991

26 NOV **L'arnaque**, J. R. Hill, 1973

3 DÉC **747 en péril**, J. Smith, 1974

10 DÉC **Henry et June**, P. Kaufman, 1990

17 DÉC **Officier et gentleman**, T. Hackford, 1981 Ⓡ

30 DÉC **Le gigolo américain,**
P. Schrader, 1980 Ⓡ

1996

6 JAN **Le roman des désirs,**
L. Unger, 1991

13 JAN **La bonne,** S. Samperi,
1986 Ⓡ

20 JAN **Été sensuel,** B. Rakley, 1991

27 JAN **Invitations érotiques,** S. Mont,
1994 Ⓡ

3 FÉV **La femme d'affaire,**
J. D'Amato, 1989 Ⓡ

10 FÉV **Jeux secrets 3,**
A.G. Hippolyte, 1994

17 FÉV **Amours de vacances,**
R. Kleiser, 1982 Ⓡ

24 FÉV **Jeux secrets ,** A.G. Hippolyte,
1991

2 MAR **Miroir aux passions,**
A.G. Hippolyte, 1991

9 MAR **Emmanuelle,** J. Jaeckin,
1974 Ⓡ

16 MAR **Emmanuelle l'antivierge,**
F. Giacobetti, 1976 Ⓡ

23 MAR **Concerto pour amants,**
T.B. Stewart, 1995

30 MAR **Intrigues sensuelles,**
R. Garrett, 1990 Ⓡ

6 AVR *Bleu nuit annulé :*
Spectacle Tropicana revue
à la Havane

13 AVR **Goodbye Emmanuelle,**
F. Leterrier, 1977 Ⓡ

20 AVR **Bolero,** J. Derek, 1984 Ⓡ

27 AVR **Virginia,** F. About, 1989 Ⓡ

4 MAI **Gros Béguins,** D. Moreau,
1991

11 MAI **Joy,** S.Bergon, 1983 Ⓡ

18 MAI **Black Emmanuelle en**
Afrique, A. Thomas, 1976 Ⓡ

25 MAI **Jeux de miroirs,**
A. G. Hippolyte, 1993 Ⓡ

1 JUN **La maison du désir,**
L. Charleston, 1985

8 JUN **Leçon privée : une autre**
histoire, D. Othenin-Girard,
1994 Ⓡ

15 JUN **Les escarpins rouges,** Z. King,
1992

22 JUN **Ultraviolet,** B. Rakely, 1991

29 JUN **Le journal de Lady M,**
A. Tanner, 1993 Ⓡ

6 JUL **Si Don Juan était une femme,**
R. Vadim, 1973 Ⓡ

13 JUL **Elke, l'amie de la famille,**
E. Holzman, 1993

20 JUL **Liaisons à domicile,**
R. Chenille, 1993 Ⓡ

27 JUL **Été sensuel,** B. Rakley,
1991 Ⓡ

3 AOÛ **Mes 40 premières années,**
C. Vanzina, 1987 Ⓡ

10 AOÛ **Amours de vacances,**
R. Kleiser, 1982 Ⓡ

17 AOÛ **Henry et June,** P. Kaufman,
1990 Ⓡ

24 AOÛ **Invitations érotiques,** S. Mont,
1994 Ⓡ

31 AOÛ **Romance démence,** J. Sarno,
·1991

7 SEP **Obession brûlante,**
M. Pradeaux, 1989

14 SEP **L'escorte,** A. G. Hippolyte,
1992 Ⓡ

21 SEP **La femme d'affaire,**
J. D'Amato, 1989 Ⓡ

28 SEP **Jeux secrets 3,**
A.G. Hippolyte, 1994

5 OCT **Concerto pour amants,**
T.B. Stewart, 1995 Ⓡ

12 OCT **Emmanuelle,** J. Jaeckin,
1974 Ⓡ

19 OCT **Emmanuelle l'antivierge,**
F. Giacobetti, 1976 Ⓡ

26 OCT **Rebecca,** A. Perry, 1995

2 NOV **Mis à nu,** R. Portillo, 1994

9 NOV **Intrigues sensuelles,**
R. Garrett, 1990 Ⓡ

16 NOV **Prélude à l'amour,** R. Portillo,
1995

23 NOV **Miroir aux passions,**
A. G. Hippolyte, 1991 Ⓡ

30 NOV *Bleu nuit annulé :*
Téléthon de la recherche sur
les maladies infantiles

7 DÉC **Goodbye Emmanuelle,**
F. Leterrier, 1977 Ⓡ

14 DÉC **Bolero,** J. Derek, 1984 Ⓡ

21 DÉC **Girls de Paris (émission d'une**
heure sur les cabarets de
Paris)

7 NOV **L'amour d'Emmanuelle**, *F. Leroi, 1993*

14 NOV **Magique Emmanuelle**, *F. Leroi, 1993*

21 NOV **Parfum d'Emmanuelle**, *F. Leroi, 1993*

28 NOV **Mille désirs**, *F. Leprince, 1996* Ⓡ

5 DÉC *Bleu nuit annulé: Téléthon de la recherche sur les maladies infantiles*

12 DÉC **Gros béguins**, *D. Moreau, 1991* Ⓡ

19 DÉC *Bleu nuit annulé: Spectacle Crazy Horse: Jubilee Show*

26 DÉC *Bleu nuit annulé: Spectacle Lido - 50 ans de bravoure*

1999

2 JAN *Bleu nuit annulé: Magazine Libido suivi de Paris Coquin*

9 JAN **Joy**, *S.Bergon, 1983* Ⓡ

16 JAN **Obsession brûlante**, *K. Meyer, 1993* Ⓡ

23 JAN **Romance démence**, *J. Sarno, 1991* Ⓡ

30 JAN **Mis à nu**, *R. Portillo, 1994* Ⓡ

6 FÉV **Aveux érotiques I**, *P. Gathings Bunche, 1995* Ⓡ

13 FÉV **Aveux érotiques II**, *P. Gathings Bunche, 1995* Ⓡ

20 FÉV **La maison des plaisirs**, *R. Angelo, 1996*

27 FÉV **La maison des plaisirs 2**, *R. Angelo, 1996*

6 MAR **La maison des plaisirs 3**, *R. Angelo, 1996*

13 MAR **La maison des plaisirs 4**, *R. Angelo, 1996*

20 MAR **Vénus Erotica**, *Z. King, 1995*

27 MAR **Aveux érotiques III**, *P. Gathings Bunche, 1995* Ⓡ

3 AVR *Bleu nuit annulé: Spectacle Crazy Horse - Jubilee Show*

10 AVR **Jeux Secrets**, *A.G. Hippolyte, 1991* Ⓡ

17 AVR **La leçon de plaisir**, *S. Mont, 1995* Ⓡ

24 AVR **Prélude à l'amour**, *R. Portillo, 1995* Ⓡ

1 MAI **Rebecca**, *A. Perry, 1995* Ⓡ

8 MAI **Le miroir du désir**, *S. Mont, 1996* Ⓡ

15 MAI **Ondes lascives**, *A.G. Hippolyte, 1992* Ⓡ

22 MAI **Le divan rouge**, *A. Damiano, 1991* Ⓡ

29 MAI **Le livre des désirs**, *S. Mont, 1996* Ⓡ

5 JUN **Aveux érotiques IV**, *P. Gathings Bunche, 1995* Ⓡ

12 JUN **Les escarpins rouges**, *Z. King, 1992* Ⓡ

19 JUN **Été sensuel**, *B. Rakley, 1991* Ⓡ

26 JUN **Gros béguins**, *D. Moreau, 1991* Ⓡ

3 JUL **Jeux secrets 3**, *A.G. Hippolyte, 1994* Ⓡ

10 JUL **Joy**, *S.Bergon, 1983* Ⓡ

17 JUL **Le journal de Lady M**, *A. Tanner, 1993* Ⓡ

24 JUL **Ultraviolet**, *M. Griffiths, 1992* Ⓡ

31 JUL **Jeux Secrets**, *A.G. Hippolyte, 1991* Ⓡ

7 AOÛ **La leçon de plaisir**, *S. Mont, 1995* Ⓡ

14 AOÛ **Prélude à l'amour**, *R. Portillo, 1995* Ⓡ

21 AOÛ **Rebecca**, *A. Perry, 1995* Ⓡ

28 AOÛ **Aveux érotiques V**, *P. Gathings Bunche, 1996* Ⓡ

4 SEP **Week-end avec Sara**, *L.Unger, 1994*

11 SEP **La maison des plaisirs 5**, *R. Angelo, 1996*

18 SEP **Elke, l'amie de la famille**, *E. Holzman, 1993* Ⓡ

25 SEP **Les principes de Pamela**, *T. Phillips, 1992* Ⓡ

2 OCT **Jambon jambon**, *B. Luna, 1992* Ⓡ

9 OCT **Liaisons à domicile**, *R. Chenille, 1993* Ⓡ

16 OCT **La maison des plaisirs 6**, *J. Burroughs, 1998*

23 OCT **Regarde-moi**, *L. Ching, 1995*

30 OCT **Accès interdit**, R. Kubilos, 1997

6 NOV **Jeux sexitants**, D. Trevillon, 1994

13 NOV **Accès refusé**, R. Kubilos, 1997

20 NOV **Les secrets d'une femme de chambre**, A. Bertei-Cecchi, 1998

27 NOV **Le secret d'Emmanuelle**, F. Leroi, 1993 Ⓡ

4 DÉC *Bleu nuit annulé : Téléthon sur la recherche pour les maladies infantiles*

11 DÉC **Onze jours et onze nuits**, J. D'Amato, 1992 Ⓡ

18 DÉC **Piège**, R. Nall, 1995

25 DÉC *Bleu Nuit annulé : Paris Coquin* Ⓡ

2000

1 JAN *Bleu Nuit annulé : Spectacle Crazy Horse-Jubilee Show* Ⓡ

8 JAN **Vénus Erotica**, Z. King, 1994 Ⓡ

15 JAN **La proposition**, D. Taylor, 1995

22 JAN **La maison du désir**, L. Charleston, 1985 Ⓡ

29 JAN **Mille désirs**, F. Leprince, 1996 Ⓡ

5 FÉV **Le roman des désirs**, L. Unger, 1991 Ⓡ

12 FÉV **La maison des plaisirs II**, R. Angelo, 1996

19 FÉV **Complot à Walnut Creek**, E. Holzman, 1996 Ⓡ

26 FÉV **Emmanuelle**, un monde de désir, K. Alber, 1994

4 MAR **La maison des plaisirs II**, R. Angelo, 1996

11 MAR **Les promesses d'Emmanuelle**, L.L. Shapire, 1996

18 MAR **Qui a tué Buddy Blue ?**, J. Marchese, 1996

25 MAR **Emmanuelle pour toujours**, F. Leroi, 1993

1 AVR **Concerto pour amants**, T.B. Stewart, 1995 Ⓡ

8 AVR **Leçon privée : une autre histoire**, D. Othenin-Girard, 1994 Ⓡ

15 AVR **La maison des plaisirs IX**, R. Angelo, 1993

22 AVR **Le fils de Damien**, E. Holzman, 1996

29 AVR **Obsession brulante**, M. Pradeaux, 1989

6 MAI **Jeux Secrets**, A.G. Hippolyte, 1991 Ⓡ

13 MAI **Les principes de Pamela**, T. Phillips, 1992 Ⓡ

20 MAI **Suzanne**, M. Lobato, 1995 Ⓡ

27 MAI **Le livre des désirs**, S. Mont, 1996 Ⓡ

3 JUN **Magique Emmanuelle**, F. Leroi, 1993 Ⓡ

10 JUN **La leçon de plaisir**, S. Mont, 1995 Ⓡ

17 JUN **Le miroir du désir**, S. Mont, 1996 Ⓡ

24 JUN **Prélude à l'amour**, R. Portillo, 1995 Ⓡ

1 JUL **Miroir aux passions**, A.G. Hippolyte, 1991

8 JUL **Ondes lascives**, A.G. Hippolyte, 1992 Ⓡ

15 JUL **Parfum d'Emmanuelle**, F. Leroi, 1993 Ⓡ

22 JUL **Jambon jambon**, B. Luna, 1992 Ⓡ

29 JUL **Romance démence**, J. Sarno, 1991 Ⓡ

5 AOÛ **Rebecca**, A. Perry, 1995 Ⓡ

12 AOÛ **Vénus Erotica**, Z. King, 1994 Ⓡ

19 AOÛ **Le divan rouge**, A. Damiano, 1991 Ⓡ

26 AOÛ **La revanche d'Emmanuelle**, F. Leroi, 1992 Ⓡ

2 SEP **Jeux de miroir**, A. G. Hippolyte, 1993 Ⓡ

9 SEP **Le roman des désirs**, L. Unger, 1991 Ⓡ

16 SEP **Mis à nu**, R. Portillo, 1994 Ⓡ

23 SEP **Aveux érotiques I**, P. Gathings Bunche, 1995 Ⓡ

30 SEP **Aveux érotiques II**, P. Gathings Bunche, 1995 Ⓡ

7 OCT **Les aventures érotiques des trois mousquetaires**, P. Norman, 1992

14 OCT **Accès refusé**, A. Kubilos, 1997

6 OCT *Passion amoureuse,* M. Sedan, 1999

13 OCT *Emmanuelle à Venise,* F. Leroi, 1993 Ⓡ

20 OCT *Désirs sur internet,* M. Riva, 1999

27 OCT *Golden Girl,* G. Layous, 1999

3 NOV *Le grand jeu,* E. Dhaene, 1999

10 NOV *Poker de charme,* B. Troisiho, 1998

17 NOV *Trio dangereux,* B. Beaulieu, 2001

24 NOV *Instinct animal,* A. G. Hippolyte, 1992 Ⓡ

1 DÉC *Bleu nuit annulé: Téléthon de la recherche sur les maladies infantiles*

8 DÉC *Weekend avec Sara,* L. Unger, 1994 Ⓡ

15 DÉC *Le journal des désirs,* M. Monroe, 2000

22 DÉC *La revanche d'Emmanuelle,* F. Leroi, 1992 Ⓡ

29 DÉC *Les promesses d'Emmanuelle,* L.L. Shapire, 1996

2002

5 JAN *Les secrets d'une femme de chambre,* A. Bertei-Cecchi, 1998 Ⓡ

12 JAN *Parfum d'Emmanuelle,* F. Leroi, 1993 Ⓡ

19 JAN *Regarde-moi,* L. Ching, 1995 Ⓡ

26 JAN *Emmanuelle pour toujours,* F. Leroi, 1993 Ⓡ

2 FÉV *L'amour d'Emmanuelle,* F. Leroi, 1993 Ⓡ

9 FÉV *Hôtel Exotica,* E. Evans, 1998 Ⓡ

16 FÉV *Véronica 2030,* G. Graver, 1998

23 FÉV *Emmanuelle, un monde de désir,* K. Alber, 1994 Ⓡ

2 MAR *Les yeux du désir 2,* C. Royalle, 1999

9 MAR *Sexy Dancing,* B. Beaulieu, 1999

16 MAR *Troublantes visions,* B. Beaulieu, 2001

23 MAR *Le grand jeu,* E. Dhaene, 1999 Ⓡ

30 MAR *Poker de charme,* B. Troisiho, 1998 Ⓡ

6 AVR *Aveux érotiques I,* P. Gathings Bunche 1995 Ⓡ

13 AVR *Aveux érotiques II,* P. Gathings Bunche, 1995 Ⓡ

20 AVR *Aveux érotiques III,* P. Gathings Bunche, 1995 Ⓡ

27 AVR *Aveux érotiques IV,* P. Gathings Bunche, 1995 Ⓡ

4 MAI *Aveux érotiques V,* P. Gathings Bunche, 1996 Ⓡ

11 MAI *Aveux érotiques VI,* P. Gathings Bunche, 1996 Ⓡ

18 MAI *Aveux érotiques VII,* P. Gathings Bunche, 1996 Ⓡ

25 MAI *Aveux érotiques VIII,* P. Gathings Bunche, 1995 Ⓡ

1 JUN *Magique Emmanuelle,* F. Leroi, 1993 Ⓡ

8 JUN *Onze jours et onze nuits,* J. D'Amato, 1992 Ⓡ

15 JUN *Le fils de Damien,* E. Holzman, 1996 Ⓡ

22 JUN *Emmanuelle à Venise,* F. Leroi, 1993 Ⓡ

29 JUN *Jeux sexcitants,* D. Trevillon, 1994 Ⓡ

6 JUL *Les aventures érotiques des trois mousquetaires,* P. Norman, 1992 Ⓡ

13 JUL *La revanche d'Emmanuelle,* F. Leroi, 1992, r

20 JUL *Regarde-moi,* L. Ching, 1995 Ⓡ

27 JUL *Le regard d'Alyson,* R. Kubilos, 1997 Ⓡ

3 AOÛ *Le secret d'Emmanuelle,* F. Leroi, 1993 Ⓡ

10 AOÛ *Les principes de Pamela,* T. Phillips, 1992 Ⓡ

17 AOÛ *Emmanuelle, un monde de désir,* K. Alber, 1994 Ⓡ

24 AOÛ *L'amour d'Emmanuelle,* F. Leroi, 1993 Ⓡ

31 AOÛ *Les pilules de l'amour,* A. Presy, 1999

7 SEP *Chambre nuptiale,* C. Royalle, 2001

13 SEP	*Le journal intime*, N. Weber, 1999 Ⓡ
20 SEP	*Le journal intime*, N. Weber, 1999 Ⓡ
27 SEP	*Le journal intime*, N. Weber, 1999 Ⓡ
4 OCT	*Dilemne charnel*, E. Martin, 2002 Ⓡ
11 OCT	*Échange tabou*, Carrabas, 2001
18 OCT	*La dernière fille*, B. Beaulieu, 2001
25 OCT	*Les ensorceleuses*, É. Martin, 1999 Ⓡ
1 NOV	*La dernière fille*, B. Beaulieu, 2001 Ⓡ
8 NOV	*Les yeux du désir 1*, C. Royalle, 1998
15 NOV	*Chambre nuptiale*, C. Royalle, 1997 Ⓡ
22 NOV	*Désirs sur internet*, M. Riva, 1999 Ⓡ
29 NOV	*Rêves brulants*, B. Armstrong, 2000 Ⓡ
6 DÉC	*Bleu nuit annulé : Téléthon de la recherche sur les maladies infantiles*
13 DÉC	*Intimes connexions*, B. Costes, 2001 Ⓡ
20 DÉC	*10 jours d'enfer*, G. Layous, 1999 Ⓡ
27 DÉC	*Les promesses d'Emmanuelle*, L.L. Shapire, 1996 Ⓡ

2004

3 JAN	*Qui a tué Buddy Blue ?*, J. Marchese, 1996 Ⓡ
10 JAN	*Les ensorceleuses*, É. Martin, 1999 Ⓡ
17 JAN	*Emmanuelle à Venise*, F. Leroi, 1993 Ⓡ
24 JAN	*Emmanuelle pour toujours*, F. Leroi, 1993 Ⓡ
31 JAN	*Sexy Dancing*, B. Beaulieu, 1999 Ⓡ
7 FÉV	*Le grand jeu*, E. Dhaene, 1999 Ⓡ
14 FÉV	*Dilemne charnel*, E. Martin, 2002 Ⓡ
21 FÉV	*Les yeux du désir 2*, C. Royalle, 1999 Ⓡ

28 FÉV	*Mission de charme*, O. Blanco, 2002 Ⓡ
6 MAR	*Perverse Léa*, B. Garcia, 2001 Ⓡ
13 MAR	*Étranges exhibitions*, B. Beaulieu, 2001 Ⓡ
20 MAR	*Échange tabou*, Carrabas, 2001 Ⓡ
27 MAR	*La dernière fille*, B. Beaulieu, 2001 Ⓡ
3 AVR	*Passion amoureuse*, M. Sedan, 1999 Ⓡ
10 AVR	*Le journal des désirs*, M. Monroe, 2000 Ⓡ
17 AVR	*Hôtel Exotica*, E. Evans, 1998 Ⓡ
24 AVR	*Instinct Animal*, A. G. Hippolyte, 1992 Ⓡ
1 MAI	*Péché charnel*, N. Monrie, 2001
8 MAI	*Le journal intime d'Amanda*, J. Millerman, 1999
15 MAI	*Le journal intime d'Amanda*, J. Millerman, 1999 Ⓡ
22 MAI	*Le journal intime d'Amanda*, J. Millerman, 1999 Ⓡ
29 MAI	*Amants interdits*, J. Anderson, 1999
5 JUN	*Poker de charme*, B. Troisiho, 1998 Ⓡ
12 JUN	*Magique Emmanuelle*, F. Leroi, 1993
19 JUN	*Limites sexuelles*, C. Stewart, 2002
26 JUN	*Trio dangereux*, B. Beaulieu, 2001 Ⓡ
3 JUL	*Mission de charme*, O. Blanco, 2002 Ⓡ
10 JUL	*Parfum d'Emmanuelle*, F. Leroi, 1993 Ⓡ
17 JUL	*Le secret d'Emmanuelle*, F. Leroi, 1993 Ⓡ
24 JUL	*Désirs sur internet*, M. Riva, 1999 Ⓡ
31 JUL	*Sexe et mensonges entre amis*, E. Martin, 2001 Ⓡ
7 AOÛ	*Le journal des désirs*, M. Monroe, 2000 Ⓡ
14 AOÛ	*Sexy Dancing*, B. Beaulieu, 1999 Ⓡ
21 AOÛ	*Sexe, secrets et trahisons*, D. Franks, 2000

FIN

GÉNÉRIQUE

PAGE 8: Le branleur / Illustration de Pascal Girard.

PAGE 14: Emilie / Illustration de Cathon.

PAGE 29: Quand vient la nuit / Illustration de Jimmy Beaulieu.

PAGE 48: Le grand manitou de la télévision québécoise /
Illustration de Jimmy Beaulieu.

PAGE 54: *Bleu nuit* d'hier / Illustration de Jimmy Beaulieu.

PAGE 61: Affiche promotionnelle du *Diable rose* (Pierre B. Reinhard, 1987)
© Collection privée de Christophe Bier.

PAGE 64: La fois où j'ai eu la collection de *Bleu nuit* au complet /
Illustration de Gabrielle Laïla Tittley.

PAGE 71: La chaise en osier, ou souvenirs d'une cinéphile coquine /
Illustration de Cathon.

PAGE 83: Brèves réflexions d'une téléspectatrice coupable /
Illustration de Pascal Girard.

PAGE 88: Dieu, es-tu là? C'est moi, M-L. /
Illustration de Gabrielle Laïla Tittley.

PAGE 96: Photo tirée d'*Emmanuelle* (Just Jaeckin, 1974)
© Collection privée de Christophe Bier.

PAGE 99: Où es-tu, Sylvia Kristel? / Illustration de Jimmy Beaulieu.

PAGE 104: Affiche promotionnelle d'*Emanuelle autour du monde*
(Joe D'Amato, 1977) © Severin Films.

PAGE 113: Photo promotionnelle de *Voluptueuse Laura* (Joe D'Amato, 1976)
© Collection privée de David Didelot.

PAGE 117: Photo promotionnelle d'*En 5e vitesse* (Tinto Brass, 1967)
© Cult Epics.

PAGE 128: Photo tirée de *La clé* (Tinto Brass, 1983) © Cult Epics.

PAGE 135: Photo tirée de *Fascination* (Jean Rollin, 1978)
© Collection privée de Christophe Bier.

PAGE 138: Affiche promotionnelle de *L'exécutrice* (Michel Caputo, 1986)
© Collection privée de Christophe Bier.

PAGE 143: Logo des Dark Bros © Dark Bros – Purveyors of Fine Filth.

PAGE 149: Moi aussi je regarde *Bleu nuit* / Illustration de Pascal Girard.

PAGE 159: Mélodies d'amour / Illustration de Cathon.

PAGE 192: Le téléthon, cet autre type d'orgasme /
Illustration de Gabrielle Laïla Tittley.

REMERCIEMENTS

Louise Alberro

Julien Bernatchez

Jean-Michel Berthiaume

Martin Bilodeau

Karine Boulanger

Julienne Boudreau

Myriam Bourgeois

Iolande Cadrin-Rossignol

Yves Clément

Pierre Corbeil

Travis Crawford

Ian Culmell

Mitch Davis

Daniel Delisle

Stéphane Derdérian

Luc Desjardins

Cyril Despontin

Antonio Dominguez Leiva

Miguel Doucet

Daniel Falardeau

Helen Faradji

Fausto Fasulo

David Fortin

Élodie François

Michèle Garneau

Gabriel Gaudette

David Gregory

André Habib

Marcel Jean

Dany Laferrière

Lancine Keita

Patrick Lambert

Benoît Lemire

Caroline Lavoie

Lorainne LeBlanc

Mathieu Li-Goyette

Anne-Marie Losique

Jean Mach

Frédérick Maheux

Fabrice Montal

FJ Ossang

Rafaël Ouellet

Thérèse Parisien

Laura Perlmutter

Bernard Perron

Julie Poitras

Simon Predj

Jean-François Rauger

François Samson-Dunlop

Philippe Spurrell

Christopher St-Louis

Richard Therrien

Jean-François Vandeuren

Annaëlle Winand

Et Annie Hardy

Un remerciement spécial à Gilles Esposito qui, le temps d'un café, nous a donné l'idée d'écrire ce livre.

Éric Falardeau et Simon Laperrière

BIOGRAPHIE DES COLLABORATEURS

NICOLAS ARCHAMBAULT

Nicolas Archambault a toujours œuvré dans le domaine du cinéma. Il est cofondateur de la revue *Contamination*, magazine consacré au cinéma de genre et à la pop culture. Ses nombreux voyages, notamment en Extrême-Orient ont réaffirmé son grand amour des cultures coréenne et japonaise et ont contribué à faire de lui un spécialiste dans son domaine à Montréal. Il est le codirecteur de la section asiatique du Festival international de films Fantasia.

SAMUEL ARCHIBALD

Samuel Archibald est professeur à l'UQAM où il se spécialise dans les formes historiques et contemporaines de la culture populaire et la fiction de genre. Écrivain, il est l'auteur d'*Arvida* (Le Quartanier, 2011) et de l'essai *Le sel de la terre : Confessions d'un enfant de la classe moyenne* (Atelier 10, 2013). Il codirige, avec Antonio Dominguez Leiva, la revue électronique *Pop-en-stock* et est chroniqueur à l'émission *Médium large* sur ICI Radio-Canada Première.

CHRISTOPHE BIER

Christopher Bier a dirigé le *Dictionnaire des films français pornographiques & érotiques en 16 et 35 mm* (Serious Publishing, 2011). Récemment, il a réalisé le documentaire *Eurociné 33 Champs-Élysées*, et est apparu en sexologue reichien dans *Pulsion*, comédie pornographique d'Ovidie.

MARCO DE BLOIS

Marco de Blois est spécialiste du cinéma d'animation. Il occupe la fonction de conservateur du cinéma d'animation à la Cinémathèque québécoise et est programmateur du festival Les Sommets du cinéma d'animation. Il siège aussi au comité de rédaction de la revue de cinéma *24 images*.

EDOUARD H. BOND

Edouard H. Bond est un écrivain culte. Il est l'auteur des romans *Prison de poupées, Maudits!* et *Les verrats.*

MARIO DEGIGLIO-BELLEMARE

Mario DeGiglio-Bellemare est titulaire d'un doctorat de l'Université de Toronto. Il enseigne le cinéma de genre au département des lettres et sciences humaines au cégep John Abbott. Membre du collectif de cinéastes indépendants Volatile Works depuis 10 ans, il réalise des films en super-8mm et 16mm. Il est programmateur-coordonnateur du Montreal Underground Film Festival et codirecteur et chargé de cours au Miskatonic Institute of Horror Studies.

DAVID DIDELOT

Fondateur et éditeur du fanzine *Vidéotopsie* depuis 1993, David Didelot vient de signer le livre *GORE : Dissection d'une collection* (chez Artus Films), ouvrage entièrement consacré à la défunte et mythique collection «Gore» des éditions Fleuve noir. Il a également ment postfacé *Zombies Gore* de François Darnaudet et Catherine Rabier (sorti chez Rivière Blanche en 2013). On peut retrouver David au détour d'un bonus DVD... seulement si c'est du bis italien!

STÉPHANE DU MESNILDOT

Stéphane du Mesnildot est journaliste aux *Cahiers du cinéma* et enseigne à Paris 3 Sorbonne. Il est l'auteur de *Jess Franco, énergies du fantasme, Fantômes du cinéma japonais* et *Le miroir obscur, une histoire du cinéma des vampires* aux éditions Rouge Profond.

MANON DUMAIS

Scénariste de formation et détentrice d'une maîtrise en littérature, Manon Dumais a dirigé la section Cinéma du *Voir* durant 10 ans, en plus d'en être chroniqueuse dans sa version télévisée. Journaliste au *Devoir*, critique pour Mediafilm, blogueuse au *Huffington Post* et chroniqueuse DVD au magazine *Cineplex*, elle collabore régulièrement à différentes émissions culturelles sur ICI Radio-Canada Première.

FRÉDÉRICK DURAND

Depuis 1997, Frédérick Durand a publié treize romans, trois recueils de poésie et un recueil de nouvelles chez différents éditeurs, dont Triptyque, HMH et Vents d'Ouest. Son dernier roman, *Le mausolée des matins blêmes*, est paru en 2013 chez Andara.

RALPH ELAWANI

Ralph Elawani est l'auteur d'une biographie d'Emmanuel Cocke intitulée *C'est complet au royaume des morts* et d'un essai sur la contre-culture intitulé *Les marges détachables*. Il a contribué à plusieurs revues et webzines culturels (*Exclaim, La Revue de la compagnie à numéro, Canuxploitation, Cashiers du Cinemart, Razorcake, Spectacular Optical, Nightlife, La Bonante*, etc.) et a participé activement à l'aventure du microcinéma *Blue Sunshine*.

GILLES ESPOSITO

Vous avez pu lire ses écrits dans le magazine *Mad Movies*, dans le *Dictionnaire des films français pornographiques & érotiques 16 et 35mm* (Serious Publishing, 2011) ou encore dans *Universal Studios : 100 ans de cinéma* (La Martinière, 2012). Gilles Esposito est un cinéphile comme on les aime, connaisseur des films les plus improbables, capable de relier les productions d'Eurociné à Douglas Sirk, de rédiger un historique des 20 ans du bis à la Cinémathèque française tout en vénérant Jean Renoir et Sacha Guitry.

ARIEL ESTEBAN CAYER

Ariel Esteban Cayer transforme sa cinéphilie en boulot dès 2011, devenant stagiaire au regretté Blue Sunshine Psychotronic Film Centre. Programmateur pour le festival Fantasia depuis 2012, il a écrit pour des publications de genre telles que *Spectacular Optical*, *Fangoria* et *Rue Morgue*, et contribue présentement à la revue en ligne *Panorama-cinéma*. Terminant présentement un baccalauréat en études cinématographiques à l'Université Concordia, il est également programmateur de la section Film POP de POP Montréal depuis 2014.

ÉRIC FALARDEAU

Éric Falardeau est cinéaste, conférencier, auteur et technicien en archives audiovisuelles. Titulaire d'une maîtrise en études cinématographiques (Université de Montréal), son premier long métrage, *Thanatomorphose* (2012), a remporté une quinzaine de prix dans les festivals et est distribué dans une dizaine de pays. Falardeau a été le commissaire invité de l'exposition *Secrets et illusions, la magie des effets spéciaux* qui est présentée à la Cinémathèque québécoise depuis avril 2013. Il vénère Misty Beethoven et David Bowie.

ALEXANDRE FONTAINE ROUSSEAU

Alexandre Fontaine Rousseau est membre du comité de rédaction de la revue de cinéma en ligne *Panorama-cinéma*, pour laquelle il écrit depuis 2004. Il écrit aussi sur le cinéma pour *24 Images* et *Liberté*. Il lui arrive parfois d'être scénariste de bande dessinée. Il a cosigné *Pinkerton* (2011) et *Poulet grain-grain* (2013) avec François Samson-Dunlop, ainsi que *Les cousines vampires* (2014) avec Cathon. Il est détenteur d'un baccalauréat en études cinématographiques de l'Université de Montréal.

PIERRE-ALEXANDRE FRADET

Pierre-Alexandre Fradet est l'auteur de *Derrida-Bergson. Sur l'immédiateté* (Hermann, 2014) et de *Anonymous Photographs of the Past : A Petition Against Death ?* (CSF Publishing, 2012, publié en anglais et en français). Il rédige actuellement une thèse sur la philosophie et le cinéma à l'Université Laval et à l'ENS de Lyon.

SANDRINE GALAND

Sandrine Galand étudie au doctorat en études littéraires. Elle s'intéresse aux manifestations et aux applications d'un «je» féministe dans la culture populaire contemporaine. Lena Dunham, Tina Fey ou Sheryl Sandberg ne représentent qu'une partie de son terrain de jeu. Adolescente, elle n'a jamais regardé *Bleu nuit*, même si elle a toujours eu l'impression d'en connaître les moindres dessous. Depuis, la représentation que l'on fait des femmes dans les multiples sphères de la culture pop l'obsède.

KARIM HUSSAIN

Karim Hussain est directeur photo. Il a signé l'image des films *Antiviral, Hobo With A Shotgun* et *Territoires,* entre autres. Il a aussi réalisé les films *La Belle Bête, Ascension, Subconscious Cruelty,* un épisode de *The Theatre Bizarre* et a coécrit *The Abandoned.*

SIMON LACROIX

Simon Lacroix est réalisateur depuis 1997. Ses films ont voyagé un peu partout dans le monde. Il est aussi cocréateur des soirées *Total Crap* qui présentent des montages du pire de la télé et du cinéma. C'est tellement mauvais que c'est drôle !

MARIE-JOSÉE LAMONTAGNE

Détentrice d'une maîtrise en études cinématographiques de l'Université de Montréal, Marie-Josée Lamontagne a exploré diverses facettes du cinéma, de l'enseignement à la location d'équipement en passant par la participation à plusieurs tournages. En production, elle s'est naturellement dirigée vers les postes d'assistante à la réalisation et de directrice de production notamment dans les films d'Éric Falardeau, réalisateur avec qui elle collabore maintenant depuis 2005.

SIMON LAPERRIÈRE

Simon Laperrière est né à Montréal. Titulaire d'une maîtrise en études cinématographiques, il dirige depuis 2010 le volet Camera Lucida pour le festival Fantasia. Il a coécrit avec Antonio Dominguez Leiva *Snuff movies: Naissance d'une légende urbaine* (Murmure, 2013). On peut également le voir en croque-mort érotomane dans le film *Thanatomorphose* d'Éric Falardeau.

HÉLÈNE LAURIN

Hélène Laurin est boursière postdoctorale du FQRSC à l'École d'études politiques de l'Université d'Ottawa. Elle mène un projet de recherche au sujet des processus de valorisation articulés par les expositions de musée portant sur la musique populaire. Les manières dont les personnes, les choses et les événements prennent et perdent socialement de la valeur constituent les enjeux qui guident l'ensemble de ses recherches.

JEAN-FRANÇOIS RIVARD

Jean-François Rivard a scénarisé et réalisé sept courts métrages dont *Noël Blank*, qui remporta le prix Génie 2004 du meilleur court métrage dramatique. Il a coscénarisé et réalisé *Les Invincibles*, série récipiendaire de sept prix Gémeaux, incluant Meilleure émission dramatique, Meilleur texte dramatique et Meilleure réalisation dramatique. *Les Invicibles* a aussi reçu le prix spécial de l'Académie pour la création et l'innovation et a remporté deux Olivier. Rivard coscénarise et réalise *Série noire* présentement sur les ondes d'ICI Radio-Canada Télé.

MARIE-LAURE TITTLEY

Marie-Laure Tittley est une professionnelle issue du milieu des festivals de cinéma, ayant travaillé notamment pour le Marché du Film de Cannes et le Marché de coproduction international Frontières. Elle œuvre depuis trois ans au sein de l'équipe des Rencontres internationales du documentaire de Montréal (RIDM), où elle occupe présentement le poste de coordonnatrice à la programmation. Ravie de collaborer à cet ouvrage en si bonne compagnie, il s'agit de sa première publication.

OLIVIER THIBODEAU

Olivier Thibodeau est titulaire d'un baccalauréat en études cinématographiques de l'Université Concordia. Auteur du blogue *The Ghoul Report*, il a participé à *Vie et morts du giallo* publié par *Panorama-cinéma*. Il fait maintenant partie de leur équipe de rédaction.

Achevé d'imprimer en septembre 2014
sur les presses de l'imprimerie Marquis.

Cet ouvrage est entièrement produit au Québec.